# La Peste

METHUEN'S TWENTIETH CENTURY FRENCH TEXTS
*General Editor: W. J. STRACHAN, M.A. (Cantab.)*

# Albert Camus

# LA PESTE

EDITED BY

## W. J. STRACHAN

M.A. (Cantab), *Head of the Modern Language
Department, Bishop's Stortford College*

## Methuen Educational Ltd
LONDON · TORONTO · SYDNEY · WELLINGTON

This edition first published 25 June 1959
Second edition 1962
Reprinted four times
Reprinted 1970
© 1962 Methuen & Co Ltd
Printed in Great Britain by
Butler & Tanner Ltd
Frome and London
S.B.N. 423 81800 7
2.6

# Publisher's Note

# Introduction to Second Edition

'Ils ne mouraient pas tous, mais tous étaient frappés.'
*La Fontaine*

**B**EFORE discussing *La Peste* in the context of the author and his philosophy or attempting any critical examination of the text, it is perhaps pertinent to justify one's confidence in presenting this acknowledged masterpiece to senior pupils and students. The acclamation with which it has been received in France, where it was awarded *le prix des critiques*, and other countries certainly proves that it is a book for our time. More than any other that has so far come out of the Second World War period it has enshrined men's hopes and disappointments, captured the atmosphere and climate not only of the Occupation but of the years of fascist dictatorship that preceded this and the cruelty and despair of the time that has followed. Certain features of the Occupation such as the black market are at once recognizable, but Camus has reserved his emphasis for the sadness and tragedy of family exile and separation in his allegory and – on the positive side – the solidarity among men of good will whose philosophy of life ranges from Tarrou's stoical pessimism to Paneloux's blind faith in absolutes. We are concerned in the book with one particular epidemic, but Dr Rieux 'savait que le bacille de la peste ne meurt ni ne disparaît jamais'. The 'peste' in other words symbolizes evil and death. It is inescapable, but men of courage and imagination will continue their struggle against it wherever and whenever it appears with 'le meilleur moyen de lutter contre la Peste . . . l'honnêteté'.

There is, as we shall see, more than one message, as
there is more than one 'personnage sympathique' in the
book, but the main emphasis is on a kind of militant
stoicism not unlike that implicit in Alfred de Vigny's
exhortation 'Fais énergiquement ta longue et lourde
tâche Dans la voie où le sort a voulu t'appeler. . . .' Less
dramatic perhaps, for it is the army of doctors who
symbolize man's constant fight against evil. As Dr Rieux
expresses it quite early on: 'l'essentiel était de bien faire
son métier', and the message is tied up with the period
later in the book when a statement has been issued from
the *préfecture* that 'l'épidémie pouvait être considerée
comme enrayée'. Rieux knew that his work could never
be over: 'son métier continuait . . . il n'y a pas de congé
pour les malades'.

What distinguishes *La Peste* from so many other recent
books inspired by war is its universality. Remarque's *All
Quiet on the Western Front* revealed the brutality and
futility of war, *The Case of Sergeant Grischa* had its
moments of pity, and from the Second World War we had
a moving testimony of human courage in *Le Silence de la
mer* and from Germany an allegory, *Die Stadt hinter dem
Strom*, impressive in a teutonic way; but none of them
have the permanent value of this strange chronicle which
in the unpretentious 'ton neutre' that Camus has adopted
for his purpose quietly celebrates the triumph of the
human spirit over death and disaster.

## I. ALBERT CAMUS, THE MAN

'Art is not in my view a solitary delight. It is a means of
moving the greatest possible number of men by communi-
cating to them a privileged vision of our common suffering
and joys. . . . Since his vocation is to unite the greatest
possible number of men, he can have no truck with

falsehood or servitude which, wherever they reign, breed isolation. . . .' Extract from the speech made by Albert Camus on the occasion of the award to him of the Nobel Peace Prize, December 1957, at Stockholm. (Translation in the *London Magazine* by Jean Stewart.)

A brief consideration of Albert Camus's life and work will help to a fuller understanding of *La Peste*. Camus was born in 1913 in Algeria. His father, an artisan, came from Alsace and his mother, like many North African colonists, had Spanish blood in her veins. The former lost his life in the Battle of the Marne in the First World War, and the situation of the mother, left with two young sons to bring up, was extremely precarious. Albert's success in surmounting the difficulties of his early years, dogged as they were by ill health, must be attributed partly to the encouragement of a schoolmaster, Louis Germain, partly to his own efforts in winning a bursary to the Lycée d'Alger. Reading played an important part in his life and one can trace the influence of many contemporary authors, especially that of Gide, Malraux, Montherlant, and André de Richaud, in his work and philosophy. This was not to the exclusion of writers of the past, his particular subject while studying philosophy at the University of Algiers being the relations of Hellenism and Christianity as exemplified by Plotinus and St Augustine. He was as interested in Pascal as he was in Kierkegaard and, later, in Jean-Paul Sartre.

During the years 1935 to 1938 the focal point of Algerian intellectual life was the 'Librairie des Vraies Richesses' managed by Edmond Charlot who published *Révolte dans les Asturies*, mentioned later. Here Camus first met Claude de Fréminville, Gabriel Audisio, and the writers who became known as 'l'École d'Afrique du Nord'; here too Camus enjoyed many discussions and exchanges of ideas with his university professor and friend, Jean Grenier, to whom he dedicated his first work, *L'Envers et l'Endroit*.

Camus was responsible for setting a theatrical group in motion, known as *L'Équipe*, which in the early days of its existence produced a 'création collective', *Révolte dans les Asturies*, inspired by the revolt of the miners of Oviedo in 1934. This anonymous work is in fact largely by Camus, and his signature, so to speak, is recognizable in this message in the preface, 'il suffit que l'action conduise à la mort, comme c'est le cas ici, pour qu'elle touche à une certaine forme de grandeur qui est particulière aux hommes: l'absurdité . . .', a theme which he was to develop in later plays.

The first-hand knowledge of the theatre he gained during this period stood him in good stead when he launched out as a professional playwright. It was the time of the Spanish Civil War and the Popular Front in France, and in 1938, prevented by illness from completing his degree course in philosophy, he took his first post as a journalist with Pascal Pia's *Alger-Républicain*. But he had not neglected his dramatic work, and the same year he wrote *Caligula*. This pessimistic but extraordinarily dramatic play, ostensibly the study of a decadent Roman emperor, is the author's protest against the absurd in life. Whereas Racine's Nero shows occasional glimpses of humanity and at any rate pays lip-service to virtue, Caligula has virtually taken the attitude 'evil be thou my good', and, like Ubu Roi of Alfred Jarry, revels in the discomfort, torment, and even death of his entourage. It is the triumph of a play without a 'personnage sympathique' but a compelling psychological study of one who through the elevation of his position can indulge in a ruthless expression of disillusionment, fortunately denied to the ordinary man.

Thwarted emotion has driven him to take revenge on life itself, and if Caligula in Camus's version is a monster, he is a comprehensible one. Europe by this time was not unacquainted with other tyrants suffering from 'la nostalgie de l'absolu'. There were enough parallels too in the situation of Occupied France when the play was finally staged in 1945 at the Théâtre Hébertot (which has seen so many significant *premières*) in Paris, with Gérard Philippe in the title-role, for the meaning not to be lost; the audience must have included many who had direct experience of the 'absurd' in action. *Caligula* was an immediate success. The doyen theatre critic, Robert Kemp, called it 'un manuel des désespérés'. Remembering that the play was written in 1938, we can see it as a prophecy of the horrors that were to come. In 1939 Czechoslovakia was annexed and on 3 September the Second World War began. Camus, who at this time was working for *Paris-Soir*, tried to enlist, was turned down on health grounds, and made a journey to Oran in which he was later to situate *La Peste*. There he incurred the displeasure of the *Gouvernement Général* – he was never a 'yes-man' in politics – and left Algeria for Marseilles and then Paris. In May 1940, the Germans invaded France. Camus, continually frustrated in various projects, took refuge in temporary jobs and embarked on the first part of the all-important philosophic essay *Le Mythe de Sisyphe*, of which more will be said later. This completed, he started on the preparation of *La Peste* early in 1941. Returning to journalism in 1942 he joined the staff of the clandestine organ of the Resistance movement, *Combat*. The allied landing in North Africa in November of that year meant separation from his wife until the Liberation. This fact gives a particular personal poignancy to the theme of exile and separation in *La Peste*. The following year his newspaper required his services in Paris where he worked in considerable danger. In 1944 he made the acquaintance there of Jean-Paul Sartre, the philosopher and dramatist of Existentialism.

The importance in Camus's literary and philosophic development of his desultory reading has already been mentioned. His preoccupation at this period with Melville's *Moby Dick*, Vigny's *Grandeur et servitude militaires*, and particularly Defoe's *Journal of the Plague Year* had a considerable influence on *La Peste* which was not finally completed until 1947.

His first 'récit' (*his* designation), *L'Étranger*, was published in 1942. The subject is both symptomatic of our time and characteristic of the author. The high standard of integrity he expects from the ordinary man – represented by Meursault – is a leitmotiv in Camus's work. Meursault, without any conscious attitudinizing, refuses to pretend to conventional emotions that he does not feel. In extenuating circumstances, virtually in self-defence, he has fired a shot and killed an Arab. At the trial he alienates judge, court and of course the public by his inability to explain away how he could have gone off with a woman on the evening of his mother's funeral, at which – it had been observed – he had shed no tears. Irrelevant though this seems to the case, it is precisely this refusal to feign emotions that he does not feel that causes him to be condemned to death. He is regarded as a brute on whom no sympathy should be wasted. The play is tragic because Meursault, at first indifferent to his fate, gradually realizes as he waits his end in prison, how much life means to him. The absurdity lies not in man himself nor in his nature, but in the predicament in which he is continually finding himself which seems an insult to his reason and a betrayal of all his hopes. But man, as he teaches us in

*Le Mythe de Sisyphe,* by standing up for the values he sets before him may be said – to frame it in Pascalian terms – to rise 'supérieur à ce qui le tue'. Like Sisyphus we all have the rock that we must push uphill. If it seems a futile labour, since it will roll down again, it is nevertheless a satisfying act of defiance, for in the brief interval of the individual's return to the bottom of the hill, says Camus, he enjoys a measure of independence, and, during the brief moment of his turning to glance backwards, he can contemplate the actions for which he has been responsible. The struggle towards the heights is enough to fill his heart. 'One must', he says, 'imagine Sisyphus happy.' Meursault's martyrdom is not without meaning.

*Le Malentendu,* published in 1944, has the following theme: Martha and her mother have taken an inn in Czechoslovakia. Their plan is to accumulate enough money to retire and find happiness in a sunnier land by poisoning and robbing casual travellers who put up for the night. When the play opens, they have decided that the next victim shall be the last. Ironically he turns out to be Martha's brother, Jan, who conceals his identity and whom Martha fails to recognize, not having seen him for twenty years. The 'misunderstanding' is revealed too late by Jan's wife, Maria, who has come to discover news of her husband. Protesting against an unjust world, Martha decides to commit suicide. The atmosphere in which such ruthless acts can be contemplated and carried out, when life is reduced to 'keeping alive' and civilized values have lost their meaning, strikes us with cold horror. Nevertheless, the play has moving overtones to which this brief résumé of the plot cannot do justice. 'Ayez pitié de ceux qui s'aiment et qui sont séparés!' comes Maria's desperate cry, only to be answered by a cold 'non' by the old servant.

Although Camus's life, like that of many of his characters, was always somewhat independent, and was enriched by important friendships such as that with René Leynaud which ended with the latter's tragic death – he was shot by the Germans in 1944 – and that with the poet René Char. These friendships have usually been linked with humanitarian causes which Camus, the journalist of idealism, has espoused all through his career. His protest against collective reprisals in Madagascar is typical. 'Nous faisons dans ces cas-là,' he wrote in reference to them, in *Combat*, 'ce que nous avons reproché aux Allemands de faire. . . .' This was in 1947, the year in which *La Peste* was published and received the immediate recognition it deserved.

During the last years of his life which saw an ever-increasing appreciation of Camus's activities in the fields of public causes as well as authorship, one can only pick out a few more significant examples. Of the former, his appeal against the death sentence on Greek communists in 1949, and his intervention on behalf of seven Tunisians sentenced to death – capital punishment has always been abhorrent to him. His creative works include *L'État de siège* and another play, *Les Justes*, *L'Homme révolté*, a philosophic essay published in 1951, and *La Femme adultère*, a long short story published in a limited edition in 1954, and scheduled to appear in an ordinary edition. Of *L'Exil et le Royaume* (1957), J. G. Weightman, reviewing a translation in *The Observer*, writes: 'These violent yet controlled stories confirm what we already knew from the play *Caligula* – that Camus is no simple, superficial humanitarian. He is on the side of the angels, as he should be, but he gives the devil a very good run for his money, which is also as it should be.'

Camus, alas, has met his death in a motor-accident since those words were written. Not only his family and friends but a much wider circle of men of good will have cause to mourn this great loss. He was forty-six. But whether through the medium of plays, narrative or philosophic works, his message, 'Je me révolte donc nous sommes', will always present a challenge to complacent thinking.

## II. *LA PESTE* – A NOVEL?

In the list of Albert Camus's collected works *La Peste* appears under the heading of 'Récits et Nouvelles'. If only by its length, however, it is entitled to be considered a novel, and as such it is treated in Henri Peyre's *The Contemporary French Novel*. Described by the narrator as a 'chronique' it is nevertheless both a novel and an allegory. In recent years French writers have increasingly adapted myths (mostly classical) to the contemporary situation; Sartre's *Les Mouches* and Anouilh's *Antigone* are examples. By an adroit use of symbolism in the present work Camus aims, as we shall see, at a similar universality. 'The whole conception and construction of *La Peste*,' writes John Cruickshank, 'make it one of the most impressive novels of recent times to which the term *roman-mythe* may be applied.' * Of plot there is little; we are presented rather with a succession of events and concerned with the reactions of certain individuals to them rather than with the interaction of these individuals among themselves. All the action centres round the one inescapable fact, the plague, the original of which was in fact the typhus epidemic that raged in Algeria from late 1941 into February 1942. The heroic devotion of doctors and nurses in *La Peste* is founded on the historical reality of that grim period.† The plague, identifiable as it is

* *Albert Camus and the Literature of Revolt*, see p. 333.
† I have this from a French woman whose mother died a victim of the outbreak.—Editor.

with the German Occupation of France – 'la peste
brune' – is of course more widely symbolic of evil in
the world at large.

It has been stated by the critic Pierre de Boisdeffre
that Camus is lacking in the gifts that make the true
novelist, 'imagination et sensualité'. 'C'est la difficulté,'
he continues, 'qu'éprouve Camus à s'approcher du réel;
il lui faut des héros sans costume, une scène nue. . . . A
peine saurons-nous quelle était la taille du docteur
Rieux, la couleur de ses yeux . . . nous pensons bien que
le père Paneloux a une soutane, mais nous n'en sommes
pas sûrs. . . .' Assuming this observation to be justified,
we may still ask ourselves whether – in view of his purpose in the book – the author should follow the particular pattern of novel implicit in M. de Boisdeffre's
definition. As Virginia Woolf has convincingly demon-
strated in her essay 'Mr Bennett and Mrs Brown', it is
possible to list every detail of Mrs Brown's personal
appearance down to the number of buttons on her coat,
to describe the town, street, and house in which she lives,
to quote the number of her insurance policy and yet
fail to capture what one might call the soul or spirit of
Mrs Brown. I suggest that Camus in *La Peste* has in-
tentionally emptied the personal descriptions of all but
their essentials. He does not wish – and I mean this in
the precise sense of the word – to distract us from their
*essence*. Whether or not Paneloux wears a cassock is
unimportant (or so it appears to me), what we are
interested in is his interpretation of the Christian doctrine as expressed in his two sermons and how it affects
his subsequent behaviour in the narrative. With regard
to Dr Rieux's eyes, M. de Boisdeffre has chosen an un-
fortunate example, for if we are conscious of any single
detail of personal description in the book it is of the eyes .

Here, for example, is an observation from Tarrou's notebook: 'la couleur marron clair des yeux de Mme Rieux, mère, affirmait bizarrement à son propos, qu'un regard où se lisait tant de bonté serait toujours plus fort que la peste.' Of Judge Othon whose portrait the same critic finds 'un peu caricatural' Dr Rieux remarked, after the death of his – the Judge's – son: 'Il n'était pas possible que dans ces yeux durs et plats une douceur s'installât soudain, mais ils étaient devenus plus brumeux; ils avaient perdu leur pureté de métal.'

It could be argued that what M. de Boisdeffre describes as 'sensualité' is not a necessary ingredient in the novel. What part does it play for instance in the work of Mr E. M. Forster? What Camus certainly does do is to make us aware of the deeper emotions aroused by the sorrows of death and the grief of separation, which is his particular purpose. What could be more touching than Rambert's longing for reunion with his wife and his renunciation (worthy of Antiochus in *Bérénice* or Dominique in Fromentin's novel of that name) of the chance of the escape to her that he has so desperately intrigued for, because 'il peut y avoir de la honte à être heureux tout seul . . .'? Or there is the description of Joseph Grand's grief which aches like an old wound as he remembers the time before Jeanne, his wife, deserted him:

'il se souvenait lui aussi des fiançailles du malheureux devant une boutique de Noël et de Jeanne renversée vers lui pour lui dire qu'elle était contente. Du fond d'années lointaines, au cœur même de cette folie, la voix fraîche de Jeanne revenait vers Grand, cela était sûr . . . et il pensait comme lui que ce monde sans amour était comme un monde mort. . . .'

However, let us concede on other grounds which we will consider later that *La Peste*, ostensibly a 'chronique', is really more of a *roman-mythe*, and examine the method of narration employed. It is what we are accustomed to describe these days as 'documentary'. The quotation from Daniel Defoe's *Plague Year* evokes not only the subject matter of the English writer's work but the dry, objective style of the prose. If it soon becomes evident that the 'chronique' is becoming an allegory, this does not prevent us from enjoying it on the purely narrative level as we can enjoy *Gulliver's Travels* or *Animal Farm* quite irrespective of the authors' satirical purpose. Camus's allegory, however, unlike most allegories, including *Pilgrim's Progress*, is not peopled with abstractions, though the emphasis is on the moral characteristics of the chief persons, especially in the second half of the book.

Camus has wisely avoided identifying himself wholly with any single character which would have made the work too much of an *apologia pro sua vita*. At the same time none of the people speak or act 'out of character'; such inconsistency as they have is purely human. No; each is a character in his own right. Let us look at one or two of them. There is certainly nothing of the abstract about Paneloux, moved no less than Rieux by the death of Judge Othon's little son, answering Rieux's cry 'Celui-là était innocent . . .' with 'Pour moi aussi, ce spectacle était insupportable.'

The scene in its restrained, objective description which makes it all the more distressing reminds one of Samuel Beckett's sympathy likewise expressed in a 'ton neutre' in *All That Fall*.

> MRS ROONEY: I remember once attending a lecture by one of these new mind doctors . . . I remember his telling us the story of a little girl; very strange and unhappy in her ways, and how he treated her unsuccessfully

over a period of years . . . he could find nothing wrong with her, he said. The only thing wrong with her as far as he could see was that she was dying. And she did in fact die shortly after he washed his hands of her.

MR ROONEY: Well? What is there so wonderful about that?

MRS ROONEY: No; it was just something he said and the way he said it that have haunted me ever since. . . . When he had done with the little girl, he stood there motionless for some time . . . then he suddenly raised his head and exclaimed, as if he had had a revelation, 'The trouble with her was that she had never really been born!'

Tarrou's tragic death too is 'unbearable'. For several days he struggles in response to Rieux's encouragement and sympathy but he knows 'la partie est perdue'. . . . The climax comes: 'Le sourire que Tarrou essaya encore de former ne put passer au delà des maxillaires serrés et des lèvres cimentées par une écume blanchâtre. Mais dans la face durcie les yeux brillèrent encore de tout l'éclat du courage.'

Rieux and Tarrou are the closest together of all the characters in *La Peste*. In one of those rare passages where we are accorded a *détente* Rieux and Tarrou go off for a swim together

'loin du monde, libérés enfin de la ville et de la peste. Rieux s'arrêta le premier et ils revinrent lentement, sauf à un moment où ils entrèrent dans un courant glacé. Sans rien dire ils précipitèrent tous deux leur mouvement, fouettés par cette surprise de la mer.

'Habillés de nouveau, ils repartirent sans avoir prononcé un mot. Mais ils avaient le même cœur et le souvenir de cette nuit leur était doux. . . .'

As one watches each of the main characters at crises in their lives as well as in the accomplishment of their everyday duty, one does indeed think of man as being the sum total of his acts, what he has done and what he can do. *La Peste* is an impressive work with features of the documentary, the novel, and the allegory. By virtue of which of these qualities it will ultimately survive is a matter for speculation.

## III. *LA PESTE* AS A NARRATIVE

From the opening sentence 'les curieux événements qui font le sujet de cette chronique se sont produits en 194., à Oran' one recognizes the traditional chronicle style. It might be *Robinson Crusoe*. The factual description of the Algerian city maintains this idiom and slowly creates the atmosphere of expectancy. The impersonal mask is not dropped until one arrives at the phrase 'on dira sans doute que cela n'est pas particulier à notre ville et qu'en somme tous nos contemporains sont ainsi' – a hint that whatever happens in Oran is the concern of us all. The narrative continues, but now with a note of irony, 'A Oran comme ailleurs, faute de temps et de réflexion, on est bien obligé de s'aimer sans le savoir'. The next paragraph introduces the kind of ironic humour that we associate with prose satire such as *Gulliver's Travels* or *Animal Farm*. 'Ce qui est plus original dans notre ville est la difficulté qu'on peut y trouver à mourir. . . . On comprendra ce qu'il peut y avoir d'inconfortable dans la mort, même moderne, lorsqu'elle survient ainsi dans un lieu sec.' Next we are informed of the documents and depositions on which the 'chronique' is based.

The promised minutiae are indeed grimly forthcoming. 'Le matin du 16 avril, le docteur Bernard Rieux sortit de son cabinet et buta sur un rat mort, au milieu du palier.' Rats. Our mind is filled with loathsome associations, rats leaving sinking ships, perhaps T. S. Eliot's 'rats' feet over broken glass in our dry cellars', the killing of the rat in the opening of Rosamond Lehmann's *The Echoing Grove*.

Our feeling of distaste is increased by the incident of the same evening when Rieux sees 'un gros rat à la démarche incertaine et au pelage mouillé. La bête s'arrêta, sembla chercher un équilibre, prit sa course vers le docteur, s'arrêta encore, tourna sur elle-même avec un petit cri et tomba enfin en rejetant du sang par les babines entr'ouvertes. Le docteur la contempla un moment et remonta chez lui.' We are to be spared no horror. Then comes the bridge passage that links us to the personal side of the story. 'Ce n'était pas au rat qu'il pensait (i.e. Rieux). Ce sang rejeté le ramenait à sa préoccupation. Sa femme, malade depuis un an, devait partir le lendemain pour une station de montagne.' We now know that we shall be concerned with personal tragedy. The first human death in the plague is described with the same ruthless objectivity as the death of the rat; it is that of the concierge. He dies in agony muttering 'les rats!'

In the next chapter we meet Jean Tarrou, a mysterious man of 'mille métiers', and later in the novel, a member of the 'formations sanitaires', from whose notebooks the narrator proposes to quote extensively. This further increases the atmosphere of verisimilitude. Our faith in his recording is confirmed by the opening of the next chapter: 'Les chiffres de Tarrou étaient exacts.' It ends with Rieux' statement to his senior colleague Castel, confirming the unpalatable truth: 'Oui, Castel, c'est à peine croyable. Mais il semble bien que ce soit la peste.' This declaration affords the narrator the opportunity for enlarging on the theme of other catastrophic plagues of history, and wry comments on the haphazard statistics of those days: 'Pourtant, si un rat a trente centimètres de

long, quarante mille rats mis bout à bout feraient. . . .'
As might be expected, modern people in our present state
of civilization cannot believe that such a disaster could
happen to *them*: 'Ils pensaient que tout était encore
possible pour eux, ce qui supposait que les fléaux étaient
impossibles. . . . Comment auraient-ils pensé à la peste
qui supprime l'avenir, les déplacements et les discussions? Ils se croyaient libres et *personne ne sera jamais
libre tant qu'il y aura des fléaux*' (my italics). The tone
is set for a grim allegory. First the evil must be faced by
recognizing it for what it is. Camus is following the
stages of La Fontaine's fable 'Les Animaux malades de la
peste' – we have reached that of 'La peste – puisqu'il
faut l'appeler par son nom'. The official declaration will
follow in due course (i.e. the normal delays of officialdom): 'le jour où le chiffre des morts atteignit de nouveau
la trentaine, Bernard Rieux regardait la dépêche officielle
que le préfet lui avait tendue en disant "ils ont eu peur".
La dépêche portait "Déclarez l'état de peste. Fermez la
ville."' We now reach the stage of 'Ils ne mouraient pas
tous mais tous étaient frappés' which is echoed in the
narrator's words, 'A partir de ce moment il est possible
de dire que la peste fut notre affaire à tous.'

With the closing of the city gates begins the period of
separations; even 'la légère satisfaction d'écrire nous fut
refusée . . . ainsi la première chose que la peste apporta à
nos citoyens fut l'exil. . . .' Exile in the abstract is not
easily imagined. It is brought home by the case of the
young journalist, Rambert, who, although only a visitor,
must suffer the same enforced separation – from his wife
in Paris. 'Dans l'exil général, ils étaient les plus exilés'
is the comment on them and other travellers whose home
is not in Oran. The town becomes indeed desolate in
heart. ('Plus d'amour, partant plus de joie.' La Fontaine.)

The next phase is a struggle not only with the disease but 'une espèce de lutte morne entre le bonheur de chaque homme et les abstractions de la peste'. It is not, however, an abstract, impersonal force to them all. Le père Paneloux still takes the view which one had thought dispelled by Voltaire's satire on the 'tremblement de terre de Lisbonne', namely that the plague is a visitation from heaven ('Je crois que le ciel a permis Pour nos péchés cette infortune'. La Fontaine). In his first sermon he exhorts them to look into themselves ('voyons sans indulgence L'État de notre conscience' *ibid.*).

Physical escape seems impossible. The inhabitants must find or contrive means for forgetting. Some could only find it in their dreams:

> 'A quatre heures du matin on ne fait rien en général et l'on dort, même si la nuit a été une nuit de trahison. Oui, on dort à cette heure-là et cela est rassurant puisque le grand désir d'un cœur inquiet est de posséder interminablement l'être qu'il aime ou de pouvoir plonger cet être, quand le temps d'absence est venu, dans un sommeil sans rêves qui ne puisse prendre fin qu'au jour de la réunion.'

The most general form of refuge is 'getting and spending': 'La plupart semblent avoir pris à tâche de conjurer la peste par l'étalage de leur luxe . . . cette passion qui croît au sein des grands malheurs'. Some, encouraged by such notices outside cafés as 'le vin probe tue le microbe', sought other remedies. Black market is rife. Cottard alone, the mysterious man who earlier in the book had attempted suicide, seems to dread the end of the plague.

But the epidemic is destined to become worse, spread as it is by a combination of the June 'chaleurs' and strong wind. There are conflagrations followed by scenes of pillage. A curfew is imposed. The heroic stage is over. Like early enthusiasm in a war or similar crisis, it is soon followed by a reaction. The plague by this time 'n'avait rien à voir avec les grandes images exaltantes qui avaient poursuivi le docteur Rieux au début de l'épidémie . . . tout le monde éprouvait des sentiments monotones "Il est temps que cela finisse."' But the general deterioration of morale is offset by the devotion of the men of good will. We now come to a climax in the story when an opera singer is stricken on the stage, ironically and symbolically during the performance of Glück's *Orphée et Eurydice*. . . . 'La peste sur la scène sous l'aspect d'un histrion désarticulé et, dans la salle, tout un luxe devenu inutile. . . .'

By this time the plague had reached its peak where it remained for some time at this level from August on-wards. Attention is focused more and more on the reactions of the main characters to the situation. Rambert's elaborate intrigues to escape recall days of the Occupation; it is the atmosphere of the film *Traversée de Paris*. Personal tragedies reach their climax at the very time when the signs of diminution in the plague are manifesting themselves, but not before we have wit-nessed the most distressing scene in the book, the death of Judge Othon's little son and heard Paneloux's agoniz-ing cry, 'Mon Dieu, sauvez cet enfant!' This is no Dylan Thomas death elegy, here no refusal to mourn. What Rieux says (and here no doubt it is Camus speaking) is 'Ce que je hais, c'est la mort et le mal, vous le savez bien. Et que vous le vouliez ou non (he is addressing Paneloux), nous sommes ensemble pour les souffrir et les com-battre. . . . Vous voyez, dit-il, en évitant de le regarder, Dieu lui-même ne peut maintenant nous séparer' – a piece of irony that perhaps explains why we are to read on the piece of paper recording Paneloux's own death after symptoms that show differences from the usual ones, 'Cas douteux'.

Castel's new serum had been tried without success on Othon's son; the pulmonary form of the infection still continues. There is a description of a curious scene near a football stadium which has been transformed into an isolation camp. The ex-player Gonzalès is conjuring up his old match days as he automatically kicks the ball back to the children. An autobiographical touch this; Camus liked the feeling of belonging to a team whether on the soccer field or in the theatre. Cottard in the meantime is prospering. 'Ses petites spéculations l'enrichissaient.' Grand does not escape the plague but – symbolism here – does not die. 'Le vieil asthmatique' notices that a rat has returned. ' "Ça y est, disait-il, ils sortent encore". "Qui?" "Et bien, les rats!" ' Othon, one of 'les malchanceux de la peste', dies. Even after the announcement from the Prefecture that 'l'épidémie pouvait être considérée comme enrayée', tragedy still stalks in their midst. It had been noticed that Tarrou was no longer himself. The observations in his notebooks were written in a shaky hand and were losing their objective character. Rieux and his mother decided to nurse him themselves. 'Je n'ai pas envie de mourir et je lutterai. Mais si la partie est perdue, je veux faire une bonne fin.' Rieux's reply is significant in the symbolism of the book. 'Non, dit-il. Pour devenir un saint, il faut vivre. Luttez.' But, the game, alas, is lost. The battle of the plague, however, is over. Reunions and festivals take place; but Cottard after barricading himself in and firing on the crowd at random, is hauled off by the police in circumstances of great brutality. No 'bonne fin' for him.

We have by this time learned, as we had guessed all along, that Rieux has been the narrator. The message with which he takes leave of the reader is significant. 'Il était bien placé pour rapporter ce qu'il avait vu et entendu. Mais il a voulu le faire avec retenue désirable . . . mais en même temps, selon la loi d'un cœur honnête il a pris délibérément le parti de sa victime et a voulu rejoindre les hommes, ses concitoyens, dans les seules servitudes qu'ils aient en commun, et qui sont l'amour, la souffrance et l'exil.'

I have purposely restricted this résumé and commentary to the 'côté chronique'. It is the skill with which this is handled, the variation of the tempo according to the phases of the crisis that ultimately enable us to accept the discussions of moral problems as an integral part of the whole, which otherwise would stand out as author's interpolations and destroy the illusion. It is worth while, therefore, examining the technique which plays as great a part as selection of material in the conduct of the narrative.

## IV. 'CE STYLE EST TOUTE UNE MORALE'

*la Mer et les prisons* (Roger Quilliot)

Like Voltaire in his *contes*, like Orwell* with whom both as an author and a personality he has more than one point of resemblance, Camus enlivens his narrative with dry, laconic observations, with ironic turns of phrase and paradox which serve to relieve the tragic tone of the theme.

* The late George Orwell like Camus suffered from indifferent health, undermined in his case by voluntary poverty. His political preoccupations, social documents, e.g. *The Road to Wigan Pier*, his views on capital punishment ('A Hanging', one of the essays in *Shooting an Elephant*) and his *Animal Farm* reveal a kindred spirit.

The reader will find many examples for himself and consider their effect, that is the immediate, and finally the cumulative, effect. Here are a few to illustrate my point. First, Camus's tilts at officialdom. The senior doctor Castel, a realist in his approach, is impatient of the préfet's efforts to hush up the epidemic. '"La question, dit brutalement le vieux Castel, est de savoir s'il s'agit de la peste ou non." Deux ou trois médecins s'exclamèrent. Les autres semblaient hésiter. Quant au préfet, il sursauta et se retourna machinalement vers la porte, comme pour vérifier qu'elle avait bien empêché cette énormité de se répandre dans les couloirs.' (pp. 60–61.)

Or this, worthy of Voltaire, on the problem of the prisoners. 'Du point de vue supérieur de la peste, tout le monde, depuis le directeur (the governor) jusqu'au dernier détenu, était condamné et, pour la première fois peut-être, il régnait dans la prison une justice absolue.' It has been suggested that a medal shall be distributed to the warders who have died so to speak on duty. As the town was in a state of siege 'on pouvait considérer que les gardiens de prison étaient des mobilisés, on leur donna la médaille militaire à titre posthume.' However, 'les milieux militaires ne prirent pas bien la chose et firent remarquer à juste titre qu'une confusion regrettable pouvait s'établir dans l'esprit du public.' The result was that 'on pensa que le plus simple était d'attribuer aux gardiens qui mourraient la médaille de l'épidémie. . . .' (pp. 187–188.)

Here is perhaps the grimmest touch of satire on administration – it evokes the horrors of Belsen. 'Dans la période qui nous occupe la séparation\* des fosses existait et la préfecture y tenait beaucoup. . . .' The day following the burials 'les parents étaient invités à signer sur un

\* i.e. of the sexes.

registre, ce qui marquait la différence qu'il peut y avoir entre les hommes et, par exemple, les chiens: le contrôle était toujours possible.' (p. 194.)

Irony is grimly effective in a similar situation later in the book. It is the day of the fête of Toussaint.

> 'C'était le jour où l'on essayait de compenser auprès du défunt l'isolement et l'oubli où il avait été tenu pendant de longs mois. Mais cette année-là, personne ne voulait plus penser aux morts. On y pensait déjà trop, précisément. . . . Selon Cottard, à qui Tarrou reconnaissait un langage de plus en plus ironique, c'était tous les jours la Fête des Morts. Et réellement, les feux de joie de la peste brûlaient avec une allégresse toujours plus grande dans le four crématoire.' (pp. 255–256.)

Under the heading of cynical observation on human nature we can include this (the plague had been raging for three weeks): 'L'annonce que la troisième semaine de peste avait compté trois cent deux morts ne parlait pas à l'imagination . . . d'autre part personne en ville ne savait combien en temps ordinaire il mourait de gens par semaine.' So they behaved in their normal way 'échangeaient plus de plaisanteries que de lamentations . . . les apparences étaient sauvées.' Or this, on Camus's own profession, journalism. At one phase during the plague prophecies become popular. After a time there was a shortage of 'diverses prophéties dues à des mages ou à des saints de l'église catholique. . . . Et lorsque l'histoire elle-même fut à court de prophéties on en commanda aux journalistes qui sur ce point au moins se montrèrent aussi compétents que leurs modèles des siècles passés.'

Sometimes it is a laconic remark, even a single word, that is effective through its overtones or implications. The manager of the hotel complains that 'la peste était la ruine du tourisme'. Those who fall in with the Church's organized week of prayer think 'De toute façon ça ne pouvait faire de mal.' A felicitous epithet describing a conventional sorrow as 'une mélancolie de série', an effective juxtaposition of phrase, 'une odeur d'encens et d'étoffes mouillées flottait dans la cathédrale', are further devices for carrying us forward through the grim recital. There are examples of humour as well as wit in the description of 'un petit vieux' (p. 36) who passes the time spitting on cats from his window, and in the game attitude of Joseph Grand who can laugh at himself and the opening sentence of his magnum opus about the 'amazone' on her steed. '"Comment va l'amazone?" demandait souvent Tarrou. Et Grand répondait invariablement "Elle trotte, elle trotte", avec un sourire difficile. . . .'

## V. *LA PESTE* AS AN ALLEGORY

Without claiming for Camus the originality of thought of Jean-Paul Sartre whose academic background and knowledge of philosophy sets him apart as the lay priest of existentialism in its modern form, the philosophic content of his work is not lightly to be dismissed. We are very conscious of an attitude in each one of Camus's works and though there has been a development there have been certain constants which we shall discuss. He has always recognized the importance of free-will in men but without the emphasis that Sartre puts on the importance of the active man forging his own destiny. In other words there are characters, Joseph Grand and 'le vieil asthmatique' and perhaps Mme Rieux mère, in *La Peste* for example to whom that ideal would certainly not apply, and yet we know that they are considered sympathetically by the author. Indeed Rieux goes so far as to say that if

*La Peste* has a hero it is precisely Joseph Grand. One cannot discuss existentialism here at all adequately, but it is relevant to our purpose to have some rough and ready definition, and I will quote from the translation of an essay* by Sartre on the subject.

'There are two kinds of existentialists. There are on the one hand the christians . . . and on the other the existential atheists among whom we must place Heidegger as well as the French existentialists and myself. What they have in common is simply the fact that they believe that existence comes before essence – or if you will, that we must begin from the subjective. What exactly do we mean by that? If one considers an article of manufacture – as for example a book or a paper-knife – one sees that it has been made by an artisan who had a conception of it; and he has paid attention equally to the conception of a paper-knife and the present pre-existent technique of production which is part of that conception, and is at bottom a formula . . . here we are viewing the world from a technical standpoint, and we can say that production precedes existence.'

Sartre goes on to explain that in the doctrine of a philosophy like Descartes' it is assumed that when God creates man he knows precisely what he is creating.

'Thus the conception of man in the mind of God is comparable to that of the paper-knife in the mind of the artisan. Thus each individual man is the realization of a certain conception which dwells in the divine understanding. . . . Atheistic existentialism of which I am a representative declares that if God does not exist there is at least one being whose existence comes before its essence . . . that being is man. What do we mean by saying that existence precedes essence? We mean that man first of all exists, encounters himself . . . and defines himself afterwards. . . . Man is nothing else but that which he makes of himself. . . .'

* *Existentialism*. Walter Kaufmann (Thames & Hudson).

The important thing is the implication of this philosophy which Camus shares to the extent that

'existentialism puts every man in possession of himself as he is and places the entire responsibility for his existence squarely upon his own shoulders. And when we say that man is responsible for himself we do not mean that he is responsible only for his own individuality but that he is responsible *for all men*. . . . When we say that man chooses himself . . . we also mean that in choosing for himself he chooses for all men. . . .'

This explains the high seriousness with which Camus regarded his vocation as a writer. It explains in the present work why he states 'nous sommes tous des pestiférés', why Tarrou exclaims 'J'ai décidé de me mettre du côté des victimes.' It explains all that is implicit in the author's definition of 'l'homme' in this dialogue between Tarrou and Rieux:

'En somme, dit Tarrou, avec simplicité, ce qui m'intéresse c'est de savoir comment on devient un saint.'
'Mais vous ne croyez pas en Dieu.'
'Justement. Peut-on être un saint sans Dieu, c'est le seul problème concret que je connaisse aujourd'hui.'
'Peut-être, répondit le docteur, mais vous savez, je me sens plus de solidarité avec les vaincus qu'avec les saints. Je n'ai pas de goût, je crois, pour l'héroïsme et la sainteté. Ce qui m'intéresse c'est d'être un homme.'
'Oui, nous cherchons la même chose, mais je suis moins ambitieux.'
Rieux pensa que Tarrou plaisantait et il le regarda. Mais dans la vague lueur qui venait du ciel il vit un visage triste et sérieux.'

*La Peste* represents the forces of evil and Camus shares with Pascal the belief that most of our evils come from ignorance.

'Le mal qui est dans le monde vient presque toujours de l'ignorance, et la bonne volonté peut faire autant de

> dégats que la méchanceté si elle n'est pas éclairée. Les
> hommes sont plutôt bons que mauvais . . . mais ils
> ignorent plus ou moins, et c'est ce qu'on appelle vertu
> ou vice, le vice le plus désespérant étant celui de
> l'ignorance qui croit tout savoir et qui s'autorise alors
> à tuer.'

One recalls Pascal's 'cherchons donc à bien penser,
voici le principe de la morale'. There is in *La Peste* no
self-righteous attitudinizing; Dr Rieux sums up the
situation thus:

> 'parce que la peste devenait ainsi le devoir de quelques-
> uns, elle apparut réellement pour ce qu'elle était, c'est à
> dire, l'affaire de tous. Cela est bien. Mais on ne félicite pas
> l'instituteur d'enseigner que deux et deux font quatre.
> On le félicitera peut-être d'avoir choisi ce beau métier.
> Disons donc qu'il était louable que Tarrou et d'autres
> eussent choisi de démontrer que deux et deux faisaient
> quatre plutôt que le contraire, mais disons aussi que
> cette bonne volonté leur était commune avec l'institu-
> teur, avec tous ceux qui ont le même cœur que l'in-
> stituteur, et qui, pour l'honneur de l'homme sont plus
> nombreux qu'on ne pense, c'est du moins la conviction
> du narrateur. . . .'

So much for those who have accused Camus of pessimism in his view of human nature. Certainly he is not one
of those facile optimists who justify war because of the
incidental opportunities it provides of bringing out
courage and other qualities. We read 'ce qui est vrai des
maux du monde est vrai aussi de la peste. Cela peut
servir à grandir quelques-uns. . . . Cependant quand on
voit la misère et la douleur qu'elle apporte il faut être
fou, aveugle ou lâche pour se résigner à la peste.' 'Maux'
and 'peste' can be considered interchangeable in this
passage as far as the allegory is concerned. In Tarrou's
important speech apropos capital punishment (cp.
*Réflexions sur la peine de mort*, Camus and Koestler,

N.R.F. 1957) we see that we *all* share the guilt of this barbarity (as he thinks it to be). The judges who pass the sentence are 'les grands pestiférés'; those who are sentenced 'les petits pestiférés'. This memorable passage concludes: 'Il me semble que l'histoire me donne raison, aujourd'hui c'est à qui tuera le plus. Ils sont tous dans la fureur du meurtre, et ils ne peuvent pas faire autrement. . . . Je sais seulement qu'il faut faire ce qu'il faut pour ne plus être un pestiféré et que c'est là ce qui peut seul nous faire espérer la paix ou une bonne mort à son défaut. . . .' One sees the implications of Rieux's remark earlier on, 'la seule façon de lutter contre la peste c'est l'honnêteté'. It fits in with the pattern of Camus who has said 'mentir ce n'est pas seulement dire ce qui n'est pas. C'est aussi, c'est surtout dire plus que ce qui est, et, en ce qui concerne le cœur humain, dire plus qu'on ne sent. C'est ce que nous faisons tous, tous les jours pour simplifier la vie.' This from the avant-propos to his Nobel Prize discourse, is as we have seen, the message of *L'Étranger* in particular but it pervades all Camus's work.

It is a harsh, intransigent attitude but we should not forget that Camus, uncompromising in his fight against evil, appreciated, even if he opposed, other views. Paneloux's belief in collective punishment is alien to him but Rieux remarks, 'Mais vous savez, les chrétiens parlent quelquefois ainsi. Ils sont meilleurs qu'ils ne paraissent.'

In his emphasis on clarity of thought and expression Camus belongs to the tradition of Descartes and Voltaire. Ambiguity of language is the result of muddled or deliberately distorted ideas. 'J'ai compris que tout le malheur des hommes venait de ce qu'ils ne tenaient pas un langage clair. J'ai pris le parti de parler et d'agir clairement pour me mettre sur le bon chemin', says Tarrou.

Let us end with a characteristic note, Camus's faith in

man. Rieux speaking of Paneloux remarks: 'Je suis content de le savoir meilleur que son prêche', and Tarrou replies, 'tout le monde est comme ça. . . . Il faut seulement leur donner l'occasion.'

## VI. THE CHARACTERS

*Bernard Rieux.* We can recognize certain autobiographical elements in the thoughts and behaviour of Rieux – his deep affection for his mother, his own enforced separation from his wife during the Occupation – but although he is the narrator he is not meant to be a personal portrait of the author. Despite the style of understatement which he deliberately adopts, the emotional side of his character is revealed in the personal tragedies in the second half of the book. We see how he is affected by the death of Judge Othon's young son: 'Il s'assit sur un banc, entre les petits arbres poudreux, et s'essuya la sueur qui coulait déjà dans ses yeux. Il avait envie de crier encore pour dénouer enfin le nœud violent qui lui broyait le cœur.' His single word to the plague-stricken Tarrou, 'Luttez', carries all the emotion of Dylan Thomas's 'Do not go gentle into that good night.' Likewise we guess what emotion lies hidden behind his simple words when he receives a telegram of the news of his wife's death, 'il dit à sa mère de ne pas pleurer, qu'il s'y attendait mais que c'était quand-même difficile'. His stoical philosophy compels our admiration. In him we see the modern hero, symbolically as a doctor, making the best of life as he finds it, never capitulating however 'absurd' it may seem – 'je refuserai jusqu'à la mort d'aimer cette création où les enfants sont torturés . . . nous travaillons ensemble pour quelque chose qui **nous** réunit au delà des blasphèmes. Cela seul est

important', he says to Paneloux. Rieux represents a view-
point which is unmistakably the author's when he says
'malgré leurs déchirements personnels, tous les hommes
qui, ne pouvant être des saints et refusant d'admettre les
fléaux, s'efforcent cependant d'être des médecins'.

*Paneloux.* We are not meant to see in the portrait of
Paneloux a satire on the orthodox priest. He is no abbé
Bournisien.* His view as expressed in his 'second
prêche' would be unacceptable to many traditionalists in
the Church. He could find no consolation for the death
of the child in the idea of eternal bliss. 'Qui pouvait
affirmer en effet que l'éternité d'une joie pouvait compenser un instant de la douleur humaine? Ce ne serait
pas un chrétien assurément dont le Maître a connu la
douleur dans ses membres et dans son âme.' Yet in his
'absolutes' – 'il faut tout croire ou tout nier' – he is a true
catholic. Let us look at him through the eyes of Tarrou.
'Tarrou dit qu'il connaissait un prêtre qui avait perdu la
foi pendant la guerre en découvrant un visage de jeune
homme aux yeux crevés. "Paneloux a raison," dit Tarrou.
"Quand l'innocence a les yeux crevés un chrétien doit
perdre la foi ou accepter d'avoir les yeux crevés. Paneloux
ne veut pas perdre la foi, il ira jusqu'au bout."' On the
whole Paneloux is sympathetically treated by the author.
He acts bravely and feels deeply and Rieux and Tarrou
can accept him as an ally despite their different views.

*Tarrou* is the modern martyr. As chronicler of the
events through the medium of his notebooks we must
consider him too as the author's mouthpiece (e.g. 'j'ai
connu la pauvreté à dix-huit ans'). His devotion to the
service of humanity is utterly selfless. The mystery that
surrounds his personality is explained by the terrible
experience and revelation of his life when he hears his

* *Madame Bovary*, Flaubert.

father, high-court judge, pass a sentence of death on 'ce petit homme au poil roux et pauvre, d'une trentaine d'années . . . si sincèrement effrayé par ce qu'il avait fait'. We can compare Tarrou's horror on discovering 'que la société où je vivais était celle qui reposait sur la condamnation à mort' with that same disgust expressed in a very different way by George Orwell in his essay 'A Hanging' (*Shooting an Elephant and other essays*) and identify it, of course, with Camus himself. 'Disons que je souffrais déjà de la peste avant de connaître cette ville.' The description of Tarrou's courageous end is the most moving section of the book.

*Joseph Grand*. The narrator had claimed Joseph Grand as the hero of the book. 'S'il faut un héros le narrateur propose justement ce héros insignifiant.' He seems to me the 'innocent', the poet, almost the medieval 'fool'. Perhaps we turn with relief in this narrative to this semi-humorous character 'qui n'avait rien d'un héros', but who as the plague continues its relentless course could say, 'il y a la peste, il faut se défendre, c'est clair. Ah, si tout était aussi simple.' His devotion to Jeanne, the young wife who has deserted him, arouses in us the same sympathy as it does in Rieux. 'Rieux savait ce que pensait à cette minute le vieil homme qui pleurait et il le pensait comme lui que ce monde sans amour était comme un monde mort.' Grand's preoccupation with his 'magnum opus', pathetic as it is, is symbolic of de-votion to a task (one recalls *Le Mythe de Sisyphe*). It has many overtones. It reminds one of the reflections of a very different author, Chateaubriand (*Les Martyrs*), on seeing a shepherd playing his pipe as he sat among the ruins of an ancient civilization.

'En voyant avec quelle profonde indifférence ce berger foulait le camp des césars, combien il préférait à de pompeux souvenirs son instrument grossier et son sayon de peau de chèvre, j'aurais dû sentir qu'il faut peu de chose pour passer la vie et qu'après tout, dans un terme aussi court il est assez indifférent d'avoir épouvanté la terre par le son du clairon ou charmé les bois par les soupirs d'une musette. . . .'

Another very significant gesture occurs in the last mention of him and his famous manuscript. 'J'ai supprimé, dit-il, tous les adjectifs.' We note that this little man with his endearing habits and phrases is a survivor of the plague—'Chapeau bas!', to quote his phrase.

*Raymond Rambert*. In his comments on *La Peste*, Monsieur Roger Quilliot states that 'Rambert est peut-être avec Grand le personnage préféré de Camus (je ne dis pas son porte-parole). Ils ont la même simplicité.' Rambert is certainly one of the most attractive characters even in his weaknesses. We sympathize that he, a visiting journalist who has left his wife behind in Paris—'à vrai dire, ce n'était pas sa femme, mais c'était la même chose'— should be caught up in the disaster and unable to leave Oran. We are touched by his 'accepteriez-vous que je travaille avec vous?' to Rieux, and even more by his renunciation of a chance to escape: 'Il peut y avoir de la honte à être heureux tout seul'; this despite the disillusionment he had suffered in fighting for the losing side in the Spanish Civil War . . . 'j'en ai assez des gens qui meurent pour une idée'.

*Cottard*. The tragedy of Cottard is ultimately that of all the selfish whose sole relation with other people is for purposes of exploitation. Early in the book he attempts suicide but the reason for it is wrapped in mystery. Although the author treats him with pity rather than anger, his attitude towards him is indicated in such passages as this, where Cottard is voicing his envy of artists, 'parce qu'un artiste a plus de droits qu'un autre

... on lui passe plus de choses....' Camus sees him as the type of man who turns every crisis to his own ends: 'je me trouve bien dans la peste et je ne vois pas pourquoi je me mêlerais de la faire cesser'. Tarrou sums up on him: 'son seul vrai crime c'est d'avoir approuvé dans son cœur ce qui faisait mourir des enfants et des hommes....'

*Othon.* We admire in the judge his scrupulous fairness and in the man his restraint after the tragic death of his little son. His remark, long afterwards, 'j'espère que Philippe* n'aura trop souffert', brings this comment from the narrator: 'c'était la première fois que Tarrou lui entendit prononcer le nom de son fils et il comprit que quelque chose était changé'. Later, when he is free to leave the quarantine camp and rejoin his wife and daughter, he stays on as 'un volontaire de l'administration. ... Je me sentirai moins séparé de mon petit garçon.'

*Castel.* A very human light is thrown on the character of this serious, elderly doctor, who finally produces the all-important serum, by the decision of his wife and himself to stay together. It is at the moment when relatives would be permitted to return to the stricken town but on the condition of not leaving it again. Castel and his wife 'n'étaient pas certains d'être satisfaits de leur union. Mais cette séparation brutale et prolongée les avait mis à même de s'assurer qu'ils ne pouvaient vivre éloignés l'un de l'autre et qu'auprès de cette vérité soudain mise à jour la peste était peu de chose.' It underlines one important theme of the book – the tragedy of separation.

The minor characters need no comment; the part they play is obvious enough. 'Le vieil asthmatique' in particular shows Camus's love of the eccentric and his sense of humour.

W. J. S.

* Jacques in the early editions.

'*Mon rôle n'est pas de transformer le monde ni l'homme. Je n'ai pas assez de vertu ni de lumières pour cela. Mais il est peut-être de servir à ma place les quelques valeurs sans lesquelles un monde, même transformé, ne vaut pas la peine d'être vécu – sans lesquelles un homme, même nouveau, ne vaudra pas d'être respecté.*' Albert Camus. (Quoted in *Paris-Match*. 16th January, 1960.)

Notes pp. 334-338

*Il est aussi raisonnable de représenter une espèce d'emprisonnement par une autre que de représenter n'importe quelle chose qui existe réellement par quelque chose qui n'existe pas.*

DANIEL DEFOE

# I

# I

Les curieux événements qui font le sujet de cette chronique se sont produits en 194., à Oran. De l'avis général, ils n'y étaient pas à leur place, sortant un peu de l'ordinaire. A première vue, Oran est, en effet, une ville ordinaire et rien de plus qu'une préfecture française de la côte algérienne.

La cité elle-même, on doit l'avouer, est laide. D'aspect tranquille, il faut quelque temps pour apercevoir ce qui la rend différente de tant d'autres villes commerçantes, sous toutes les latitudes. Comment faire imaginer, par exemple, une ville sans pigeons, sans arbres et sans jardins, où l'on ne rencontre ni battements d'ailes ni froissements de feuilles, un lieu neutre pour tout dire? Le changement des saisons ne s'y lit que dans le ciel. Le printemps s'annonce seulement par la qualité de l'air ou par les corbeilles de fleurs que des petits vendeurs ramènent des banlieues; c'est un printemps qu'on vend sur les marchés. Pendant l'été, le soleil incendie les maisons trop sèches et couvre les murs d'une cendre grise; on ne peut plus vivre alors que dans l'ombre des volets clos. En automne, c'est, au contraire, un déluge de boue. Les beaux jours viennent seulement en hiver.

Une manière commode de faire la connaissance d'une

ville est de chercher comment on y travaille, comment
on y aime et comment on y meurt. Dans notre petite
ville, est-ce l'effet du climat, tout cela se fait ensemble,
du même air frénétique et absent. C'est-à-dire qu'on s'y
ennuie et qu'on s'y applique à prendre des habitudes.
Nos concitoyens travaillent beaucoup, mais toujours
pour s'enrichir. Ils s'intéressent surtout au commerce
et ils s'occupent d'abord, selon leur expression, de faire
des affaires. Naturellement, ils ont du goût aussi pour
les joies simples, ils aiment les femmes, le cinéma et les
bains de mer. Mais, très raisonnablement, ils réservent
ces plaisirs pour le samedi soir et le dimanche, essayant,
les autres jours de la semaine, de gagner beaucoup d'argent. Le soir, lorsqu'ils quittent leurs bureaux, ils se
réunissent à heure fixe dans les cafés, ils se promènent
sur le même boulevard ou bien ils se mettent à leurs
balcons. Les désirs des plus jeunes sont violents et brefs,
tandis que les vices des plus âgés ne dépassent pas les
associations de boulomanes, les banquets des amicales
et les cercles où l'on joue gros jeu sur le hasard des
cartes.

On dira sans doute que cela n'est pas particulier à
notre ville et qu'en somme tous nos contemporains
sont ainsi. Sans doute, rien n'est plus naturel, aujour-
d'hui, que de voir des gens travailler du matin au soir
et choisir ensuite de perdre aux cartes, au café, et en
bavardages, le temps qui leur reste pour vivre. Mais il
est des villes et des pays où les gens ont, de temps en
temps, le soupçon d'autre chose. En général, cela ne
change pas leur vie. Seulement, il y a eu le soupçon et
c'est toujours cela de gagné. Oran, au contraire, est
apparemment une ville sans soupçons, c'est-à-dire une
ville tout à fait moderne. Il n'est pas nécessaire, en
conséquence, de préciser la façon dont on s'aime chez

nous. Les hommes et les femmes, ou bien se dévorent rapidement dans ce qu'on appelle l'acte d'amour, ou bien s'engagent dans une longue habitude à deux. Entre ces extrêmes, il n'y a pas souvent de milieu. Cela non plus n'est pas original. A Oran comme ailleurs, faute de temps et de réflexion, on est bien obligé de s'aimer sans le savoir.

Ce qui est plus original dans notre ville est la difficulté qu'on peut y trouver à mourir. Difficulté, d'ailleurs, n'est pas le bon mot et il serait plus juste de parler d'inconfort. Ce n'est jamais agréable d'être malade, mais il y a des villes et des pays qui vous soutiennent dans la maladie, où l'on peut, en quelque sorte, se laisser aller. Un malade a besoin de douceur, il aime à s'appuyer sur quelque chose, c'est bien naturel. Mais à Oran, les excès du climat, l'importance des affaires qu'on y traite, l'insignifiance du décor, la rapidité du crépuscule et la qualité des plaisirs, tout demande la bonne santé. Un malade s'y trouve bien seul. Qu'on pense alors à celui qui va mourir, pris au piège derrière des centaines de murs crépitants de chaleur, pendant qu'à la même minute, toute une population, au téléphone ou dans les cafés, parle de traites, de connaissements et d'escompte. On comprendra ce qu'il peut y avoir d'inconfortable dans la mort, même moderne, lorsqu'elle survient ainsi dans un lieu sec.

Ces quelques indications donnent peut-être une idée suffisante de notre cité. Au demeurant, on ne doit rien exagérer. Ce qu'il fallait souligner, c'est l'aspect banal de la ville et de la vie. Mais on passe ses journées sans difficultés aussitôt qu'on a des habitudes. Du moment que notre ville favorise justement les habitudes, on peut dire que tout est pour le mieux. Sous cet angle, sans doute, la vie n'est pas très passionnante. Du moins, on

ne connaît pas chez nous le désordre. Et notre population franche, sympathique et active, a toujours provoqué
chez le voyageur une estime raisonnable. Cette cité sans
pittoresque, sans végétation et sans âme finit par sem-
bler reposante, on s'y endort enfin. Mais il est juste
d'ajouter qu'elle s'est greffée sur un paysage sans égal,
au milieu d'un plateau nu, entouré de collines lumineuses, devant une baie au dessin parfait. On peut seulement regretter qu'elle se soit construite en tournant
le dos à cette baie et que, partant, il soit impossible
d'apercevoir la mer qu'il faut toujours aller chercher.

Arrivé là, on admettra sans peine que rien ne pouvait
faire espérer à nos concitoyens les incidents qui se pro-
duisirent au printemps de cette année-là et qui furent
nous le comprîmes ensuite, comme les premiers signes
de la série des graves événements dont on s'est proposé
de faire ici la chronique. Ces faits paraîtront bien naturels à certains et, à d'autres, invraisemblables au contraire. Mais, après tout, un chroniqueur ne peut tenir
compte de ces contradictions. Sa tâche est seulement
de dire : « Ceci est arrivé », lorsqu'il sait que ceci est,
en effet, arrivé, que ceci a intéressé la vie de tout un
peuple, et qu'il y a donc des milliers de témoins qui
estimeront dans leur cœur la vérité de ce qu'il dit.

Du reste, le narrateur, qu'on connaîtra toujours à
temps, n'aurait guère de titre à faire valoir dans une
entreprise de ce genre si le hasard ne l'avait mis à même
de recueillir un certain nombre de dépositions et si la
force des choses ne l'avait mêlé à tout ce qu'il prétend
relater. C'est ce qui l'autorise à faire œuvre d'historien. Bien entendu, un historien, même s'il est un ama-
teur, a toujours des documents. Le narrateur de cette
histoire a donc les siens : son témoignage d'abord, celui
des autres ensuite, puisque, par son rôle, il fut amené à

recueillir les confidences de tous les personnages de cette chronique, et, en dernier lieu, les textes qui finirent par tomber entre ses mains. Il se propose d'y puiser quand il le jugera bon et de les utiliser comme il lui plaira. Il se propose encore... Mais il est peut-être temps de laisser les commentaires et les précautions de langage pour en venir au récit lui-même. La relation des premières journées demande quelque minutie.

## II

LE matin du 16 avril, le docteur Bernard Rieux sortit de son cabinet et buta sur un rat mort, au milieu du palier. Sur le moment, il écarta la bête sans y prendre garde et descendit l'escalier. Mais, arrivé dans la rue, la pensée lui vint que ce rat n'était pas à sa place et il retourna sur ses pas pour avertir le concierge. Devant la réaction du vieux M. Michel, il sentit mieux ce que sa découverte avait d'insolite. La présence de ce rat mort lui avait paru seulement bizarre tandis que, pour le concierge, elle constituait un scandale. La position de ce dernier était d'ailleurs catégorique : il n'y avait pas de rats dans la maison. Le docteur eut beau l'assurer qu'il y en avait un sur le palier du premier étage, et probablement mort, la conviction de M. Michel restait entière. Il n'y avait pas de rats dans la maison, il fallait donc qu'on eût apporté celui-ci du dehors. Bref, il s'agissait d'une farce.

Le soir même, Bernard Rieux, debout dans le couloir de l'immeuble, cherchait ses clefs avant de monter chez lui, lorsqu'il vit surgir, du fond obscur du corridor, un gros rat à la démarche incertaine et au pelage mouillé. La bête s'arrêta, sembla chercher un équilibre, prit sa course vers le docteur, s'arrêta encore, tourna sur elle-même avec un petit cri et tomba enfin en rejetant du sang par les babines entrouvertes. Le docteur la contempla un moment et remonta chez lui.

Ce n'était pas au rat qu'il pensait. Ce sang rejeté le ramenait à sa préoccupation. Sa femme, malade depuis un an, devait partir le lendemain pour une station de montagne. Il la trouva couchée dans leur chambre, comme il lui avait demandé de le faire. Ainsi se préparait-elle à la fatigue du déplacement. Elle souriait.

— Je me sens très bien, disait-elle.

Le docteur regardait le visage tourné vers lui dans la lumière de la lampe de chevet. Pour Rieux, à trente ans et malgré les marques de la maladie, ce visage était toujours celui de la jeunesse, à cause peut-être de ce sourire qui emportait tout le reste.

— Dors si tu peux, dit-il. La garde viendra à onze heures et je vous mènerai au train de midi.

Il embrassa un front légèrement moite. Le sourire l'accompagna jusqu'à la porte.

Le lendemain 17 avril, à huit heures, le concierge arrêta le docteur au passage et accusa des mauvais plaisants d'avoir déposé trois rats morts au milieu du couloir. On avait dû les prendre avec de gros pièges, car ils étaient pleins de sang. Le concierge était resté quelque temps sur le pas de la porte, tenant les rats par les pattes, et attendant que les coupables voulussent bien se trahir par quelque sarcasme. Mais rien n'était venu.

— Ah! ceux-là, disait M. Michel, je finirai par les avoir.

Intrigué, Rieux décida de commencer sa tournée par les quartiers extérieurs où habitaient les plus pauvres de ses clients. La collecte des ordures s'y faisait beaucoup plus tard et l'auto qui roulait le long des voies droites et poussiéreuses de ce quartier frôlait les boîtes de détritus, laissées au bord du trottoir. Dans une rue qu'il longeait ainsi, le docteur compta une douzaine de rats jetés sur les débris de légumes et les chiffons sales.

Il trouva son premier malade au lit, dans une pièce donnant sur la rue et qui servait à la fois de chambre à coucher et de salle à manger. C'était un vieil Espagnol au visage dur et raviné. Il avait devant lui, sur la couverture, deux marmites remplies de pois. Au moment où le docteur entrait, le malade, à demi dressé dans son lit, se renversait en arrière pour tenter de retrouver son souffle caillouteux de vieil asthmatique. Sa femme apporta une cuvette.

— Hein, Docteur, dit-il pendant la piqûre, ils sortent, vous avez vu?

— Oui, dit la femme, le voisin en a ramassé trois.

Le vieux se frottait les mains.

— Ils sortent, on en voit dans toutes les poubelles, c'est la faim!

Rieux n'eut pas de peine à constater ensuite que tout le quartier parlait des rats. Ses visites terminées, il revint chez lui.

— Il y a un télégramme pour vous, là-haut, dit M. Michel.

Le docteur lui demanda s'il avait vu de nouveaux rats.

— Ah! non, dit le concierge, je fais le guet, vous comprenez. Et ces cochons-là n'osent pas.

Le télégramme avertissait Rieux de l'arrivée de sa mère pour le lendemain. Elle venait s'occuper de la maison de son fils, en l'absence de la malade. Quand le docteur entra chez lui, la garde était déjà là. Rieux vit sa femme debout, en tailleur, avec les couleurs du fard. Il lui sourit :

— C'est bien, dit-il, très bien.

Un moment après, à la gare, il l'installait dans le
wagon-lit. Elle regardait le compartiment.

— C'est trop cher pour nous, n'est-ce pas?

— Il le faut, dit Rieux.

— Qu'est-ce que c'est que cette histoire de rats?

— Je ne sais pas. C'est bizarre, mais cela passera.

Puis il lui dit très vite qu'il lui demandait pardon,
il aurait dû veiller sur elle et il l'avait beaucoup négligée.
Elle secouait la tête, comme pour lui signifier de se taire.
Mais il ajouta :

— Tout ira mieux quand tu reviendras. Nous recom-
mencerons.

— Oui, dit-elle, les yeux brillants, nous recommen-
cerons.

Un moment après, elle lui tournait le dos et regardait
à travers la vitre. Sur le quai, les gens se pressaient et se
heurtaient. Le chuintement de la locomotive arrivait jusqu'à eux. Il appela sa femme par son prénom et, quand elle
se retourna, il vit que son visage était couvert de larmes.

— Non, dit-il doucement.

Sous les larmes, le sourire revint, un peu crispé. Elle
respira profondément :

— Va-t'en, tout ira bien.

Il la serra contre lui, et sur le quai maintenant, de
l'autre côté de la vitre, il ne voyait plus que son sourire.

— Je t'en prie, dit-il, veille sur toi.

Mais elle ne pouvait pas l'entendre.

Près de la sortie, sur le quai de la gare, Rieux heurta
M. Othon, le juge d'instruction, qui tenait son petit
garçon par la main. Le docteur lui demanda s'il partait
en voyage. M. Othon, long et noir, et qui ressemblait
moitié à ce qu'on appelait autrefois un homme du
monde, moitié à un croque-mort, répondit d'une voix
aimable, mais brève :

— J'attends M^me Othon qui est allée présenter ses respects à ma famille.

La locomotive siffla.

— Les rats..., dit le juge.

Rieux eut un mouvement dans la direction du train, mais se retourna vers la sortie.

— Oui, dit-il, ce n'est rien.

Tout ce qu'il retint de ce moment fut le passage d'un homme d'équipe qui portait sous le bras une caisse pleine de rats morts.

L'après-midi du même jour, au début de sa consultation, Rieux reçut un jeune homme dont on lui dit qu'il était journaliste et qu'il était déjà venu le matin. Il s'appelait Raymond Rambert. Court de taille, les épaules épaisses, le visage décidé, les yeux clairs et intelligents, Rambert portait des habits de coupe sportive et semblait à l'aise dans la vie. Il alla droit au but. Il enquêtait pour un grand journal de Paris sur les conditions de vie des Arabes et voulait des renseignements sur leur état sanitaire. Rieux lui dit que cet état n'était pas bon. Mais il voulait savoir, avant d'aller plus loin, si le journaliste pouvait dire la vérité.

— Certes, dit l'autre.

— Je veux dire : pouvez-vous porter condamnation totale ?

— Totale, non, il faut bien le dire. Mais je suppose que cette condamnation serait sans fondement.

Doucement, Rieux dit qu'en effet une pareille condamnation serait sans fondement, mais qu'en posant cette question, il cherchait seulement à savoir si le témoignage de Rambert pouvait ou non être sans réserves.

— Je n'admets que les témoignages sans réserves. Je ne soutiendrai donc pas le vôtre de mes renseignements.

— C'est le langage de Saint-Just, dit le journaliste en souriant.

Rieux dit sans élever le ton qu'il n'en savait rien, mais que c'était le langage d'un homme lassé du monde où il vivait, ayant pourtant le goût de ses semblables et décidé à refuser, pour sa part, l'injustice et les concessions. Rambert, le cou dans les épaules, regardait le docteur.

— Je crois que je vous comprends, dit-il enfin en se levant.

Le docteur l'accompagnait vers la porte :

— Je vous remercie de prendre les choses ainsi.

Rambert parut impatienté :

— Oui, dit-il, je comprends, pardonnez-moi ce dérangement.

Le docteur lui serra la main et lui dit qu'il y aurait un curieux reportage à faire sur la quantité de rats morts qu'on trouvait dans la ville en ce moment.

— Ah! s'exclama Rambert, cela m'intéresse.

A dix-sept heures, comme il sortait pour de nouvelles visites, le docteur croisa dans l'escalier un homme encore jeune, à la silhouette lourde, au visage massif et creusé, barré d'épais sourcils. Il l'avait rencontré, quelquefois, chez les danseurs espagnols qui habitaient le dernier étage de son immeuble. Jean Tarrou fumait une cigarette avec application en contemplant les dernières convulsions d'un rat qui crevait sur une marche, à ses pieds. Il leva sur le docteur le regard calme et un peu appuyé de ses yeux gris, lui dit bonjour et ajouta que cette apparition des rats était une curieuse chose.

— Oui, dit Rieux, mais qui finit par être agaçante.

— Dans un sens, docteur, dans un sens seulement. Nous n'avons jamais rien vu de semblable, voilà tout. Mais je trouve cela intéressant, oui, positivement intéressant.

Tarrou passa la main sur ses cheveux pour les rejeter en arrière, regarda de nouveau le rat, maintenant immobile, puis sourit à Rieux :

— Mais, en somme, Docteur, c'est surtout l'affaire du concierge.

Justement, le docteur trouva le concierge devant la maison, adossé au mur près de l'entrée, une expression de lassitude sur son visage d'ordinaire congestionné.

— Oui, je sais, dit le vieux Michel à Rieux qui lui signalait la nouvelle découverte. C'est par deux ou trois qu'on les trouve maintenant. Mais c'est la même chose dans les autres maisons.

Il paraissait abattu et soucieux. Il se frottait le cou d'un geste machinal. Rieux lui demanda comment il se portait. Le concierge ne pouvait pas dire, bien entendu, que ça n'allait pas. Seulement, il ne se sentait pas dans son assiette. A son avis, c'était le moral qui travaillait. Ces rats lui avaient donné un coup et tout irait beaucoup mieux quand ils auraient disparu.

Mais le lendemain matin, 18 avril, le docteur qui ramenait sa mère de la gare trouva M. Michel avec une mine encore plus creusée : de la cave au grenier, une dizaine de rats jonchaient les escaliers. Les poubelles des maisons voisines en étaient pleines. La mère du docteur apprit la nouvelle sans s'étonner.

— Ce sont des choses qui arrivent.

C'était une petite femme aux cheveux argentés, aux yeux noirs et doux.

— Je suis heureuse de te revoir, Bernard, disait-elle. Les rats ne peuvent rien contre ça.

Lui approuvait; c'était vrai qu'avec elle tout paraissait toujours facile.

Rieux téléphona cependant au service communal de dératisation, dont il connaissait le directeur. Celui-ci

avait-il entendu parler de ces rats qui venaient en grand
nombre mourir à l'air libre? Mercier, le directeur, en
avait entendu parler et, dans son service même, installé
non loin des quais, on en avait découvert une cinquantaine. Il se demandait cependant si c'était sérieux.
Rieux ne pouvait pas en décider, mais il pensait que le
service de dératisation devait intervenir.

— Oui, dit Mercier, avec un ordre. Si tu crois que ça
vaut vraiment la peine, je peux essayer d'obtenir un ordre.

— Ça en vaut toujours la peine, dit Rieux.

Sa femme de ménage venait de lui apprendre qu'on
avait collecté plusieurs centaines de rats morts dans la
grande usine où travaillait son mari.

C'est à peu près à cette époque en tout cas que nos
concitoyens commencèrent à s'inquiéter. Car, à partir
du 18, les usines et les entrepôts dégorgèrent, en effet,
des centaines de cadavres de rats. Dans quelques cas,
on fut obligé d'achever les bêtes, dont l'agonie était trop
longue. Mais, depuis les quartiers extérieurs jusqu'au
centre de la ville, partout où le docteur Rieux venait
à passer, partout où nos concitoyens se rassemblaient,
les rats attendaient en tas, dans les poubelles, ou en
longues files, dans les ruisseaux. La presse du soir
s'empara de l'affaire, dès ce jour-là, et demanda si la
municipalité, oui ou non, se proposait d'agir et quelles
mesures d'urgence elle avait envisagées pour garantir
ses administrés de cette invasion répugnante. La municipalité ne s'était rien proposé et n'avait rien envisagé
du tout, mais commença par se réunir en conseil pour
délibérer. L'ordre fut donné au service de dératisation
de collecter les rats morts, tous les matins, à l'aube.
La collecte finie, deux voitures du service devaient
porter les bêtes à l'usine d'incinération des ordures,
afin de les brûler.

Mais dans les jours qui suivirent, la situation s'aggrava. Le nombre des rongeurs ramassés allait croissant et la récolte était tous les matins plus abondante. Dès le quatrième jour, les rats commencèrent à sortir pour mourir en groupes. Des réduits, des sous-sols, des caves, des égouts, ils montaient en longues files titubantes pour venir vaciller à la lumière, tourner sur eux-mêmes et mourir près des humains. La nuit, dans les couloirs ou les ruelles, on entendait distinctement leurs petits cris d'agonie. Le matin, dans les faubourgs, on les trouvait étalés à même le ruisseau, une petite fleur de sang sur le museau pointu, les uns gonflés et putrides, les autres raidis et les moustaches encore dressées. Dans la ville même, on les rencontrait par petits tas, sur les paliers ou dans les cours. Ils venaient aussi mourir isolément dans les halls administratifs, dans les préaux d'école, à la terrasse des cafés, quelquefois. Nos concitoyens stupéfaits les découvraient aux endroits les plus fréquentés de la ville. La Place d'Armes, les boulevards, la promenade du Front-de-Mer, de loin en loin, étaient souillés. Nettoyée à l'aube de ses bêtes mortes, la ville les retrouvait peu à peu, de plus en plus nombreuses, pendant la journée. Sur les trottoirs, il arrivait aussi à plus d'un promeneur nocturne de sentir sous son pied la masse élastique d'un cadavre encore frais. On eût dit que la terre même où étaient plantées nos maisons se purgeait de son chargement d'humeurs, qu'elle laissait monter à la surface des furoncles et des sanies qui, jusqu'ici, la travaillaient intérieurement. Qu'on envisage seulement la stupéfaction de notre petite ville, si tranquille jusque-là, et bouleversée en quelques jours, comme un homme bien portant dont le sang épais se mettrait tout d'un coup en révolution!

Les choses allèrent si loin que l'agence Ransdoc

(renseignements, documentation, tous les renseignements sur n'importe quel sujet) annonça, dans son émission radiophonique d'informations gratuites, six mille deux cent trente et un rats collectés et brûlés dans la seule journée du 25. Ce chiffre, qui donnait un sens clair au spectacle quotidien que la ville avait sous les yeux, accrut le désarroi. Jusqu'alors, on s'était seulement plaint d'un accident un peu répugnant. On s'apercevait maintenant que ce phénomène dont on ne pouvait encore ni préciser l'ampleur ni déceler l'origine avait quelque chose de menaçant. Seul le vieil Espagnol asthmatique continuait de se frotter les mains et répétait : « Ils sortent, ils sortent », avec une joie sénile.

Le 28 avril, cependant, Ransdoc annonçait une collecte de huit mille rats environ et l'anxiété était à son comble dans la ville. On demandait des mesures radicales, on accusait les autorités, et certains qui avaient des maisons au bord de la mer parlaient déjà de s'y retirer. Mais, le lendemain, l'agence annonça que le phénomène avait cessé brutalement et que le service de dératisation n'avait collecté qu'une quantité négligeable de rats morts. La ville respira.

C'est pourtant le même jour, à midi, que le docteur Rieux, arrêtant sa voiture devant son immeuble, aperçut au bout de la rue le concierge qui avançait péniblement, la tête penchée, bras et jambes écartés, dans une attitude de pantin. Le vieil homme tenait le bras d'un prêtre que le docteur reconnut. C'était le Père Paneloux, un jésuite érudit et militant qu'il avait rencontré quelquefois et qui était très estimé dans notre ville, même parmi ceux qui sont indifférents en matière de religion. Il les attendit. Le vieux Michel avait les yeux brillants et la respiration sifflante. Il ne s'était pas senti très bien et avait voulu prendre l'air.

Mais des douleurs vives au cou, aux aisselles et aux aines l'avaient forcé à revenir et à demander l'aide du Père Paneloux.

— Ce sont des grosseurs, dit-il. J'ai dû faire un effort.

Le bras hors de la portière, le docteur promena son doigt à la base du cou que Michel lui tendait; une sorte de nœud de bois s'y était formé.

— Couchez-vous, prenez votre température, je viendrai vous voir cet après-midi.

Le concierge parti, Rieux demanda au Père Paneloux ce qu'il pensait de cette histoire de rats :

— Oh! dit le Père, ce doit être une épidémie, et ses yeux sourirent derrière les lunettes rondes.

Après le déjeuner, Rieux relisait le télégramme de la maison de santé qui lui annonçait l'arrivée de sa femme, quand le téléphone se fit entendre. C'était un de ses anciens clients, employé de mairie, qui l'appelait. Il avait longtemps souffert d'un rétrécissement de l'aorte, et, comme il était pauvre, Rieux l'avait soigné gratuitement.

— Oui, disait-il, vous vous souvenez de moi. Mais il s'agit d'un autre. Venez vite, il est arrivé quelque chose chez mon voisin.

Sa voix s'essoufflait. Rieux pensa au concierge et décida qu'il le verrait ensuite. Quelques minutes plus tard, il franchissait la porte d'une maison basse de la rue Faidherbe, dans un quartier extérieur. Au milieu de l'escalier frais et puant, il rencontra Joseph Grand, l'employé, qui descendait à sa rencontre. C'était un homme d'une cinquantaine d'années, à la moustache jaune, long et voûté, les épaules étroites et les membres maigres.

— Cela va mieux, dit-il en arrivant vers Rieux, mais j'ai cru qu'il y passait.

Il se mouchait. Au deuxième et dernier étage, sur

la porte de gauche, Rieux lut, tracé à la craie rouge :
« Entrez, je suis pendu. »

Ils entrèrent. La corde pendait de la suspension au-
dessus d'une chaise renversée, la table poussée dans un
coin. Mais elle pendait dans le vide.

— Je l'ai décroché à temps, disait Grand qui semblait
toujours chercher ses mots, bien qu'il parlât le langage
le plus simple. Je sortais, justement, et j'ai entendu du
bruit. Quand j'ai vu l'inscription, comment vous expliquer, j'ai cru à une farce. Mais il a poussé un gémissement drôle, et même sinistre, on peut le dire.

Il se grattait la tête :

— A mon avis, l'opération doit être douloureuse.
Naturellement, je suis entré.

Ils avaient poussé une porte et se trouvaient sur le
seuil d'une chambre claire, mais meublée pauvrement.
Un petit homme rond était couché sur le lit de cuivre.
Il respirait fortement et les regardait avec des yeux
congestionnés. Le docteur s'arrêta. Dans les intervalles
de la respiration, il lui semblait entendre des petits cris
de rats. Mais rien ne bougeait dans les coins. Rieux
alla vers le lit. L'homme n'était pas tombé d'assez haut,
ni trop brusquement, les vertèbres avaient tenu. Bien
entendu, un peu d'asphyxie. Il faudrait avoir une radio-
graphie. Le docteur fit une piqûre d'huile camphrée
et dit que tout s'arrangerait en quelques jours.

— Merci, Docteur, dit l'homme d'une voix étouffée.

Rieux demanda à Grand s'il avait prévenu le commis-
sariat et l'employé prit un air déconfit :

— Non, dit-il, oh! non. J'ai pensé que le plus
pressé...

— Bien sûr, coupa Rieux, je le ferai donc.

Mais, à ce moment, le malade s'agita et se dressa

dans le lit en protestant qu'il allait bien et que ce n'était pas la peine.

— Calmez-vous, dit Rieux. Ce n'est pas une affaire, croyez-moi, et il faut que je fasse ma déclaration.

— Oh! fit l'autre.

Et il se rejeta en arrière pour pleurer à petits coups. Grand, qui tripotait sa moustache depuis un moment, s'approcha de lui.

— Allons, monsieur Cottard, dit-il. Essayez de comprendre. On peut dire que le docteur est responsable. Si, par exemple, il vous prenait l'envie de recommencer...

Mais Cottard dit, au milieu de ses larmes, qu'il ne recommencerait pas, que c'était seulement un moment d'affolement et qu'il désirait seulement qu'on lui laissât la paix. Rieux rédigeait une ordonnance.

— C'est entendu, dit-il. Laissons cela, je reviendrai dans deux ou trois jours. Mais ne faites pas de bêtises.

Sur le palier, il dit à Grand qu'il était obligé de faire sa déclaration, mais qu'il demanderait au commissaire de ne faire son enquête que deux jours après.

— Il faut le surveiller cette nuit. A-t-il de la famille?

— Je ne la connais pas. Mais je peux veiller moi-même.

Il hochait la tête.

— Lui non plus, remarquez-le, je ne peux pas dire que je le connaisse. Mais il faut bien s'entraider.

Dans les couloirs de la maison, Rieux regarda machinalement vers les recoins et demanda à Grand si les rats avaient totalement disparu de son quartier. L'employé n'en savait rien. On lui avait parlé en effet de cette histoire, mais il ne prêtait pas beaucoup d'attention aux bruits du quartier.

— J'ai d'autres soucis, dit-il.

Rieux lui serrait déjà la main. Il était pressé de voir le concierge avant d'écrire à sa femme.

Les crieurs des journaux du soir annonçaient que l'invasion des rats était stoppée. Mais Rieux trouva son malade à demi versé hors du lit, une main sur le ventre et l'autre autour du cou, vomissant avec de grands arrachements une bile rosâtre dans un bidon d'ordures. Après de longs efforts, hors d'haleine, le concierge se recoucha. La température était à trente-neuf cinq, les ganglions du cou et les membres avaient gonflé, deux taches noirâtres s'élargissaient à son flanc. Il se plaignait maintenant d'une douleur intérieure.

— Ça brûle, disait-il, ce cochon-là me brûle.

Sa bouche fuligineuse lui faisait mâcher les mots et il tournait vers le docteur des yeux globuleux où le mal de tête mettait des larmes. Sa femme regardait avec anxiété Rieux qui demeurait muet.

— Docteur, disait-elle, qu'est-ce que c'est?

— Ça peut être n'importe quoi. Mais il n'y a encore rien de sûr. Jusqu'à ce soir, diète et dépuratif. Qu'il boive beaucoup.

Justement, le concierge était dévoré par la soif.

Rentré chez lui, Rieux téléphonait à son confrère Richard, un des médecins les plus importants de la ville.

— Non, disait Richard, je n'ai rien vu d'extraordinaire.

— Pas de fièvre avec inflammations locales?

— Ah! si, pourtant, deux cas avec des ganglions très enflammés.

— Anormalement?

— Heu, dit Richard, le normal, vous savez...

Le soir, dans tous les cas, le concierge délirait et, à quarante degrés, se plaignait des rats. Rieux tenta un abcès de fixation. Sous la brûlure de la térébenthine, le concierge hurla : « Ah! les cochons! »

Les ganglions avaient encore grossi, durs et ligneux au toucher. La femme du concierge s'affolait :

— Veillez, lui dit le docteur, et appelez-moi s'il y a lieu.

Le lendemain, 30 avril, une brise déjà tiède soufflait dans un ciel bleu et humide. Elle apportait une odeur de fleurs qui venait des banlieues les plus lointaines. Les bruits du matin dans les rues semblaient plus vifs, plus joyeux qu'à l'ordinaire. Dans toute notre petite ville, débarrassée de la sourde appréhension où elle avait vécu pendant la semaine, ce jour-là était celui du renouveau. Rieux lui-même, rassuré par une lettre de sa femme, descendit chez le concierge avec légèreté. Et en effet, au matin, la fièvre était tombée à trente-huit degrés. Affaibli, le malade souriait dans son lit.

— Cela va mieux, n'est-ce pas, Docteur? dit sa femme.

— Attendons encore.

Mais, à midi, la fièvre était montée d'un seul coup à quarante degrés, le malade délirait sans arrêt et les vomissements avaient repris. Les ganglions du cou étaient douloureux au toucher et le concierge semblait vouloir tenir sa tête le plus possible éloignée du corps. Sa femme était assise au pied du lit, les mains sur la couverture, tenant doucement les pieds du malade. Elle regardait Rieux.

— Écoutez, dit celui-ci, il faut l'isoler et tenter un traitement d'exception. Je téléphone à l'hôpital et nous le transporterons en ambulance.

Deux heures après, dans l'ambulance, le docteur et la femme se penchaient sur le malade. De sa bouche tapissée de fongosités, des bribes de mots sortaient : « Les rats! » disait-il. Verdâtre, les lèvres cireuses, les pau

pières plombées, le souffle saccadé et court, écartelé
par les ganglions, tassé au fond de sa couchette comme
s'il eût voulu la refermer sur lui ou comme si quelque
chose, venu du fond de la terre, l'appelait sans répit,
le concierge étouffait sous une pesée invisible. La femme
pleurait.

— N'y a-t-il donc plus d'espoir, Docteur?

— Il est mort, dit Rieux.

## III

LA mort du concierge, il est possible de le dire, marqua la fin de cette période remplie de signes déconcertants et le début d'une autre, relativement plus
difficile, où la surprise des premiers temps se transforma
peu à peu en panique. Nos concitoyens, ils s'en rendaient compte désormais, n'avaient jamais pensé que
notre petite ville pût être un lieu particulièrement
désigné pour que les rats y meurent au soleil et que les
concierges y périssent de maladies bizarres. De ce point
de vue, ils se trouvaient en somme dans l'erreur et leurs
idées étaient à reviser. Si tout s'était arrêté là, les habitudes sans doute l'eussent emporté. Mais d'autres
parmi nos concitoyens, et qui n'étaient pas toujours
concierges ni pauvres, durent suivre la route sur laquelle
M. Michel s'était engagé le premier. C'est à partir de
ce moment que la peur, et la réflexion avec elle, commencèrent.

Cependant, avant d'entrer dans le détail de ces nouveaux événements, le narrateur croit utile de donner sur
la période qui vient d'être décrite l'opinion d'un autre
témoin. Jean Tarrou, qu'on a déjà rencontré au début
de ce récit, s'était fixé à Oran quelques semaines plus tôt
et habitait, depuis ce temps, un grand hôtel du centre.

Apparemment, il semblait assez aisé pour vivre de ses revenus. Mais, bien que la ville se fût peu à peu habituée à lui, personne ne pouvait dire d'où il venait, ni pourquoi il était là. On le rencontrait dans tous les endroits publics. Dès le début du printemps, on l'avait beaucoup vu sur les plages, nageant souvent et avec un plaisir manifeste. Bonhomme, toujours souriant, il semblait être l'ami de tous les plaisirs normaux, sans en être l'esclave. En fait, la seule habitude qu'on lui connût était la fréquentation assidue des danseurs et des musiciens espagnols, assez nombreux dans notre ville.

Ses carnets, en tout cas, constituent eux aussi une sorte de chronique de cette période difficile. Mais il s'agit d'une chronique très particulière qui semble obéir à un parti pris d'insignifiance. A première vue, on pourrait croire que Tarrou s'est ingénié à considérer les choses et les êtres par le gros bout de la lorgnette. Dans le désarroi général, il s'appliquait, en somme, à se faire l'historien de ce qui n'a pas d'histoire. On peut déplorer sans doute ce parti pris et y soupçonner la sécheresse du cœur. Mais il n'en reste pas moins que ces carnets peuvent fournir, pour une chronique de cette période, une foule de détails secondaires qui ont cependant leur importance et dont la bizarrerie même empêchera qu'on juge trop vite cet intéressant personnage.

Les premières notes prises par Jean Tarrou datent de son arrivée à Oran. Elles montrent, dès le début, une curieuse satisfaction de se trouver dans une ville aussi laide par elle-même. On y trouve la description détaillée des deux lions de bronze qui ornent la mairie, des considérations bienveillantes sur l'absence d'arbres, les maisons disgracieuses et le plan absurde de la ville. Tarrou y mêle encore des dialogues entendus dans les tramways et dans les rues, sans y ajouter de commen-

taires, sauf, un peu plus tard, pour l'une de ces conversations, concernant un nommé Camps. Tarrou avait
assisté à l'entretien de deux receveurs de tramways :

— Tu as bien connu Camps, disait l'un.

— Camps? un grand, avec une moustache noire?

— C'est ça. Il était à l'aiguillage.

— Oui, bien sûr.

— Eh bien, il est mort.

— Ah! et quand donc?

— Après l'histoire des rats.

— Tiens! Et qu'est-ce qu'il a eu?

— Je ne sais pas, la fièvre. Et puis, il n'était pas fort.
Il a eu des abcès sous le bras. Il n'a pas résisté.

— Il avait pourtant l'air comme tout le monde.

— Non, il avait la poitrine faible, et il faisait de la
musique à l'Orphéon. Toujours souffler dans un piston,
ça use.

— Ah! termina le deuxième, quand on est malade,
il ne faut pas souffler dans un piston.

Après ces quelques indications, Tarrou se demandait
pourquoi Camps était entré à l'Orphéon contre son
intérêt le plus évident et quelles étaient les raisons pro-
fondes qui l'avaient conduit à risquer sa vie pour des
défilés dominicaux.

Tarrou semblait ensuite avoir été favorablement im-
pressionné par une scène qui se déroulait souvent au
balcon qui faisait face à sa fenêtre. Sa chambre donnait
en effet sur une petite rue transversale où des chats
dormaient à l'ombre des murs. Mais tous les jours, après
déjeuner, aux heures où la ville tout entière somnolait
dans la chaleur, un petit vieux apparaissait sur un balcon,
de l'autre côté de la rue. Les cheveux blancs et bien pei-
gnés, droit et sévère dans ses vêtements de coupe militaire, il appelait les chats d'un « Minet, minet », à la fois

distant et doux. Les chats levaient leurs yeux pâles de
sommeil, sans encore se déranger. L'autre déchirait
des petits bouts de papier au-dessus de la rue et les bêtes,
attirées par cette pluie de papillons blancs, avançaient
au milieu de la chaussée, tendant une patte hésitante
vers les derniers morceaux de papier. Le petit vieux
crachait alors sur les chats avec force et précision. Si
l'un des crachats atteignait son but, il riait.

Enfin, Tarrou paraissait avoir été définitivement séduit
par le caractère commercial de la ville dont l'apparence,
l'animation et même les plaisirs semblaient commandés
par les nécessités du négoce. Cette singularité (c'est le
terme employé par les carnets) recevait l'approbation
de Tarrou et l'une de ses remarques élogieuses se terminait même par l'exclamation : « Enfin! » Ce sont les
seuls endroits où les notes du voyageur, à cette date,
semblent prendre un caractère personnel. Il est difficile
simplement d'en apprécier la signification et le sérieux.
C'est ainsi qu'après avoir relaté que la découverte d'un
rat mort avait poussé le caissier de l'hôtel à commettre
une erreur dans sa note, Tarrou avait ajouté, d'une écriture moins nette que d'habitude : « Question : comment
faire pour ne pas perdre son temps? Réponse : l'éprouver dans toute sa longueur. Moyens : passer des journées dans l'antichambre d'un dentiste, sur une chaise
inconfortable; vivre à son balcon le dimanche après-midi;
écouter des conférences dans une langue qu'on ne comprend pas, choisir les itinéraires de chemin de fer les
plus longs et les moins commodes et voyager debout
naturellement; faire la queue aux guichets des spectacles
et ne pas prendre sa place, etc. » Mais tout de suite
après ces écarts de langage ou de pensée, les carnets
entament une description détaillée des tramways de
notre ville, de leur forme de nacelle, leur couleur

indécise, leur saleté habituelle, et terminent ces considérations par un « c'est remarquable » qui n'explique rien.

Voici en tout cas les indications données par Tarrou sur l'histoire des rats :

« Aujourd'hui, le petit vieux d'en face est décontenancé. Il n'y a plus de chats. Ils ont en effet disparu, excités par les rats morts que l'on découvre en grand nombre dans les rues. A mon avis, il n'est pas question que les chats mangent les rats morts. Je me souviens que les miens détestaient ça. Il n'empêche qu'ils doivent courir dans les caves et que le petit vieux est décontenancé. Il est moins bien peigné, moins vigoureux. On le sent inquiet. Au bout d'un moment, il est rentré. Mais il avait craché, une fois, dans le vide.

« Dans la ville, on a arrêté un tram aujourd'hui parce qu'on y avait découvert un rat mort, parvenu là on ne sait comment. Deux ou trois femmes sont descendues. On a jeté le rat. Le tram est reparti.

« A l'hôtel, le veilleur de nuit, qui est un homme digne de foi, m'a dit qu'il s'attendait à un malheur avec tous ces rats. « Quand les rats quittent le navire... » Je lui ai répondu que c'était vrai dans le cas des bateaux, mais qu'on ne l'avait jamais vérifié pour les villes. Cependant, sa conviction est faite. Je lui ai demandé quel malheur, selon lui, on pouvait attendre. Il ne savait pas, le malheur étant impossible à prévoir. Mais il n'aurait pas été étonné qu'un tremblement de terre fît l'affaire. J'ai reconnu que c'était possible et il m'a demandé si ça ne m'inquiétait pas.

— La seule chose qui m'intéresse, lui ai-je dit, c'est de trouver la paix intérieure.

« Il m'a parfaitement compris.

« Au restaurant de l'hôtel, il y a toute une famille bien intéressante. Le père est un grand homme maigre,

habillé de noir, avec un col dur. Il a le milieu du crâne
chauve et deux touffes de cheveux gris, à droite et à
gauche. Des petits yeux ronds et durs, un nez mince, une
bouche horizontale, lui donnent l'air d'une chouette أصلي
bien élevée. Il arrive toujours le premier à la porte du
restaurant, s'efface, laisse passer sa femme, menue
comme une souris noire, et entre alors avec, sur les talons,
un petit garçon et une petite fille habillés comme des
chiens savants. Arrivé à sa table, il attend que sa femme
ait pris place, s'assied, et les deux caniches peuvent enfin
se percher sur leurs chaises. Il dit « vous » à sa femme et à
ses enfants, débite des méchancetés polies à la première
et des paroles définitives aux héritiers :

— Nicole, vous vous montrez souverainement antipa-
thique!

« Et la petite fille est prête à pleurer. C'est ce qu'il
faut.

« Ce matin, le petit garçon était tout excité par l'histoire des rats. Il a voulu dire un mot à table :

— On ne parle pas de rats à table, Philippe. Je vous
interdis à l'avenir de prononcer ce mot.

— Votre père a raison, a dit la souris noire.

« Les deux caniches ont piqué le nez dans leur pâtée
et la chouette a remercié d'un signe de tête qui n'en disait
pas long.

« Malgré ce bel exemple, on parle beaucoup en ville
de cette histoire de rats. Le journal s'en est mêlé. La
chronique locale, qui d'habitude est très variée, est
maintenant occupée tout entière par une campagne
contre la municipalité : « Nos édiles se sont-ils avisés
du danger que pouvaient présenter les cadavres putréfiés
de ces rongeurs? » Le directeur de l'hôtel ne peut
plus parler d'autre chose. Mais c'est aussi qu'il est
vexé. Découvrir des rats dans l'ascenseur d'un hôtel

honorable lui paraît inconcevable. Pour le consoler, je lui ai dit : « Mais tout le monde en est là. »

— Justement, m'a-t-il répondu, nous sommes maintenant comme tout le monde.

« C'est lui qui m'a parlé des premiers cas de cette fièvre surprenante dont on commence à s'inquiéter. Une de ses femmes de chambre en est atteinte.

— Mais sûrement, ce n'est pas contagieux, a-t-il précisé avec empressement.

« Je lui ai dit que cela m'était égal.

— Ah! Je vois. Monsieur est comme moi, Monsieur est fataliste.

« Je n'avais rien avancé de semblable et d'ailleurs je ne suis pas fataliste. Je le lui ai dit... »

C'est à partir de ce moment que les carnets de Tarrou commencent à parler avec un peu de détails de cette fièvre inconnue dont on s'inquiétait déjà dans le public. En notant que le petit vieux avait retrouvé enfin ses chats avec la disparition des rats, et rectifiait patiemment ses tirs, Tarrou ajoutait qu'on pouvait déjà citer une dizaine de cas de cette fièvre, dont la plupart avaient été mortels.

A titre documentaire, on peut enfin reproduire le portrait du docteur Rieux par Tarrou. Autant que le narrateur puisse juger, il est assez fidèle :

« Paraît trente-cinq ans. Taille moyenne. Les épaules fortes. Visage presque rectangulaire. Les yeux sombres et droits, mais les mâchoires saillantes. Le nez fort est régulier. Cheveux noirs coupés très court. La bouche est arquée avec des lèvres pleines et presque toujours serrées. Il a un peu l'air d'un paysan sicilien avec sa peau cuite, son poil noir et ses vêtements de teintes toujours foncées, mais qui lui vont bien.

« Il marche vite. Il descend les trottoirs sans changer

son allure, mais deux fois sur trois remonte sur le trottoir opposé en faisant un léger saut. Il est distrait au
volant de son auto et laisse souvent ses flèches de direction levées, même après qu'il ait effectué son tournant.
Toujours nu-tête. L'air renseigné. »

# IV

LES chiffres de Tarrou étaient exacts. Le docteur Rieux en savait quelque chose. Le corps du concierge isolé, il avait téléphoné à Richard pour le questionner sur ces fièvres inguinales.

— Je n'y comprends rien, avait dit Richard. Deux morts, l'un en quarante-huit heures, l'autre en trois jours. J'avais laissé le dernier avec toutes les apparences de la convalescence, un matin.

— Prévenez-moi, si vous avez d'autres cas, dit Rieux.

Il appela encore quelques médecins. L'enquête ainsi menée lui donna une vingtaine de cas semblables en quelques jours. Presque tous avaient été mortels. Il demanda alors à Richard, président de l'ordre des médecins d'Oran, l'isolement des nouveaux malades.

— Mais je n'y puis rien, dit Richard. Il faudrait des mesures préfectorales. D'ailleurs, qui vous dit qu'il y a risque de contagion?

— Rien ne me le dit, mais les symptômes sont inquiétants.

Richard, cependant, estimait qu'« il n'avait pas qualité ». Tout ce qu'il pouvait faire était d'en parler au préfet.

Mais, pendant qu'on parlait, le temps se gâtait. Au

lendemain de la mort du concierge, de grandes brumes couvrirent le ciel. Des pluies diluviennes et brèves s'abattirent sur la ville; une chaleur orageuse suivait ces brusques ondées. La mer elle-même avait perdu son bleu profond et, sous le ciel brumeux, elle prenait des éclats d'argent ou de fer, douloureux pour la vue. La chaleur humide de ce printemps faisait souhaiter les ardeurs de l'été. Dans la ville, bâtie en escargot sur son plateau, à peine ouverte vers la mer, une torpeur morne régnait. Au milieu de ses longs murs crépis, parmi les rues aux vitrines poudreuses, dans les tramways d'un jaune sale, on se sentait un peu prisonnier du ciel. Seul, le vieux malade de Rieux triomphait de son asthme pour se réjouir de ce temps.

— Ça cuit, disait-il, c'est bon pour les bronches.

Ça cuisait en effet, mais ni plus ni moins qu'une fièvre. Toute la ville avait la fièvre, c'était du moins l'impression qui poursuivait le docteur Rieux, le matin où il se rendait rue Faidherbe, afin d'assister à l'enquête sur la tentative de suicide de Cottard. Mais cette impression lui paraissait déraisonnable. Il l'attribuait à l'énervement et aux préoccupations dont il était assailli et il admit qu'il était urgent de mettre un peu d'ordre dans ses idées.

Quand il arriva, le commissaire n'était pas encore là. Grand attendait sur le palier et ils décidèrent d'entrer d'abord chez lui en laissant la porte ouverte. L'employé de mairie habitait deux pièces, meublées très sommairement. On remarquait seulement un rayon de bois blanc garni de deux ou trois dictionnaires, et un tableau noir sur lequel on pouvait lire encore, à demi effacés, les mots « allées fleuries ». Selon Grand, Cottard avait passé une bonne nuit. Mais il s'était réveillé, le matin, souffrant de la tête et incapable d'aucune réaction. Grand paraissait fatigué et nerveux, se promenant de long en large, ouvrant et refermant sur la table un gros dossier rempli de feuilles manuscrites.

Il raconta cependant au docteur qu'il connaissait mal Cottard, mais qu'il lui supposait un petit avoir. Cottard était un homme bizarre. Longtemps, leurs relations s'étaient bornées à quelques saluts dans l'escalier.

— Je n'ai eu que deux conversations avec lui. Il y a quelques jours, j'ai renversé sur le palier une boîte de craies que je ramenais chez moi. Il y avait des craies rouges et des craies bleues. A ce moment, Cottard est sorti sur le palier et m'a aidé à les ramasser. Il m'a demandé à quoi servaient ces craies de différentes couleurs.

Grand lui avait alors expliqué qu'il essayait de refaire un peu de latin. Depuis le lycée, ses connaissances s'étaient estompées.

— Oui, dit-il au docteur, on m'a assuré que c'était utile pour mieux connaître le sens des mots français.

Il écrivait donc des mots latins sur son tableau. Il recopiait à la craie bleue la partie des mots qui changeait suivant les déclinaisons et les conjugaisons, et, à la craie rouge, celle qui ne changeait jamais.

— Je ne sais pas si Cottard a bien compris, mais il a paru intéressé et m'a demandé une craie rouge. J'ai été un peu surpris, mais après tout... Je ne pouvais pas deviner, bien sûr, que cela servirait son projet.

Rieux demanda quel était le sujet de la deuxième conversation. Mais, accompagné de son secrétaire, le commissaire arrivait qui voulait d'abord entendre les déclarations de Grand. Le docteur remarqua que Grand, parlant de Cottard, l'appelait toujours « le désespéré ». Il employa même à un moment l'expression « résolution fatale ». Ils discutèrent sur le motif du suicide et Grand se montra tâtillon sur le choix des termes. On s'arrêta enfin sur les mots « chagrins intimes ». Le commissaire demanda si rien dans l'attitude de Cottard ne laissait prévoir ce qu'il appelait « sa détermination ».

— Il a frappé hier à ma porte, dit Grand, pour me demander des allumettes. Je lui ai donné ma boîte. Il s'est excusé en me disant qu'entre voisins... Puis il m'a assuré qu'il me rendrait ma boîte. Je lui ai dit de la garder.

Le commissaire demanda à l'employé si Cottard ne lui avait pas paru bizarre.

— Ce qui m'a paru bizarre, c'est qu'il avait l'air de vouloir engager conversation. Mais moi, j'étais en train de travailler.

Grand se tourna vers Rieux et ajouta, d'un air embarrassé :

— Un travail personnel.

Le commissaire voulait voir cependant le malade. Mais Rieux pensait qu'il valait mieux préparer d'abord Cottard à cette visite. Quand il entra dans la chambre, ce dernier, vêtu seulement d'une flanelle grisâtre, était dressé dans son lit et tourné vers la porte avec une expression d'anxiété.

— C'est la police, hein?

— Oui, dit Rieux, et ne vous agitez pas. Deux ou trois formalités et vous aurez la paix.

Mais Cottard répondit que cela ne servait à rien et qu'il n'aimait pas la police. Rieux marqua de l'impatience.

— Je ne l'adore pas non plus. Il s'agit de répondre vite et correctement à leurs questions, pour en finir une bonne fois.

Cottard se tut et le docteur retourna vers la porte. Mais le petit homme l'appelait déjà et lui prit les mains quand il fut près du lit :

— On ne peut pas toucher à un malade, à un homme qui s'est pendu, n'est-ce pas, Docteur?

Rieux le considéra un moment et l'assura enfin qu'il n'avait jamais été question de rien de ce genre et qu'aussi bien, il était là pour protéger son malade. Celui-ci parut se détendre et Rieux fit entrer le commissaire.

On lut à Cottard le témoignage de Grand et on lui demanda s'il pouvait préciser les motifs de son acte. Il répondit seulement et sans regarder le commissaire que « chagrins intimes, c'était très bien ». Le commissaire le pressa de dire s'il avait envie de recommencer. Cottard, s'animant, répondit que non et qu'il désirait seulement qu'on lui laissât la paix.

— Je vous ferai remarquer, dit le commissaire sur un ton irrité, que, pour le moment, c'est vous qui troublez celle des autres.

Mais sur un signe de Rieux, on en resta là.

— Vous pensez, soupira le commissaire en sortant, nous avons d'autres chats à fouetter, depuis qu'on parle de cette fièvre...

Il demanda au docteur si la chose était sérieuse et Rieux dit qu'il n'en savait rien.

— C'est le temps, voilà tout, conclut le commissaire.

C'était le temps, sans doute. Tout poissait aux mains à mesure que la journée avançait et Rieux sentait son appréhension croître à chaque visite. Le soir de ce même jour, dans le faubourg, un voisin du vieux malade se pressait sur les aines et vomissait au milieu du délire. Les ganglions étaient bien plus gros que ceux du concierge. L'un d'eux commençait à suppurer et, bientôt, il s'ouvrit comme un mauvais fruit. Rentré chez lui, Rieux téléphona au dépôt de produits pharmaceutiques du département. Ses notes professionnelles mentionnent seulement à cette date : « Réponse négative ».

Et, déjà, on l'appelait ailleurs pour des cas semblables.
Il fallait ouvrir les abcès, c'était évident. Deux coups
de bistouri en croix et les ganglions déversaient une
purée mêlée de sang. Les malades saignaient, écartelés.
Mais des taches apparaissaient au ventre et aux jambes,
un ganglion cessait de suppurer, puis se regonflait.
La plupart du temps, le malade mourait, dans une odeur
épouvantable.

La presse, si bavarde dans l'affaire des rats, ne parlait plus de rien. C'est que les rats meurent dans la rue
et les hommes dans leur chambre. Et les journaux ne
s'occupent que de la rue. Mais la préfecture et la municipalité commençaient à s'interroger. Aussi longtemps
que chaque médecin n'avait pas eu connaissance de
plus de deux ou trois cas, personne n'avait pensé à bouger. Mais, en somme, il suffit que quelqu'un songeât
à faire l'addition. L'addition était consternante. En
quelques jours à peine, les cas mortels se multiplièrent
et il devint évident pour ceux qui se préoccupaient
de ce mal curieux qu'il s'agissait d'une véritable épidémie. C'est le moment que choisit Castel, un confrère
de Rieux, beaucoup plus âgé que lui, pour venir le
voir.

— Naturellement, lui dit-il, vous savez ce que c'est,
Rieux?

— J'attends le résultat des analyses.

— Moi, je le sais. Et je n'ai pas besoin d'analyses.
J'ai fait une partie de ma carrière en Chine, et j'ai vu
quelques cas à Paris, il y a une vingtaine d'années.
Seulement, on n'a pas osé leur donner un nom, sur le
moment. L'opinion publique, c'est sacré : pas d'affolement, surtout pas d'affolement. Et puis, comme disait
un confrère : « C'est impossible, tout le monde sait
qu'elle a disparu de l'Occident. » Oui, tout le monde

le savait, sauf les morts. Allons, Rieux, vous savez aussi bien que moi ce que c'est.

Rieux réfléchissait. Par la fenêtre de son bureau, il regardait l'épaule de la falaise pierreuse qui se refermait au loin sur la baie. Le ciel, quoique bleu, avait un éclat terne qui s'adoucissait à mesure que l'après-midi s'avançait.

— Oui, Castel, dit-il, c'est à peine croyable. Mais il semble bien que ce soit la peste.

Castel se leva et se dirigea vers la porte.

— Vous savez ce qu'on nous répondra, dit le vieux docteur : « Elle a disparu des pays tempérés depuis des années. »

— Qu'est-ce que ça veut dire, disparaître? répondit Rieux en haussant les épaules.

— Oui. Et n'oubliez pas : à Paris encore, il y a presque vingt ans.

— Bon. Espérons que ce ne sera pas plus grave aujourd'hui qu'alors. Mais c'est vraiment incroyable.

# V

Le mot de « peste » venait d'être prononcé pour la première fois. A ce point du récit qui laisse Bernard Rieux derrière sa fenêtre, on permettra au narrateur de justifier l'incertitude et la surprise du docteur, puisque, avec des nuances, sa réaction fut celle de la plupart de nos concitoyens. Les fléaux, en effet, sont une chose commune, mais on croit difficilement aux fléaux lorsqu'ils vous tombent sur la tête. Il y a eu dans le monde autant de pestes que de guerres. Et pourtant pestes et guerres trouvent les gens toujours aussi dépourvus. Le docteur Rieux était dépourvu, comme l'étaient nos concitoyens, et c'est ainsi qu'il faut comprendre ses hésitations. C'est ainsi qu'il faut comprendre aussi qu'il fut partagé entre l'inquiétude et la confiance. Quand une guerre éclate, les gens disent : « Ça ne durera pas, c'est trop bête. » Et sans doute une guerre est certainement trop bête, mais cela ne l'empêche pas de durer. La bêtise insiste toujours, on s'en apercevrait si l'on ne pensait pas toujours à soi. Nos concitoyens à cet égard étaient comme tout le monde, ils pensaient à eux-mêmes, autrement dit ils étaient humanistes : ils ne croyaient pas aux fléaux. Le fléau n'est pas à la mesure de l'homme, on se dit donc que le fléau est irréel, c'est un mauvais rêve qui va passer. Mais il ne passe pas toujours et, de mauvais rêve en mauvais rêve, ce sont les hommes qui passent, et les humanistes, en premier lieu, parce qu'ils n'ont pas pris leurs précautions. Nos concitoyens n'étaient pas plus coupables que d'autres, ils oubliaient d'être modestes, voilà tout, et ils pensaient que tout était encore possible pour eux, ce qui supposait que les fléaux étaient impossibles. Ils continuaient de faire des affaires, ils préparaient des voyages et ils avaient des opinions. Comment auraient-ils pensé à la peste qui supprime l'avenir, les déplacements et les discussions? Ils se croyaient libres et personne ne sera jamais libre tant qu'il y aura des fléaux.

Même lorsque le docteur Rieux eut reconnu devant son ami qu'une poignée de malades dispersés venaient, sans avertissement, de mourir de la peste, le danger demeurait irréel pour lui. Simplement, quand on est médecin, on s'est fait une idée de la douleur et on a un peu plus d'imagination. En regardant par la fenêtre sa ville qui n'avait pas changé, c'est à peine si le docteur sentait naître en lui ce léger écœurement devant l'avenir qu'on appelle inquiétude. Il essayait de rassembler dans son esprit ce qu'il savait de cette maladie. Des chiffres flottaient dans sa mémoire et il se disait que la trentaine de grandes pestes que l'histoire a connues avait fait près de cent millions de morts. Mais qu'est-ce que cent millions de morts? Quand on a fait la guerre, c'est à peine si on sait déjà ce qu'est un mort. Et puisqu'un homme mort n'a de poids que si on l'a vu mort, cent millions de cadavres semés à travers l'histoire ne sont qu'une fumée dans l'imagination. Le docteur se souvenait de la peste de Constantinople qui, selon Procope, avait fait dix mille victimes en un jour. Dix

mille morts font cinq fois le public d'un grand cinéma.
Voilà ce qu'il faudrait faire. On rassemble les gens à la
sortie de cinq cinémas, on les conduit sur une place de
la ville et on les fait mourir en tas pour y voir un peu
clair. Au moins, on pourrait mettre alors des visages
connus sur cet entassement anonyme. Mais, naturellement, c'est impossible à réaliser, et puis qui connaît
dix mille visages? D'ailleurs, des gens comme Procope
ne savaient pas compter, la chose est connue. A Canton,
il y avait soixante-dix ans, quarante mille rats étaient
morts de la peste avant que le fléau s'intéressât aux
habitants. Mais, en 1871, on n'avait pas le moyen de
compter les rats. On faisait son calcul approximative-
ment, en gros, avec des chances évidentes d'erreur.
Pourtant, si un rat a trente centimètres de long, quarante
mille rats mis bout à bout feraient...

Mais le docteur s'impatientait. Il se laissait aller et
il ne le fallait pas. Quelques cas ne font pas une épidémie
et il suffit de prendre des précautions. Il fallait s'en tenir
à ce qu'on savait, la stupeur et la prostration, les yeux
rouges, la bouche sale, les maux de tête, les bubons,
la soif terrible, le délire, les taches sur le corps, l'écar-
tèlement intérieur, et au bout de tout cela... Au bout de
tout cela, une phrase revenait au docteur Rieux, une
phrase qui terminait justement dans son manuel l'énu-
mération des symptômes : « Le pouls devient filiforme
et la mort survient à l'occasion d'un mouvement insignifiant. » Oui, au bout de tout cela, on était pendu à
un fil et les trois quarts des gens, c'était le chiffre exact,
étaient assez impatients pour faire ce mouvement
imperceptible qui les précipitait.

Le docteur regardait toujours par la fenêtre. D'un
côté de la vitre, le ciel frais du printemps, et de l'autre
côté le mot qui résonnait encore dans la pièce : la peste.

Le mot ne contenait pas seulement ce que la science
voulait bien y mettre, mais une longue suite d'images
extraordinaires qui ne s'accordaient pas avec cette ville
jaune et grise, modérément animée à cette heure, bour-
donnante plutôt que bruyante, heureuse en somme,
s'il est possible qu'on puisse être à la fois heureux et
morne. Et une tranquillité si pacifique et si indifférente
niait presque sans effort les vieilles images du fléau,
Athènes empestée et désertée par les oiseaux, les villes
chinoises remplies d'agonisants silencieux, les bagnards
de Marseille empilant dans des trous les corps dégou-
linants, la construction en Provence du grand mur
qui devait arrêter le vent furieux de la peste, Jaffa et
ses hideux mendiants, les lits humides et pourris collés
à la terre battue de l'hôpital de Constantinople, les
malades tirés avec des crochets, le carnaval des médecins masqués pendant la Peste noire, les accouplements
des vivants dans les cimetières de Milan, les charrettes
de morts dans Londres épouvanté, et les nuits et les
jours remplis, partout et toujours, du cri interminable
des hommes. Non, tout cela n'était pas encore assez fort
pour tuer la paix de cette journée. De l'autre côté
de la vitre, le timbre d'un tramway invisible résonnait
tout d'un coup et réfutait en une seconde la cruauté et
la douleur. Seule la mer, au bout du damier terne des
maisons, témoignait de ce qu'il y a d'inquiétant et de
jamais reposé dans le monde. Et le docteur Rieux, qui
regardait le golfe, pensait à ces bûchers dont parle
Lucrèce et que les Athéniens frappés par la maladie
élevaient devant la mer. On y portait les morts durant
la nuit, mais la place manquait et les vivants se battaient
à coups de torches pour y placer ceux qui leur avaient
été chers, soutenant des luttes sanglantes plutôt que
d'abandonner leurs cadavres. On pouvait imaginer les

bûchers rougeoyants devant l'eau tranquille et sombre, les combats de torches dans la nuit crépitante d'étincelles et d'épaisses vapeurs empoisonnées montant vers le ciel attentif. On pouvait craindre...

Mais ce vertige ne tenait pas devant la raison. Il est vrai que le mot de « peste » avait été prononcé, il est vrai qu'à la minute même le fléau secouait et jetait à terre une ou deux victimes. Mais quoi, cela pouvait s'arrêter. Ce qu'il fallait faire, c'était reconnaître clairement ce qui devait être reconnu, chasser enfin les ombres inutiles et prendre les mesures qui convenaient. Ensuite, la peste s'arrêterait parce que la peste ne s'imaginait pas ou s'imaginait faussement. Si elle s'arrêtait, et c'était le plus probable, tout irait bien. Dans le cas contraire, on saurait ce qu'elle était et s'il n'y avait pas moyen de s'en arranger d'abord pour la vaincre ensuite.

Le docteur ouvrit la fenêtre et le bruit de la ville s'enfla d'un coup. D'un atelier voisin montait le sifflement bref et répété d'une scie mécanique. Rieux se secoua. Là était la certitude, dans le travail de tous les jours. Le reste tenait à des fils et à des mouvements insignifiants, on ne pouvait s'y arrêter. L'essentiel était de bien faire son métier.

## VI

LE docteur Rieux en était là de ses réflexions quand on
lui annonça Joseph Grand. Employé à la mairie, et
bien que ses occupations y fussent très diverses, on l'utili-
sait périodiquement au service des statistiques, à l'état
civil. Il était amené ainsi à faire les additions des décès.
Et, de naturel obligeant, il avait consenti à apporter
lui-même chez Rieux une copie de ses résultats.

Le docteur vit entrer Grand avec son voisin Cottard.
L'employé brandissait une feuille de papier.

— Les chiffres montent, Docteur, annonça-t-il : onze
morts en quarante-huit heures.

Rieux salua Cottard et lui demanda comment il se
sentait. Grand expliqua que Cottard avait tenu à remercier le docteur et à s'excuser des ennuis qu'il lui avait
causés. Mais Rieux regardait la feuille de statistiques :

— Allons, dit Rieux, il faut peut-être se décider à
appeler cette maladie par son nom. Jusqu'à présent,
nous avons piétiné. Mais venez avec moi, je dois aller
au laboratoire.

— Oui, oui, disait Grand en descendant l'escalier
derrière le docteur. Il faut appeler les choses par leur
nom. Mais quel est ce nom?

— Je ne puis vous le dire, et d'ailleurs cela ne vous
serait pas utile.

— Vous voyez, sourit l'employé. Ce n'est pas si facile.

Ils se dirigèrent vers la Place d'Armes. Cottard se
taisait toujours. Les rues commençaient à se charger de
monde. Le crépuscule fugitif de notre pays reculait déjà
devant la nuit et les premières étoiles apparaissaient dans
l'horizon encore net. Quelques secondes plus tard, les
lampes au-dessus des rues obscurcirent tout le ciel
en s'allumant et le bruit des conversations parut monter
d'un ton.

— Pardonnez-moi, dit Grand au coin de la Place
d'Armes. Mais il faut que je prenne mon tramway.
Mes soirées sont sacrées. Comme on dit dans mon pays :
« Il ne faut jamais remettre au lendemain... »

Rieux avait déjà noté cette manie qu'avait Grand,
né à Montélimar, d'invoquer les locutions de son pays
et d'ajouter ensuite des formules banales qui étaient de
nulle part comme « un temps de rêve » ou « un éclairage féerique ».

— Ah! dit Cottard, c'est vrai. On ne peut pas le tirer
de chez lui après le dîner.

Rieux demanda à Grand s'il travaillait pour la mairie.
Grand répondit que non, il travaillait pour lui.

— Ah! dit Rieux pour dire quelque chose, et ça
avance?

— Depuis des années que j'y travaille, forcément.
Quoique dans un autre sens, il n'y ait pas beaucoup de
progrès.

— Mais, en somme, de quoi s'agit-il? dit le docteur
en s'arrêtant.

Grand bredouilla en assurant son chapeau rond sur
ses grandes oreilles. Et Rieux comprit très vaguement
qu'il s'agissait de quelque chose sur l'essor d'une personnalité. Mais l'employé les quittait déjà et il remontait

le boulevard de la Marne, sous les ficus, d'un petit pas
pressé. Au seuil du laboratoire, Cottard dit au docteur
qu'il voudrait bien le voir pour lui demander conseil.
Rieux, qui tripotait dans ses poches la feuille de statistiques, l'invita à venir à sa consultation, puis, se ravisant,
lui dit qu'il allait dans son quartier le lendemain et qu'il
passerait le voir en fin d'après-midi.

En quittant Cottard, le docteur s'aperçut qu'il pensait
à Grand. Il l'imaginait au milieu d'une peste, et non pas
de celle-ci qui sans doute ne serait pas sérieuse, mais
d'une des grandes pestes de l'histoire. « C'est le genre
d'hommes qui est épargné dans ces cas-là.» Il se souvenait d'avoir lu que la peste épargnait les constitutions
faibles et détruisait surtout les complexions vigoureuses.
Et, continuant d'y penser, le docteur trouvait à l'employé
un air de petit mystère.

A première vue, en effet, Joseph Grand n'était rien
de plus que le petit employé de mairie dont il avait
l'allure. Long et maigre, il flottait au milieu de vêtements
qu'il choisissait toujours trop grands, dans l'illusion qu'ils
lui feraient plus d'usage. S'il gardait encore la plupart
de ses dents sur les gencives inférieures, il avait perdu
en revanche celles de la mâchoire supérieure. Son sourire,
qui relevait surtout la lèvre du haut, lui donnait ainsi
une bouche d'ombre. Si l'on ajoute à ce portrait une
démarche de séminariste, l'art de raser les murs et de se
glisser dans les portes, un parfum de cave et de fumée,
toutes les mines de l'insignifiance, on reconnaîtra que
l'on ne pouvait pas l'imaginer ailleurs que devant un
bureau, appliqué à réviser les tarifs des bains-douches
de la ville ou à réunir pour un jeune rédacteur les élé-
ments d'un rapport concernant la nouvelle taxe sur l'en-
lèvement des ordures ménagères. Même pour un esprit
non prévenu, il semblait avoir été mis au monde pour

exercer les fonctions discrètes mais indispensables d'auxiliaire municipal temporaire à soixante-deux francs trente
par jour.

C'était en effet la mention qu'il disait faire figurer
sur les feuilles d'emploi, à la suite du mot « qualification ».
Lorsque vingt-deux ans auparavant, à la sortie d'une
licence que, faute d'argent, il ne pouvait dépasser,
il avait accepté cet emploi, on lui avait fait espérer,
disait-il, une « titularisation » rapide. Il s'agissait seulement de donner pendant quelque temps les preuves de
sa compétence dans les questions délicates que posait
l'administration de notre cité. Par la suite, il ne pouvait
manquer, on l'en avait assuré, d'arriver à un poste de
rédacteur qui lui permettrait de vivre largement. Certes,
ce n'était pas l'ambition qui faisait agir Joseph Grand,
il s'en portait garant avec un sourire mélancolique.
Mais la perspective d'une vie matérielle assurée par des
moyens honnêtes, et, partant, la possibilité de se livrer
sans remords à ses occupations favorites lui souriait
beaucoup. S'il avait accepté l'offre qui lui était faite,
ce fut pour des raisons honorables, et, si l'on peut dire,
par fidélité à un idéal.

Il y avait de longues années que cet état de choses
provisoire durait, la vie avait augmenté dans des pro-
portions démesurées, et le salaire de Grand, malgré
quelques augmentations générales, était encore dérisoire. Il s'en était plaint à Rieux, mais personne ne
paraissait s'en aviser. C'est ici que se place l'originalité
de Grand, ou du moins l'un de ses signes. Il eût pu,
en effet, faire valoir, sinon des droits dont il n'était pas
sûr, du moins les assurances qu'on lui avait données.
Mais, d'abord, le chef de bureau qui l'avait engagé
était mort depuis longtemps et l'employé, au demeurant,
ne se souvenait pas des termes exacts de la promesse

qui lui avait été faite. Enfin, et surtout, Joseph Grand
ne trouvait pas ses mots.

C'est cette particularité qui peignait le mieux notre
concitoyen, comme Rieux put le remarquer. C'est elle
en effet qui l'empêchait toujours d'écrire la lettre de
réclamation qu'il méditait, ou de faire la démarche
que les circonstances exigeaient. A l'en croire, il se sentait
particulièrement empêché d'employer le mot « droit »
sur lequel il n'était pas ferme, ni celui de « promesses »
qui aurait impliqué qu'il réclamait son dû et aurait
par conséquent revêtu un caractère de hardiesse, peu
compatible avec la modestie des fonctions qu'il occupait.
D'un autre côté, il se refusait à utiliser les termes de
« bienveillance », « solliciter », « gratitude », dont il estimait qu'ils ne se conciliaient pas avec sa dignité personnelle. C'est ainsi que, faute de trouver le mot juste, notre
concitoyen continua d'exercer ses obscures fonctions
jusqu'à un âge assez avancé. Au reste, et toujours selon
ce qu'il disait au docteur Rieux, il s'aperçut à l'usage
que sa vie matérielle était assurée, de toutes façons,
puisqu'il lui suffisait, après tout, d'adapter ses besoins
à ses ressources. Il reconnut ainsi la justesse d'un des
mots favoris du maire, gros industriel de notre ville,
lequel affirmait avec force que finalement (et il insistait
sur ce mot qui portait tout le poids du raisonnement),
finalement donc, on n'avait jamais vu personne mourir
de faim. Dans tous les cas, la vie quasi ascétique que
menait Joseph Grand l'avait finalement, en effet, délivré
de tout souci de cet ordre. Il continuait de chercher ses
mots.

Dans un certain sens, on peut bien dire que sa vie
était exemplaire. Il était de ces hommes, rares dans notre
ville comme ailleurs, qui ont toujours le courage de leurs
bons sentiments. Le peu qu'il confiait de lui témoignait

en effet de bontés et d'attachements qu'on n'ose pas
avouer de nos jours. Il ne rougissait pas de convenir
qu'il aimait ses neveux et sa sœur, seule parente qu'il
eût gardée et qu'il allait, tous les deux ans, visiter en
France. Il reconnaissait que le souvenir de ses parents,
morts alors qu'il était encore jeune, lui donnait du
chagrin. Il ne refusait pas d'admettre qu'il aimait par-
dessus tout une certaine cloche de son quartier qui résonnait doucement vers cinq heures du soir. Mais, pour
évoquer des émotions si simples, cependant, le moindre
mot lui coûtait mille peines. Finalement, cette difficulté
avait fait son plus grand souci. « Ah! Docteur, disait-il,
je voudrais bien apprendre à m'exprimer. » Il en parlait
à Rieux chaque fois qu'il le rencontrait.

Le docteur, ce soir-là, regardant partir l'employé,
comprenait tout d'un coup ce que Grand avait voulu
dire : il écrivait sans doute un livre ou quelque chose
d'approchant. Jusque dans le laboratoire où il se rendit
enfin, cela rassurait Rieux. Il savait que cette impression
était stupide, mais il n'arrivait pas à croire que la peste
pût s'installer vraiment dans une ville où l'on pouvait
trouver des fonctionnaires modestes qui cultivaient
d'honorables manies. Exactement, il n'imaginait pas la
place de ces manies au milieu de la peste et il jugeait
donc que, pratiquement, la peste était sans avenir parmi
nos concitoyens.

## VII

L E lendemain, grâce à une insistance jugée déplacée, Rieux obtenait la convocation à la préfecture d'une commission sanitaire.

— Il est vrai que la population s'inquiète, avait reconnu Richard. Et puis les bavardages exagèrent tout. Le préfet m'a dit : « Faisons vite si vous voulez, mais en silence. » Il est d'ailleurs persuadé qu'il s'agit d'une fausse alerte.

Bernard Rieux prit Castel dans sa voiture pour gagner la préfecture.

— Savez-vous, lui dit ce dernier, que le département n'a pas de sérum ?

— Je sais. J'ai téléphoné au dépôt. Le directeur est tombé des nues. Il faut faire venir ça de Paris.

— J'espère que ce ne sera pas long.

— J'ai déjà télégraphié, répondit Rieux.

Le préfet était aimable, mais nerveux.

— Commençons, Messieurs, disait-il. Dois-je résumer la situation ?

Richard pensait que c'était inutile. Les médecins connaissaient la situation. La question était seulement de savoir quelles mesures il convenait de prendre.

— La question, dit brutalement le vieux Castel, est de savoir s'il s'agit de la peste ou non.

Deux ou trois médecins s'exclamèrent. Les autres semblaient hésiter. Quant au préfet, il sursauta et se retourna machinalement vers la porte, comme pour vérifier qu'elle avait bien empêché cette énormité de se répandre dans les couloirs. Richard déclara qu'à son avis, il ne fallait pas céder à l'affolement : il s'agissait d'une fièvre à complications inguinales, c'était tout ce qu'on pouvait dire, les hypothèses, en science comme dans la vie, étant toujours dangereuses. Le vieux Castel, qui mâchonnait tranquillement sa moustache jaunie, leva des yeux clairs sur Rieux. Puis il tourna un regard bienveillant vers l'assistance et fit remarquer qu'il savait très bien que c'était la peste, mais que, bien entendu, le reconnaître officiellement obligerait à prendre des mesures impitoyables. Il savait que c'était, au fond, ce qui faisait reculer ses confrères et, partant, il voulait bien admettre pour leur tranquillité que ce ne fût pas la peste. Le préfet s'agita et déclara que, dans tous les cas, ce n'était pas une bonne façon de raisonner.

— L'important, dit Castel, n'est pas que cette façon de raisonner soit bonne, mais qu'elle fasse réfléchir.

Comme Rieux se taisait, on lui demanda son avis :

— Il s'agit d'une fièvre à caractère typhoïde, mais accompagnée de bubons et de vomissements. J'ai pratiqué l'incision des bubons. J'ai pu ainsi provoquer des analyses où le laboratoire croit reconnaître le bacille trapu de la peste. Pour être complet, il faut dire cependant que certaines modifications spécifiques du microbe ne coïncident pas avec la description classique.

Richard souligna que cela autorisait des hésitations et qu'il faudrait attendre au moins le résultat statistique de la série d'analyses, commencée depuis quelques jours.

— Quand un microbe, dit Rieux, après un court silence, est capable en trois jours de temps de quadrupler le volume de la rate, de donner aux ganglions mésentériques le volume d'une orange et la consistance de la bouillie, il n'autorise justement pas d'hésitations. Les foyers d'infection sont en extension croissante. A l'allure où la maladie se répand, si elle n'est pas stoppée, elle risque de tuer la moitié de la ville avant deux mois. Par conséquent, il importe peu que vous l'appeliez peste ou fièvre de croissance. Il importe seulement que vous l'empêchiez de tuer la moitié de la ville.

Richard trouvait qu'il ne fallait rien pousser au noir et que la contagion d'ailleurs n'était pas prouvée puisque les parents de ses malades étaient encore indemnes.

— Mais d'autres sont morts, fit remarquer Rieux. Et, bien entendu, la contagion n'est jamais absolue, sans quoi on obtiendrait une croissante mathématique infinie et un dépeuplement foudroyant. Il ne s'agit pas de rien pousser au noir. Il s'agit de prendre des précautions.

Richard, cependant, pensait résumer la situation en rappelant que pour arrêter cette maladie, si elle ne s'arrêtait pas d'elle-même, il fallait appliquer les graves mesures de prophylaxie prévues par la loi; que, pour ce faire, il fallait reconnaître officiellement qu'il s'agissait de la peste; que la certitude n'était pas absolue à cet égard et qu'en conséquence, cela demandait réflexion.

— La question, insista Rieux, n'est pas de savoir si les mesures prévues par la loi sont graves mais si elles sont nécessaires pour empêcher la moitié de la ville d'être tuée. Le reste est affaire d'administration et, justement, nos institutions ont prévu un préfet pour régler ces questions.

— Sans doute, dit le préfet, mais j'ai besoin que vous reconnaissiez officiellement qu'il s'agit d'une épidémie de peste.

— Si nous ne le reconnaissons pas, dit Rieux, elle risque quand même de tuer la moitié de la ville.

Richard intervint avec quelque nervosité.

— La vérité est que notre confrère croit à la peste. Sa description du syndrome le prouve.

Rieux répondit qu'il n'avait pas décrit un syndrome, il avait décrit ce qu'il avait vu. Et ce qu'il avait vu, c'étaient des bubons, des taches, des fièvres délirantes, fatales en quarante-huit heures. Est-ce que M. Richard pouvait prendre la responsabilité d'affirmer que l'épidémie s'arrêterait sans mesures de prophylaxie rigoureuses?

Richard hésita et regarda Rieux :

— Sincèrement, dites-moi votre pensée, avez-vous la certitude qu'il s'agit de la peste?

— Vous posez mal le problème. Ce n'est pas une question de vocabulaire, c'est une question de temps.

— Votre pensée, dit le préfet, serait que, même s'il ne s'agissait pas de la peste, les mesures prophylactiques indiquées en temps de peste devraient cependant être appliquées.

— S'il faut absolument que j'aie une pensée, c'est en effet celle-ci.

Les médecins se consultèrent et Richard finit par dire :

— Il faut donc que nous prenions la responsabilité d'agir comme si la maladie était une peste.

La formule fut chaleureusement approuvée :

— C'est aussi votre avis, mon cher confrère? demanda Richard.

— La formule m'est indifférente, dit Rieux. Disons seulement que nous ne devons pas agir comme si la moitié de la ville ne risquait pas d'être tuée, car alors elle le serait.

Au milieu de l'agacement général, Rieux partit. Quelques moments après, dans le faubourg qui sentait la friture et l'urine, une femme qui hurlait à la mort, les aines ensanglantées, se tournait vers lui.

# VIII

Le lendemain de la conférence, la fièvre fit encore un petit bond. Elle passa même dans les journaux, mais sous une forme bénigne, puisqu'ils se contentèrent d'y faire quelques allusions. Le surlendemain, en tout cas, Rieux pouvait lire de petites affiches blanches que la préfecture avait fait rapidement coller dans les coins les plus discrets de la ville. Il était difficile de tirer de cette affiche la preuve que les autorités regardaient la situation en face. Les mesures n'étaient pas draconiennes et l'on semblait avoir beaucoup sacrifié au désir de ne pas inquiéter l'opinion publique. L'exorde de l'arrêté annonçait, en effet, que quelques cas d'une fièvre pernicieuse, dont on ne pouvait encore dire si elle était contagieuse, avaient fait leur apparition dans la commune d'Oran. Ces cas n'étaient pas assez caractérisés pour être réellement inquiétants et il n'y avait pas de doute que la population saurait garder son sang-froid. Néanmoins, et dans un esprit de prudence qui pouvait être compris par tout le monde, le préfet prenait quelques mesures préventives. Comprises et appliquées comme elles devaient l'être, ces mesures étaient de nature à arrêter net toute menace d'épidémie. En conséquence, le préfet ne doutait pas un instant que ses administrés n'appor-

tassent la plus dévouée des collaborations à son effort
personnel.

L'affiche annonçait ensuite des mesures d'ensemble,
parmi lesquelles une dératisation scientifique par injection de gaz toxiques dans les égouts et une surveillance
étroite de l'alimentation en eau. Elle recommandait
aux habitants la plus extrême propreté et invitait enfin
les porteurs de puces à se présenter dans les dispensaires
municipaux. D'autre part, les familles devaient obliga-
toirement déclarer les cas diagnostiqués par le médecin
et consentir à l'isolement de leurs malades dans les salles
spéciales de l'hôpital. Ces salles étaient d'ailleurs équipées
pour soigner les malades dans le minimum de temps et
avec le maximum de chances de guérison. Quelques
articles supplémentaires soumettaient à la désinfection
obligatoire la chambre du malade et le véhicule de transport. Pour le reste, on se bornait à recommander aux
proches de se soumettre à une surveillance sanitaire.

Le docteur Rieux se détourna brusquement de l'affiche et reprit le chemin de son cabinet. Joseph Grand,
qui l'attendait, leva de nouveau les bras en l'apercevant.

— Oui, dit Rieux, je sais, les chiffres montent.

La veille, une dizaine de malades avaient succombé
dans la ville. Le docteur dit à Grand qu'il le verrait
peut-être le soir, puisqu'il allait rendre visite à Cottard.

— Vous avez raison, dit Grand. Vous lui ferez du
bien, car je le trouve changé.

— Et comment cela?

— Il est devenu poli.

— Ne l'était-il pas auparavant?

Grand hésita. Il ne pouvait dire que Cottard fût
impoli, l'expression n'aurait pas été juste. C'était un
homme renfermé et silencieux qui avait un peu l'allure
du sanglier. Sa chambre, un restaurant modeste et des

sorties assez mystérieuses, c'était toute la vie de Cottard. Officiellement, il était représentant en vins et liqueurs. De loin en loin, il recevait la visite de deux ou trois hommes qui devaient être ses clients. Le soir, quelquefois, il allait au cinéma qui se trouvait en face de la maison. L'employé avait même remarqué que Cottard semblait voir de préférence les films de gangsters. En toutes occasions, le représentant demeurait solitaire et méfiant.

Tout cela, selon Grand, avait bien changé :

— Je ne sais pas comment dire, mais j'ai l'impression, voyez-vous, qu'il cherche à se concilier les gens, qu'il veut mettre tout le monde avec lui. Il me parle souvent, il m'offre de sortir avec lui et je ne sais pas toujours refuser. Au reste, il m'intéresse, et, en somme, je lui ai sauvé la vie.

Depuis sa tentative de suicide, Cottard n'avait plus reçu aucune visite. Dans les rues, chez les fournisseurs, il cherchait toutes les sympathies. On n'avait jamais mis tant de douceur à parler aux épiciers, tant d'intérêt à écouter une marchande de tabacs.

— Cette marchande de tabacs, remarquait Grand, est une vraie vipère. Je l'ai dit à Cottard, mais il m'a répondu que je me trompais et qu'elle avait de bons côtés qu'il fallait savoir trouver.

Deux ou trois fois enfin, Cottard avait emmené Grand dans les restaurants et les cafés luxueux de la ville. Il s'était mis à les fréquenter en effet.

— On y est bien, disait-il, et puis on est en bonne compagnie.

Grand avait remarqué les attentions spéciales du personnel pour le représentant et il en comprit la raison en observant les pourboires excessifs que celui-ci laissait. Cottard paraissait très sensible aux amabilités dont on le

payait de retour. Un jour que le maître d'hôtel l'avait
reconduit et aidé à endosser son pardessus, Cottard
avait dit à Grand :

— C'est un bon garçon, il peut témoigner.

— Témoigner de quoi?

Cottard avait hésité.

— Eh bien! que je ne suis pas un mauvais homme.

Du reste, il avait des sautes d'humeur. Un jour où
l'épicier s'était montré moins aimable, il était revenu
chez lui dans un état de fureur démesurée :

— Il passe avec les autres, cette crapule, répétait-il.

— Quels autres?

— Tous les autres.

Grand avait même assisté à une scène curieuse chez
la marchande de tabacs. Au milieu d'une conversation
animée, celle-ci avait parlé d'une arrestation récente
qui avait fait du bruit à Alger. Il s'agissait d'un jeune
employé de commerce qui avait tué un Arabe sur une
plage.

— Si l'on mettait toute cette racaille en prison, avait
dit la marchande, les honnêtes gens pourraient respirer.

Mais elle avait dû s'interrompre devant l'agitation
subite de Cottard qui s'était jeté hors de la boutique,
sans un mot d'excuse. Grand et la marchande, les bras
ballants, l'avaient regardé fuir.

Par la suite, Grand devait signaler à Rieux d'autres
changements dans le caractère de Cottard. Ce dernier avait toujours été d'opinions très libérales. Sa
phrase favorite : « Les gros mangent toujours les
petits » le prouvait bien. Mais depuis quelque temps,
il n'achetait plus que le journal bien pensant d'Oran
et on ne pouvait même se défendre de croire qu'il mettait
une certaine ostentation à le lire dans des endroits publics. De même, quelques jours après s'être levé, il avait

prié Grand, qui allait à la poste, de bien vouloir expédier
un mandat de cent francs qu'il envoyait tous les mois
à une sœur éloignée. Mais au moment où Grand partait :

— Envoyez-lui deux cents francs, demanda Cottard,
ce sera une bonne surprise pour elle. Elle croit que je ne
pense jamais à elle. Mais la vérité est que je l'aime
beaucoup.

Enfin il avait eu avec Grand une curieuse conversation.
Celui-ci avait été obligé de répondre aux questions de
Cottard intrigué par le petit travail auquel Grand se
livrait chaque soir.

— Bon, avait dit Cottard, vous faites un livre.

— Si vous voulez, mais c'est plus compliqué que
cela !

— Ah ! s'était écrié Cottard, je voudrais bien faire
comme vous.

Grand avait paru surpris et Cottard avait balbutié
qu'être un artiste devait arranger bien des choses.

— Pourquoi ? avait demandé Grand.

— Eh bien, parce qu'un artiste a plus de droits
qu'un autre, tout le monde sait ça. On lui passe plus de
choses.

— Allons, dit Rieux à Grand, le matin des affiches,
l'histoire des rats lui a tourné la tête comme à beaucoup
d'autres, voilà tout. Ou encore il a peur de la fièvre.

Grand répondit :

— Je ne crois pas, Docteur, et si vous voulez mon
avis...

La voiture de dératisation passa sous leur fenêtre
dans un grand bruit d'échappement. Rieux se tut jusqu'à ce qu'il fût possible de se faire entendre et demanda
distraitement l'avis de l'employé. L'autre le regardait
avec gravité :

— C'est un homme, dit-il, qui a quelque chose à se reprocher.

Le docteur haussa les épaules. Comme disait le commissaire, il y avait d'autres chats à fouetter.

Dans l'après-midi, Rieux eut une conférence avec Castel. Les sérums n'arrivaient pas.

— Du reste, demandait Rieux, seraient-ils utiles ? Ce bacille est bizarre.

— Oh ! dit Castel, je ne suis pas de votre avis. Ces animaux ont toujours un air d'originalité. Mais, dans le fond, c'est la même chose.

— Vous le supposez du moins. En fait, nous ne savons rien de tout cela.

— Évidemment, je le suppose. Mais tout le monde en est là.

Pendant toute la journée, le docteur sentit croître le petit vertige qui le prenait chaque fois qu'il pensait à la peste. Finalement, il reconnut qu'il avait peur. Il entra deux fois dans des cafés pleins de monde. Lui aussi, comme Cottard, sentait un besoin de chaleur humaine. Rieux trouvait cela stupide, mais cela l'aida à se souvenir qu'il avait promis une visite au représentant.

Le soir, le docteur trouva Cottard devant la table de sa salle à manger. Quand il entra, il y avait sur la table un roman policier étalé. Mais la soirée était déjà avancée et, certainement, il devait être difficile de lire dans l'obscurité naissante. Cottard devait plutôt, une minute auparavant, se tenir assis et réfléchir dans la pénombre. Rieux lui demanda comment il allait. Cottard, en s'asseyant, bougonna qu'il allait bien et qu'il irait encore mieux s'il pouvait être sûr que personne ne s'occupât de lui. Rieux fit observer qu'on ne pouvait pas toujours être seul.

— Oh! ce n'est pas cela. Moi, je parle des gens qui s'occupent de vous apporter des ennuis.

Rieux se taisait.

— Ce n'est pas mon cas, remarquez-le bien. Mais je lisais ce roman. Voilà un malheureux qu'on arrête un matin, tout d'un coup. On s'occupait de lui et il n'en savait rien. On parlait de lui dans des bureaux, on inscrivait son nom sur des fiches. Vous trouvez que c'est juste? Vous trouvez qu'on a le droit de faire ça à un homme?

— Cela dépend, dit Rieux. Dans un sens, on n'a jamais le droit, en effet. Mais tout cela est secondaire. Il ne faut pas rester trop longtemps enfermé. Il faut que vous sortiez.

Cottard sembla s'énerver, dit qu'il ne faisait que cela, et que, s'il le fallait, tout le quartier pourrait témoigner pour lui. Hors du quartier même, il ne manquait pas de relations.

— Vous connaissez M. Rigaud, l'architecte? Il est de mes amis.

L'ombre s'épaississait dans la pièce. La rue du faubourg s'animait et une exclamation sourde et soulagée salua, au-dehors, l'instant où les lampes s'allumèrent. Rieux alla au balcon et Cottard l'y suivit. De tous les quartiers alentour, comme chaque soir dans notre ville, une légère brise charriait des murmures, des odeurs de viande grillée, le bourdonnement joyeux et odorant de la liberté qui gonflait peu à peu la rue, envahie par une jeunesse bruyante. La nuit, les grands cris des bateaux invisibles, la rumeur qui montait de la mer et de la foule qui s'écoulait, cette heure que Rieux connaissait bien et aimait autrefois lui paraissait aujourd'hui oppressante à cause de tout ce qu'il savait.

— Pouvons-nous allumer? dit-il à Cottard.

La lumière une fois revenue, le petit homme le regarda avec des yeux clignotants :

— Dites-moi, Docteur, si je tombais malade, est-ce que vous me prendriez dans votre service à l'hôpital?

— Pourquoi pas?

Cottard demanda alors s'il était arrivé qu'on arrêtât quelqu'un qui se trouvait dans une clinique ou dans un hôpital. Rieux répondit que cela s'était vu, mais que tout dépendait de l'état du malade.

— Moi, dit Cottard, j'ai confiance en vous.

Puis il demanda au docteur s'il voulait bien le mener en ville dans son auto.

Au centre de la ville, les rues étaient déjà moins peuplées et les lumières plus rares. Des enfants jouaient encore devant les portes. Quand Cottard le demanda, le docteur arrêta sa voiture devant un groupe de ces enfants. Ils jouaient à la marelle en poussant des cris. Mais l'un d'eux, aux cheveux noirs collés, la raie parfaite et la figure sale, fixait Rieux de ses yeux clairs et intimidants. Le docteur détourna son regard. Cottard, debout sur le trottoir, lui serrait la main. Le représentant parlait d'une voix rauque et difficile. Deux ou trois fois, il regarda derrière lui.

— Les gens parlent d'épidémie. Est-ce que c'est vrai, docteur?

— Les gens parlent toujours, c'est naturel, dit Rieux.

— Vous avez raison. Et puis quand nous aurons une dizaine de morts, ce sera le bout du monde. Ce n'est pas cela qu'il nous faudrait.

Le moteur ronflait déjà. Rieux avait la main sur son levier de vitesse. Mais il regardait à nouveau l'enfant qui n'avait pas cessé de le dévisager avec son air grave et tranquille. Et soudain, sans transition, l'enfant lui sourit de toutes ses dents.

— Qu'est-ce donc qu'il nous faudrait? demanda le docteur en souriant à l'enfant.

Cottard agrippa soudain la portière et, avant de s'enfuir, cria d'une voix pleine de larmes et de fureur :

— Un tremblement de terre. Un vrai!

Il n'y eut pas de tremblement de terre et la journée du lendemain se passa seulement pour Rieux, en longues courses aux quatre coins de la ville, en pourparlers avec les familles de malades et en discussions avec les malades eux-mêmes. Jamais Rieux n'avait trouvé son métier aussi lourd. Jusque-là, les malades lui facilitaient la tâche, ils se donnaient à lui. Pour la première fois, le docteur les sentait réticents, réfugiés au fond de leur maladie avec une sorte d'étonnement méfiant. C'était une lutte à laquelle il n'était pas encore habitué. Et vers dix heures du soir, sa voiture arrêtée devant la maison du vieil asthmatique qu'il visitait en dernier lieu, Rieux avait de la peine à s'arracher à son siège. Il s'attardait à regarder la rue sombre et les étoiles qui apparaissaient et disparaissaient dans le ciel noir.

Le vieil asthmatique était dressé dans son lit. Il semblait respirer mieux et comptait les pois chiches qu'il faisait passer d'une des marmites dans l'autre. Il accueillit le docteur avec une mine réjouie.

— Alors, Docteur, c'est le choléra?

— Où avez-vous pris ça?

— Dans le journal, et la radio l'a dit aussi.

— Non, ce n'est pas le choléra.

— En tout cas, dit le vieux très surexcité, ils y vont fort, hein, les grosses têtes!

— N'en croyez rien, dit le docteur.

Il avait examiné le vieux et maintenant il était assis au milieu de cette salle à manger misérable. Oui, il avait peur. Il savait que dans le faubourg même une dizaine de malades l'attendraient, le lendemain matin, courbés sur leurs bubons. Dans deux ou trois cas seulement, l'incision des bubons avait amené un mieux. Mais, pour la plupart, ce serait l'hôpital et il savait ce que l'hôpital voulait dire pour les pauvres. « Je ne veux pas qu'il serve à leurs expériences », lui avait dit la femme d'un des malades. Il ne servirait pas leurs expériences, il mourrait et c'était tout. Les mesures arrêtées étaient insuffisantes, cela était bien clair. Quant aux salles « spécialement équipées », il les connaissait : deux pavillons hâtivement déménagés de leurs autres malades, leurs fenêtres calfeutrées, entourés d'un cordon sanitaire. Si l'épidémie ne s'arrêtait pas d'elle-même, elle ne serait pas vaincue par les mesures que l'administration avait imaginées.

Cependant, le soir, les communiqués officiels restaient optimistes. Le lendemain, l'agence Ransdoc annonçait que les mesures préfectorales avaient été accueillies avec sérénité et que, déjà, une trentaine de malades s'étaient déclarés. Castel avait téléphoné à Rieux :

— Combien de lits offrent les pavillons?

— Quatre-vingts.

— Il y a certainement plus de trente malades dans la ville?

— Il y a ceux qui ont peur et les autres, les plus nombreux, ceux qui n'ont pas eu le temps.

— Les enterrements ne sont pas surveillés?

— Non. J'ai téléphoné à Richard qu'il fallait des mesures complètes, non des phrases, et qu'il fallait élever contre l'épidémie une vraie barrière ou rien du tout.

— Et alors?

— Il m'a répondu qu'il n'avait pas pouvoir. A mon avis, ça va monter.

En trois jours, en effet, les deux pavillons furent remplis. Richard croyait savoir qu'on allait désaffecter une école et prévoir un hôpital auxiliaire. Rieux attendait les vaccins et ouvrait les bubons. Castel retournait à ses vieux livres et faisait de longues stations à la bibliothèque.

— Les rats sont morts de la peste ou de quelque chose qui lui ressemble beaucoup, concluait-il. Ils ont mis dans la circulation des dizaines de milliers de puces qui transmettront l'infection suivant une proportion géométrique, si on ne l'arrête pas à temps.

Rieux se taisait.

A cette époque le temps parut se fixer. Le soleil pompait les flaques des dernières averses. De beaux ciels bleus débordant d'une lumière jaune, des ronronnements d'avions dans la chaleur naissante, tout dans la saison invitait à la sérénité. En quatre jours, cependant, la fièvre fit quatre bonds surprenants : seize morts, vingt-quatre, vingt-huit et trente-deux. Le quatrième jour, on annonça l'ouverture de l'hôpital auxiliaire dans une école maternelle. Nos concitoyens qui, jusque-là, avaient continué de masquer leur inquiétude sous des plaisanteries, semblaient dans les rues plus abattus et plus silencieux.

Rieux décida de téléphoner au préfet :

— Les mesures sont insuffisantes.

— J'ai les chiffres, dit le préfet, ils sont en effet inquiétants.

— Ils sont plus qu'inquiétants, ils sont clairs.

— Je vais demander des ordres au Gouvernement général.

Rieux raccrocha devant Castel :

— Des ordres ! Et il faudrait de l'imagination.

— Et les sérums ?

— Ils arriveront dans la semaine.

4*

La préfecture, par l'intermédiaire de Richard, demanda à Rieux un rapport destiné à être envoyé dans la capitale de la colonie pour solliciter des ordres. Rieux y mit une description clinique et des chiffres. Le même jour, on compta une quarantaine de morts. Le préfet prit sur lui, comme il disait, d'aggraver dès le lendemain les mesures prescrites. La déclaration obligatoire et l'isolement furent maintenus. Les maisons des malades devaient être fermées et désinfectées, les proches soumis à une quarantaine de sécurité, les enterrements organisés par la ville dans les conditions qu'on verra. Un jour après, les sérums arrivaient par avion. Ils pouvaient suffire aux cas en traitement. Ils étaient insuffisants si l'épidémie devait s'étendre. On répondit au télégramme de Rieux que le stock de sécurité était épuisé et que de nouvelles fabrications étaient commencées.

Pendant ce temps, et de toutes les banlieues environnantes, le printemps arrivait sur les marchés. Des milliers de roses se fanaient dans les corbeilles de marchands, au long des trottoirs, et leur odeur sucrée flottait dans toute la ville. Apparemment, rien n'était changé. Les tramways étaient toujours pleins aux heures de pointe, vides et sales dans la journée. Tarrou observait le petit vieux et le petit vieux crachait sur les chats. Grand rentrait tous les soirs chez lui pour son mystérieux travail. Cottard tournait en rond et M. Othon, le juge d'instruction, conduisait toujours sa ménagerie. Le vieil asthmatique transvasait ses pois et l'on rencontrait parfois le journaliste Rambert, l'air tranquille et intéressé. Le soir, la même foule emplissait les rues et les queues s'allongeaient devant les cinémas. D'ailleurs, l'épidémie sembla reculer et, pendant quelques jours, on compta une dizaine de morts seulement. Puis, tout d'un coup, elle remonta en flèche. Le

jour où le chiffre des morts atteignit de nouveau la trentaine, Bernard Rieux regardait la dépêche officielle que le
préfet lui avait tendue en disant : « Ils ont eu peur. » La
dépêche portait : « Déclarez l'état de peste. Fermez la
ville. »

II

# I

A PARTIR de ce moment, il est possible de dire que la peste fut notre affaire à tous. Jusque-là, malgré la surprise et l'inquiétude que leur avaient apportées ces événements singuliers, chacun de nos concitoyens avait poursuivi ses occupations, comme il l'avait pu, à sa place ordinaire. Et sans doute, cela devait continuer. Mais une fois les portes fermées, ils s'aperçurent qu'ils étaient tous, et le narrateur lui-même, pris dans le même sac et qu'il fallait s'en arranger. C'est ainsi, par exemple, qu'un sentiment aussi individuel que celui de la séparation d'avec un être aimé devint soudain, dès les premières semaines, celui de tout un peuple, et, avec la peur, la souffrance principale de ce long temps d'exil.

Une des conséquences les plus remarquables de la fermeture des portes fut, en effet, la soudaine séparation où furent placés des êtres qui n'y étaient pas préparés. Des mères et des enfants, des époux, des amants qui avaient cru procéder quelques jours auparavant à une séparation temporaire, qui s'étaient embrassés sur le quai de notre gare avec deux ou trois recommandations, certains de se revoir quelques jours ou quelques semaines plus tard, enfoncés dans la stupide confiance humaine, à peine distraits par ce départ de leurs préoc-

cupations habituelles, se virent d'un seul coup éloignés
sans recours, empêchés de se rejoindre ou de communiquer. Car la fermeture s'était faite quelques heures
avant que l'arrêt préfectoral fût publié, et, naturellement, il était impossible de prendre en considération
les cas particuliers. On peut dire que cette invasion
brutale de la maladie eut pour premier effet d'obliger
nos concitoyens à agir comme s'ils n'avaient pas de sentiments individuels. Dans les premières heures de la
journée où l'arrêté entra en vigueur, la préfecture fut
assaillie par une foule de demandeurs qui, au téléphone
ou auprès des fonctionnaires, exposaient des situations
également intéressantes et, en même temps, également
impossibles à examiner. A la vérité, il fallut plusieurs
jours pour que nous nous rendissions compte que nous
nous trouvions dans une situation sans compromis,
et que les mots « transiger », « faveur », « exception »,
n'avaient plus de sens.

Même la légère satisfaction d'écrire nous fut refusée.
D'une part, en effet, la ville n'était plus reliée au reste
du pays par les moyens de communication habituels,
et, d'autre part, un nouvel arrêté interdit l'échange de
toute correspondance, pour éviter que les lettres pussent
devenir les véhicules de l'infection. Au début, quelques
privilégiés purent s'aboucher aux portes de la ville,
avec des sentinelles des postes de garde, qui consen-
tirent à faire passer des messages à l'extérieur. Encore
était-ce dans les premiers jours de l'épidémie, à un
moment où les gardes trouvaient naturel de céder à
des mouvements de compassion. Mais, au bout de
quelque temps, lorsque les mêmes gardes furent bien
persuadés de la gravité de la situation, ils se refusèrent
à prendre des responsabilités dont ils ne pouvaient
prévoir l'étendue. Les communications téléphoniques

interurbaines, autorisées au début, provoquèrent de tels encombrements aux cabines publiques et sur les lignes, qu'elles furent totalement suspendues pendant quelques jours, puis sévèrement limitées à ce qu'on appelait les cas urgents, comme la mort, la naissance et le mariage. Les télégrammes restèrent alors notre seule ressource. Des êtres que liaient l'intelligence, le cœur et la chair, en furent réduits à chercher les signes de cette communion ancienne dans les majuscules d'une dépêche de dix mots. Et comme, en fait, les formules qu'on peut utiliser dans un télégramme sont vite épuisées, de longues vies communes ou des passions douloureuses se résumèrent rapidement dans un échange périodique de formules toutes faites comme : « Vais bien. Pense à toi. Tendresse. »

Certains d'entre nous, cependant, s'obstinaient à écrire et imaginaient sans trêve, pour correspondre avec l'extérieur, des combinaisons qui finissaient toujours par s'avérer illusoires. Quand même quelques-uns des moyens que nous avions imaginés réussissaient, nous n'en savions rien, ne recevant pas de réponse. Pendant des semaines, nous fûmes réduits alors à recommencer sans cesse la même lettre, à recopier les mêmes renseignements et les mêmes appels, si bien qu'au bout d'un certain temps, les mots qui d'abord étaient sortis tout saignants de notre cœur se vidaient de leur sens. Nous les recopiions alors machinalement, essayant de donner au moyen de ces phrases mortes des signes de notre vie difficile. Et pour finir, à ce monologue stérile et entêté, à cette conversation aride avec un mur, l'appel conventionnel du télégramme nous paraissait préférable.

Au bout de quelques jours d'ailleurs, quand il devint évident que personne ne parviendrait à sortir de notre

ville, on eut l'idée de demander si le retour de ceux
qui étaient partis avant l'épidémie pouvait être autorisé.
Après quelques jours de réflexion, la préfecture répondit par l'affirmative. Mais elle précisa que les rapatriés ne
pourraient, en aucun cas, ressortir de la ville et que, s'ils
étaient libres de venir, ils ne le seraient pas de repartir.
Là encore, quelques familles, d'ailleurs rares, prirent
la situation à la légère, et faisant passer avant toute
prudence le désir où elles étaient de revoir leurs parents,
invitèrent ces derniers à profiter de l'occasion. Mais,
très rapidement, ceux qui étaient prisonniers de la peste
comprirent le danger auquel ils exposaient leurs proches
et se résignèrent à souffrir cette séparation. Au plus
grave de la maladie, on ne vit qu'un cas où les sentiments humains furent plus forts que la peur d'une mort
torturée. Ce ne fut pas, comme on pouvait s'y attendre,
deux amants que l'amour jetait l'un vers l'autre, par-
dessus la souffrance. Il s'agissait seulement du vieux
docteur Castel et de sa femme, mariés depuis de nombreuses années. M<sup>me</sup> Castel, quelques jours avant
l'épidémie, s'était rendue dans une ville voisine. Ce
n'était même pas un de ces ménages qui offrent au
monde l'exemple d'un bonheur exemplaire et le narrateur est en mesure de dire que, selon toute probabilité,
ces époux, jusqu'ici, n'étaient pas certains d'être satisfaits de leur union. Mais cette séparation brutale et
prolongée les avait mis à même de s'assurer qu'ils ne pouvaient vivre éloignés l'un de l'autre, et qu'auprès de cette
vérité soudain mise à jour, la peste était peu de chose.

Il s'agissait d'une exception. Dans la majorité des cas,
la séparation, c'était évident, ne devait cesser qu'avec
l'épidémie. Et pour nous tous, le sentiment qui faisait
notre vie et que, pourtant, nous croyions bien connaître (les Oranais, on l'a déjà dit, ont des passions

simples), prenait un visage nouveau. Des maris et des amants qui avaient la plus grande confiance dans leur compagne se découvraient jaloux. Des hommes qui se croyaient légers en amour retrouvaient une constance. Des fils, qui avaient vécu près de leur mère en la regardant à peine, mettaient toute leur inquiétude et leur regret dans un pli de son visage qui hantait leur souvenir. Cette séparation brutale, sans bavures, sans avenir prévisible, nous laissait décontenancés, incapables de réagir contre le souvenir de cette présence, encore si proche et déjà si lointaine, qui occupait maintenant nos journées. En fait, nous souffrions deux fois — de notre souffrance d'abord et de celle ensuite que nous imaginions aux absents, fils, épouse ou amante.

En d'autres circonstances, d'ailleurs, nos concitoyens auraient trouvé une issue dans une vie plus extérieure et plus active. Mais, en même temps, la peste les laissait oisifs, réduits à tourner en rond dans leur ville morne et livrés, jour après jour, aux jeux décevants du souvenir. Car, dans leurs promenades sans but, ils étaient amenés à passer toujours par les mêmes chemins, et, la plupart du temps, dans une si petite ville, ces chemins étaient précisément ceux qu'à une autre époque, ils avaient parcourus avec l'absent.

Ainsi, la première chose que la peste apporta à nos concitoyens fut l'exil. Et le narrateur est persuadé qu'il peut écrire ici, au nom de tous, ce que lui-même a éprouvé alors, puisqu'il l'a éprouvé en même temps que beaucoup de nos concitoyens. Oui, c'était bien le sentiment de l'exil que ce creux que nous portions constamment en nous, cette émotion précise, le désir déraisonnable de revenir en arrière ou au contraire de presser la marche du temps, ces flèches brûlantes de la mémoire. Si, quelquefois, nous nous laissions aller à l'imagina-

tion et nous plaisions à attendre le coup de sonnette
du retour ou un pas familier dans l'escalier, si, à ces
moments-là, nous consentions à oublier que les trains
étaient immobilisés, si nous nous arrangions alors pour
rester chez nous à l'heure où, normalement, un voyageur
amené par l'express du soir pouvait être rendu dans
notre quartier, bien entendu, ces jeux ne pouvaient
durer. Il venait toujours un moment où nous nous aper-
cevions clairement que les trains n'arrivaient pas. Nous
savions alors que notre séparation était destinée à durer
et que nous devions essayer de nous arranger avec le
temps. Dès lors, nous réintégrions en somme notre
condition de prisonniers, nous étions réduits à notre
passé, et si même quelques-uns d'entre nous avaient la
tentation de vivre dans l'avenir, ils y renonçaient rapidement, autant du moins qu'il leur était possible, en
éprouvant les blessures que finalement l'imagination
inflige à ceux qui lui font confiance.

En particulier, tous nos concitoyens se privèrent
très vite, même en public, de l'habitude qu'ils avaient
pu prendre de supputer la durée de leur séparation. Pourquoi? C'est que lorsque les plus pessimistes
l'avaient fixée par exemple à six mois, lorsqu'ils avaient
épuisé d'avance toute l'amertume de ces mois à venir,
hissé à grand-peine leur courage au niveau de cette
épreuve, tendu leurs dernières forces pour demeurer
sans faiblir à la hauteur de cette souffrance étirée sur
une si longue suite de jours, alors, parfois, un ami de
rencontre, un avis donné par un journal, un soupçon
fugitif ou une brusque clairvoyance, leur donnait
l'idée qu'après tout, il n'y avait pas de raison pour que
la maladie ne durât pas plus de six mois, et peut-être
un an, ou plus encore.

A ce moment, l'effondrement de leur courage, de

leur volonté et de leur patience était si brusque qu'il leur semblait qu'ils ne pourraient plus jamais remonter de ce trou. Ils s'astreignaient par conséquent à ne penser jamais au terme de leur délivrance, à ne plus se tourner vers l'avenir et à toujours garder, pour ainsi dire, les yeux baissés. Mais, naturellement, cette prudence, cette façon de ruser avec la douleur, de fermer leur garde pour refuser le combat étaient mal récompensées. En même temps qu'ils évitaient cet effondrement dont ils ne voulaient à aucun prix, ils se privaient en effet de ces moments, en somme assez fréquents, où ils pouvaient oublier la peste dans les images de leur réunion à venir. Et par là, échoués à mi-distance de ces abîmes et de ces sommets, ils flottaient plutôt qu'ils ne vivaient, abandonnés à des jours sans direction et à des souvenirs stériles, ombres errantes qui n'auraient pu prendre force qu'en acceptant de s'enraciner dans la terre de leur douleur.

Ils éprouvaient ainsi la souffrance profonde de tous les prisonniers et de tous les exilés, qui est de vivre avec une mémoire qui ne sert à rien. Ce passé même auquel ils réfléchissaient sans cesse n'avait que le goût du regret. Ils auraient voulu, en effet, pouvoir lui ajouter tout ce qu'ils déploraient de n'avoir pas fait quand ils pouvaient encore le faire avec celui ou celle qu'ils attendaient — de même qu'à toutes les circonstances, même relativement heureuses, de leur vie de prisonniers, ils mêlaient l'absent, et ce qu'ils étaient alors ne pouvait les satisfaire. Impatients de leur présent, ennemis de leur passé et privés d'avenir, nous ressemblions bien ainsi à ceux que la justice ou la haine humaines font vivre derrière des barreaux. Pour finir, le seul moyen d'échapper à ces vacances insupportables était de faire marcher à nouveau les trains par l'imagination et de remplir les heures avec les carillons répétés d'une sonnette pourtant obstinément silencieuse.

Mais si c'était l'exil, dans la majorité des cas c'était l'exil chez soi. Et quoique le narrateur n'ait connu que l'exil de tout le monde, il ne doit pas oublier ceux, comme le journaliste Rambert ou d'autres, pour qui, au contraire, les peines de la séparation s'amplifièrent du fait que, voyageurs surpris par la peste et retenus dans la ville, ils se trouvaient éloignés à la fois de l'être qu'ils ne pouvaient rejoindre et du pays qui était le leur. Dans l'exil général, ils étaient les plus exilés, car si le temps suscitait chez eux, comme chez tous, l'angoisse qui lui est propre, ils étaient attachés aussi à l'espace et se heurtaient sans cesse aux murs qui séparaient leur refuge empesté de leur patrie perdue. C'était eux sans doute qu'on voyait errer à toute heure du jour dans la ville poussiéreuse, appelant en silence des soirs qu'ils étaient seuls à connaître, et les matins de leur pays. Ils nourrissaient alors leur mal de signes impondérables et de messages déconcertants comme un vol d'hirondelles, une rosée de couchant, ou ces rayons bizarres que le soleil abandonne parfois dans les rues désertes. Ce monde extérieur qui peut toujours sauver de tout, ils fermaient les yeux sur lui, entêtés qu'ils étaient à caresser leurs chimères trop réelles et à poursuivre de toutes leurs forces les images d'une terre où une certaine lumière, deux ou trois collines, l'arbre favori et des visages de femmes composaient un climat pour eux irremplaçable.

Pour parler enfin plus expressément des amants, qui sont les plus intéressants et dont le narrateur est peut-être mieux placé pour parler, ils se trouvaient tourmentés encore par d'autres angoisses au nombre desquelles il faut signaler le remords. Cette situation, en effet, leur permettait de considérer leur sentiment avec une sorte de fiévreuse objectivité. Et il était rare que, dans ces occasions, leurs propres défaillances ne leur apparussent pas clairement. Ils en trouvaient la première occasion dans la difficulté qu'ils avaient à imaginer précisément les faits et gestes de l'absent. Ils déploraient alors l'ignorance où ils étaient de son emploi du temps; ils s'accusaient de la légèreté avec laquelle ils avaient négligé de s'en informer et feint de croire que, pour un être qui aime, l'emploi du temps de l'aimé n'est pas la source de toutes les joies. Il leur était facile, à partir de ce moment, de remonter dans leur amour et d'en examiner les imperfections. En temps ordinaire, nous savions tous, consciemment ou non, qu'il n'est pas d'amour qui ne puisse se surpasser, et nous acceptions pourtant, avec plus ou moins de tranquillité, que le nôtre demeurât médiocre. Mais le souvenir est plus exigeant. Et, de façon très conséquente, ce malheur qui nous venait de l'extérieur et qui frappait toute une ville, ne nous apportait pas seulement une souffrance injuste dont nous aurions pu nous indigner. Il nous provoquait aussi à nous faire souffrir nous-mêmes et nous faisait ainsi consentir à la douleur. C'était là une des façons qu'avait la maladie de détourner l'attention et de brouiller les cartes.

Ainsi, chacun dut accepter de vivre au jour le jour, et seul en face du ciel. Cet abandon général qui pouvait à la longue tremper les caractères commençait pourtant par les rendre futiles. Pour certains de nos concitoyens, par exemple, ils étaient alors soumis à un autre esclavage qui les mettait au service du soleil et de la pluie. Il semblait, à les voir, qu'ils recevaient pour la première fois, et directement, l'impression du temps qu'il faisait. Ils avaient la mine réjouie sur la simple visite d'une lumière dorée, tandis que les jours de pluie mettaient un voile épais sur leurs visages et leurs pensées. Ils échappaient, quelques semaines plus tôt, à cette faiblesse et à cet asservissement déraisonnable parce qu'ils n'étaient pas seuls en face du monde et que, dans une certaine mesure, l'être qui vivait avec eux se plaçait devant leur univers. A partir de cet instant, au contraire, ils furent apparemment livrés aux caprices du ciel, c'est-à-dire qu'ils souffrirent et espérèrent sans raison.

Dans ces extrémités de la solitude, enfin, personne ne pouvait espérer l'aide du voisin et chacun restait seul avec sa préoccupation. Si l'un d'entre nous, par hasard, essayait de se confier ou de dire quelque chose de son sentiment, la réponse qu'il recevait, quelle qu'elle fût, le blessait la plupart du temps. Il s'apercevait alors que son interlocuteur et lui ne parlaient pas de la même chose. Lui, en effet, s'exprimait du fond de longues journées de rumination et de souffrances et l'image qu'il voulait communiquer avait cuit longtemps au feu de l'attente et de la passion. L'autre, au contraire, imaginait une émotion conventionnelle, la douleur qu'on vend sur les marchés, une mélancolie de série. Bienveillante ou hostile, la réponse tombait toujours à faux, il fallait y renoncer. Ou du moins, pour ceux à qui le silence était insupportable, et puisque les autres ne pouvaient trouver le vrai langage du cœur, ils se résignaient à adopter la langue des marchés et à parler, eux aussi, sur le mode conventionnel, celui de la simple relation et du fait divers, de la chronique quotidienne en quelque sorte. Là encore, les douleurs les plus vraies prirent l'habitude de se traduire dans les formules banales de la conversation. C'est à ce prix seulement que les prisonniers de la peste pouvaient obtenir la compassion de leur concierge ou l'intérêt de leurs auditeurs.

Cependant, et c'est le plus important, si douloureuses que fussent ces angoisses, si lourd à porter que fût ce cœur pourtant vide, on peut bien dire que ces exilés, dans la première période de la peste, furent des privilégiés. Au moment même, en effet, où la population commençait à s'affoler, leur pensée était tout entière tournée vers l'être qu'ils attendaient. Dans la détresse générale, l'égoïsme de l'amour les préservait, et, s'ils pensaient à la peste, ce n'était jamais que dans la mesure où elle donnait à leur séparation des risques d'être éternelle. Ils apportaient ainsi au cœur même de l'épidémie une distraction salutaire qu'on était tenté de prendre pour du sang-froid. Leur désespoir les sauvait de la panique, leur malheur avait du bon. Par exemple, s'il arrivait que l'un d'eux fût emporté par la maladie, c'était presque toujours sans qu'il pût y prendre garde. Tiré de cette longue conversation intérieure qu'il soutenait avec une ombre, il était alors jeté sans transition au plus épais silence de la terre. Il n'avait eu le temps de rien.

## II

PENDANT que nos concitoyens essayaient de s'arranger avec ce soudain exil, la peste mettait des gardes aux portes et détournait les navires qui faisaient route vers Oran. Depuis la fermeture, pas un véhicule n'était entré dans la ville. A partir de ce jour-là, on eut l'impression que les automobiles se mettaient à tourner en rond. Le port présentait aussi un aspect singulier, pour ceux qui le regardaient du haut des boulevards. L'animation habituelle qui en faisait l'un des premiers ports de la côte s'était brusquement éteinte. Quelques navires maintenus en quarantaine s'y voyaient encore. Mais, sur les quais, de grandes grues désarmées, les wagonnets renversés sur le flanc, des piles solitaires de fûts ou de sacs, témoignaient que le commerce, lui aussi, était mort de la peste.

Malgré ces spectacles inaccoutumés, nos concitoyens avaient apparemment du mal à comprendre ce qui leur arrivait. Il y avait les sentiments communs comme la séparation ou la peur, mais on continuait aussi de mettre au premier plan les préoccupations personnelles. Personne n'avait encore accepté réellement la maladie. La plupart étaient surtout sensibles à ce qui dérangeait leurs habitudes ou atteignait leurs intérêts. Ils en étaient agacés ou irrités et ce ne sont pas là des sentiments qu'on puisse opposer à la peste. Leur première réaction, par exemple, fut d'incriminer l'administration. La réponse du préfet en présence des critiques dont la presse se faisait l'écho ( « Ne pourrait-on envisager un assouplissement des mesures envisagées? ») fut assez imprévue. Jusqu'ici, ni les journaux ni l'agence Ransdoc n'avaient reçu communication officielle des statistiques de la maladie. Le préfet les communiqua, jour après jour, à l'agence, en la priant d'en faire une annonce hebdomadaire.

Là encore, cependant, la réaction du public ne fut pas immédiate. En effet, l'annonce que la troisième semaine de peste avait compté trois cent deux morts ne parlait pas à l'imagination. D'une part, tous peut-être n'étaient pas morts de la peste. Et, d'autre part, personne en ville ne savait combien, en temps ordinaire, il mourait de gens par semaine. La ville avait deux cent mille habitants. On ignorait si cette proportion de décès était normale. C'est même le genre de précisions dont on ne se préoccupe jamais, malgré l'intérêt évident qu'elles présentent. Le public manquait, en quelque sorte, de points de comparaison. Ce n'est qu'à la longue, en constatant l'augmentation des décès, que l'opinion prit conscience de la vérité. La cinquième semaine donna en effet trois cent vingt et un morts et la sixième, trois cent quarante-cinq. Les augmentations, du moins, étaient éloquentes. Mais elles n'étaient pas assez fortes pour que nos concitoyens ne gardassent, au milieu de leur inquiétude, l'impression qu'il s'agissait d'un accident sans doute fâcheux, mais après tout temporaire.

Ils continuaient ainsi de circuler dans les rues et de s'attabler à la terrasse des cafés. Dans l'ensemble, ils n'étaient pas lâches, échangeaient plus de plaisanteries que de lamentations et faisaient mine d'accepter avec bonne humeur des inconvénients évidemment passagers. Les apparences étaient sauvées. Vers la fin du mois cependant, et à peu près pendant la semaine de prières dont il sera question plus loin, des transformations plus graves modifièrent l'aspect de notre ville. Tout d'abord, le préfet prit des mesures concernant la circulation des véhicules et le ravitaillement. Le ravitaillement fut limité et l'essence rationnée. On prescrivit même des économies d'électricité. Seuls, les produits indispensables parvinrent par la route et par l'air, à Oran. C'est ainsi qu'on vit la circulation diminuer progressivement jusqu'à devenir à peu près nulle, des magasins de luxe fermer du jour au lendemain, d'autres garnir leurs vitrines de pancartes négatives, pendant que des files d'acheteurs stationnaient devant leurs portes.

Oran prit ainsi un aspect singulier. Le nombre des piétons devint plus considérable et même, aux heures creuses, beaucoup de gens réduits à l'inaction par la fermeture des magasins ou de certains bureaux emplissaient les rues et les cafés. Pour le moment, ils n'étaient pas encore en chômage, mais en congé. Oran donnait alors, vers trois heures de l'après-midi par exemple, et sous un beau ciel, l'impression trompeuse d'une cité en fête dont on eût arrêté la circulation et fermé les magasins pour permettre le déroulement d'une manifestation publique, et dont les habitants eussent envahi les rues pour participer aux réjouissances.

Naturellement, les cinémas profitaient de ce congé général et faisaient de grosses affaires. Mais les circuits que les films accomplissaient dans le département étaient interrompus. Au bout de deux semaines, les établissements furent obligés d'échanger leurs programmes et, après quelque temps, les cinémas finirent par projeter toujours le même film. Leurs recettes cependant ne diminuaient pas.

Les cafés enfin, grâce aux stocks considérables accumulés dans une ville où le commerce des vins et des alcools tient la première place, purent également alimenter leurs clients. A vrai dire, on buvait beaucoup. Un café ayant affiché que « le vin probe tue le microbe », l'idée déjà naturelle au public que l'alcool préservait des maladies infectieuses se fortifia dans l'opinion. Toutes les nuits, vers deux heures, un nombre assez considérable d'ivrognes expulsés des cafés emplissaient les rues et s'y répandaient en propos optimistes.

Mais tous ces changements, dans un sens, étaient si extraordinaires et s'étaient accomplis si rapidement, qu'il n'était pas facile de les considérer comme normaux et durables. Le résultat est que nous continuions à mettre au premier plan nos sentiments personnels.

En sortant de l'hôpital, deux jours après la fermeture des portes, le docteur Rieux rencontra Cottard qui leva vers lui le visage même de la satisfaction. Rieux le félicita de sa mine.

— Oui, ça va tout à fait bien, dit le petit homme. Dites-moi, Docteur, cette sacrée peste, hein! ça commence à devenir sérieux.

Le docteur le reconnut. Et l'autre constata avec une sorte d'enjouement :

— Il n'y a pas de raison qu'elle s'arrête maintenant. Tout va être sens dessus dessous.

Ils marchèrent un moment ensemble. Cottard racontait qu'un gros épicier de son quartier avait stocké des produits alimentaires pour les vendre au prix fort et qu'on avait découvert des boîtes de conserves sous son lit, quand on était venu le chercher pour l'emmener

à l'hôpital. « Il y est mort. La peste, ça ne paie pas. »
Cottard était ainsi plein d'histoires, vraies ou fausses,
sur l'épidémie. On disait, par exemple, que dans le
centre, un matin, un homme présentant les signes de
la peste, et dans le délire de la maladie, s'était précipité au-dehors, jeté sur la première femme rencontrée
et l'avait étreinte en criant qu'il avait la peste.

— Bon! remarquait Cottard, sur un ton aimable qui
n'allait pas avec son affirmation, nous allons tous devenir
fous, c'est sûr.

De même, l'après-midi du même jour, Joseph Grand
avait fini par faire des confidences personnelles au
docteur Rieux. Il avait aperçu la photographie de
M^me Rieux sur le bureau et avait regardé le docteur.
Rieux répondit que sa femme se soignait hors de la
ville. « Dans un sens, avait dit Grand, c'est une chance. »
Le docteur répondit que c'était une chance sans doute
et qu'il fallait espérer seulement que sa femme guérît.

— Ah! fit Grand, je comprends.

Et pour la première fois depuis que Rieux le connaissait, il se mit à parler d'abondance. Bien qu'il cherchât
encore ses mots, il réussissait presque toujours à les
trouver comme si, depuis longtemps, il avait pensé à
ce qu'il était en train de dire.

Il s'était marié fort jeune avec une jeune fille pauvre
de son voisinage. C'était même pour se marier qu'il avait
interrompu ses études et pris un emploi. Ni Jeanne
ni lui ne sortaient jamais de leur quartier. Il allait la
voir chez elle, et les parents de Jeanne riaient un peu de
ce prétendant silencieux et maladroit. Le père était che-
minot. Quand il était de repos, on le voyait toujours
assis dans un coin, près de la fenêtre, pensif, regardant
le mouvement de la rue, ses mains énormes à plat sur
les cuisses. La mère était toujours au ménage, Jeanne

l'aidait. Elle était si menue que Grand ne pouvait la voir traverser une rue sans être angoissé. Les véhicules lui paraissaient alors démesurés. Un jour, devant une boutique de Noël, Jeanne, qui regardait la vitrine avec émerveillement, s'était renversée vers lui en disant : « Que c'est beau! » Il lui avait serré le poignet. C'est ainsi que le mariage avait été décidé.

Le reste de l'histoire, selon Grand, était très simple. Il en est ainsi pour tout le monde : on se marie, on aime encore un peu, on travaille. On travaille tant qu'on en oublie d'aimer. Jeanne aussi travaillait, puisque les promesses du chef de bureau n'avaient pas été tenues. Ici, il fallait un peu d'imagination pour comprendre ce que voulait dire Grand. La fatigue aidant, il s'était laissé aller, il s'était tu de plus en plus et il n'avait pas soutenu sa jeune femme dans l'idée qu'elle était aimée. Un homme qui travaille, la pauvreté, l'avenir lentement fermé, le silence des soirs autour de la table, il n'y a pas de place pour la passion dans un tel univers. Probablement, Jeanne avait souffert. Elle était restée cependant : il arrive qu'on souffre longtemps sans le savoir. Les années avaient passé. Plus tard, elle était partie. Bien entendu, elle n'était pas partie seule. « Je t'ai bien aimé, mais maintenant je suis fatiguée... Je ne suis pas heureuse de partir, mais on n'a pas besoin d'être heureux pour recommencer. » C'est, en gros, ce qu'elle lui avait écrit.

Joseph Grand à son tour avait souffert. Il aurait pu recommencer, comme le lui fit remarquer Rieux. Mais voilà, il n'avait pas la foi.

Simplement, il pensait toujours à elle. Ce qu'il aurait voulu, c'est lui écrire une lettre pour se justifier. « Mais c'est difficile, disait-il. Il y a longtemps que j'y pense. Tant que nous nous sommes aimés, nous nous sommes compris sans paroles. Mais on ne s'aime pas toujours. A un moment donné, j'aurais dû trouver les mots qui l'auraient retenue, mais je n'ai pas pu. » Grand se mouchait dans une sorte de serviette à carreaux. Puis il s'essuyait la moustache. Rieux le regardait.

— Excusez-moi, Docteur, dit le vieux, mais, comment dire?... J'ai confiance en vous. Avec vous, je peux parler. Alors, ça me donne de l'émotion.

Visiblement, Grand était à mille lieues de la peste.

Le soir, Rieux télégraphiait à sa femme que la ville était fermée, qu'il allait bien, qu'elle devait continuer de veiller sur elle-même et qu'il pensait à elle.

Trois semaines après la fermeture des portes, Rieux trouva, à la sortie de l'hôpital, un jeune homme qui l'attendait.

— Je suppose, lui dit ce dernier, que vous **me** reconnaissez.

Rieux croyait le connaître, mais il hésitait.

— Je suis venu avant ces événements, dit l'autre, vous demander des renseignements sur les conditions de vie des Arabes. Je m'appelle Raymond Rambert.

— Ah! oui, dit Rieux. Eh bien, vous avez maintenant un beau sujet de reportage.

L'autre paraissait nerveux. Il dit que ce n'était pas cela et qu'il venait demander une aide au docteur Rieux.

— Je m'en excuse, ajouta-t-il, mais je ne connais personne dans cette ville et le correspondant de mon journal a le malheur d'être imbécile.

Rieux lui proposa de marcher jusqu'à un dispensaire du centre, car il avait quelques ordres à donner. Ils descendirent les ruelles du quartier nègre. Le soir approchait, mais la ville, si bruyante autrefois à cette heure-là, paraissait curieusement solitaire. Quelques

sonneries de clairon dans le ciel encore doré témoignaient seulement que les militaires se donnaient l'air
de faire leur métier. Pendant ce temps, le long des
rues abruptes, entre les murs bleus, ocres et violets
des maisons mauresques, Rambert parlait, très agité.
Il avait laissé sa femme à Paris. A vrai dire, ce
n'était pas sa femme, mais c'était la même chose. Il
lui avait télégraphié dès la fermeture de la ville. Il
avait d'abord pensé qu'il s'agissait d'un événement provisoire et il avait seulement cherché à correspondre
avec elle. Ses confrères d'Oran lui avaient dit qu'ils
ne pouvaient rien, la poste l'avait renvoyé, une secrétaire de la préfecture lui avait ri au nez. Il avait fini,
après une attente de deux heures dans une file, par
faire accepter un télégramme où il avait inscrit : « Tout
va bien. A bientôt. »

Mais le matin, en se levant, l'idée lui était venue
brusquement qu'après tout, il ne savait pas combien
de temps cela pouvait durer. Il avait décidé de partir.
Comme il était recommandé (dans son métier, on a
des facilités), il avait pu toucher le directeur du cabinet
préfectoral et lui avait dit qu'il n'avait pas de rapport
avec Oran, que ce n'était pas son affaire d'y rester, qu'il
se trouvait là par accident et qu'il était juste qu'on lui
permît de s'en aller, même si, une fois dehors, on devait
lui faire subir une quarantaine. Le directeur lui avait
dit qu'il comprenait très bien, mais qu'on ne pouvait
pas faire d'exception, qu'il allait voir, mais qu'en somme
la situation était grave et que l'on ne pouvait rien
décider.

— Mais enfin, avait dit Rambert, je suis étranger à
cette ville.

— Sans doute, mais après tout, espérons que l'épidémie ne durera pas.

Pour finir, il avait essayé de consoler Rambert en lui faisant remarquer aussi qu'il pouvait trouver à Oran la matière d'un reportage intéressant et qu'il n'était pas d'événement, tout bien considéré, qui n'eût son bon côté. Rambert haussait les épaules. On arrivait au centre de la ville :

— C'est stupide, docteur, vous comprenez. Je n'ai pas été mis au monde pour faire des reportages. Mais peut-être ai-je été mis au monde pour vivre avec une femme. Cela n'est-il pas dans l'ordre?

Rieux dit qu'en tout cas cela paraissait raisonnable.

Sur les boulevards du centre, ce n'était pas la foule ordinaire. Quelques passants se hâtaient vers des demeures lointaines. Aucun ne souriait. Rieux pensa que c'était le résultat de l'annonce Ransdoc qui se faisait ce jour-là. Au bout de vingt-quatre heures, nos concitoyens recommençaient à espérer. Mais le jour même, les chiffres étaient encore trop frais dans les mémoires.

— C'est que, dit Rambert sans crier gare, elle et moi nous sommes rencontrés depuis peu et nous nous entendons bien.

Rieux ne disait rien.

— Mais je vous ennuie, reprit Rambert. Je voulais seulement vous demander si vous ne pouvez pas me faire un certificat où il serait affirmé que je n'ai pas cette sacrée maladie. Je crois que cela pourrait me servir.

Rieux approuva de la tête, il reçut un petit garçon qui se jetait dans ses jambes et le remit doucement sur ses pieds. Ils repartirent et arrivèrent sur la Place d'Armes. Les branches des ficus et des palmiers pendaient, immobiles, grises de poussière, autour d'une statue de la République, poudreuse et sale. Ils s'arrêtèrent sous le monument. Rieux frappa contre le sol, l'un après l'autre, ses pieds couverts d'un enduit blanchâtre. Il regarda

Rambert. Le feutre un peu en arrière, le col de chemise déboutonné sous la cravate, mal rasé, le journaliste avait un air buté et boudeur.

— Soyez sûr que je vous comprends, dit enfin Rieux, mais votre raisonnement n'est pas bon. Je ne peux pas vous faire ce certificat parce qu'en fait, j'ignore si vous avez ou non cette maladie et parce que, même dans ce cas, je ne puis pas certifier qu'entre la seconde où vous sortirez de mon bureau et celle où vous entrerez à la préfecture, vous ne serez pas infecté. Et puis même...

— Et puis même? dit Rambert.

— Et puis, même si je vous donnais ce certificat, il ne vous servirait de rien.

— Pourquoi?

— Parce qu'il y a dans cette ville des milliers d'hommes dans votre cas et qu'on ne peut cependant pas les laisser sortir.

— Mais s'ils n'ont pas la peste eux-mêmes?

— Ce n'est pas une raison suffisante. Cette histoire est stupide, je sais bien, mais elle nous concerne tous. Il faut la prendre comme elle est.

— Mais je ne suis pas d'ici!

— A partir de maintenant, hélas, vous serez d'ici comme tout le monde.

L'autre s'animait :

— C'est une question d'humanité, je vous le jure. Peut-être ne vous rendez-vous pas compte de ce que signifie une séparation comme celle-ci pour deux personnes qui s'entendent bien.

Rieux ne répondit pas tout de suite. Puis il dit qu'il croyait qu'il s'en rendait compte. De toutes ses forces, il désirait que Rambert retrouvât sa femme et que tous ceux qui s'aimaient fussent réunis, mais il y avait des arrêtés et des lois, il y avait la peste, son rôle à lui était de faire ce qu'il fallait.

— Non, dit Rambert avec amertume, vous ne pouvez pas comprendre. Vous parlez le langage de la raison, vous êtes dans l'abstraction.

Le docteur leva les yeux sur la République et dit qu'il ne savait pas s'il parlait le langage de la raison, mais il parlait le langage de l'évidence et ce n'était pas forcément la même chose. Le journaliste rajustait sa cravate :

— Alors, cela signifie qu'il faut que je me débrouille autrement? Mais, reprit-il avec une sorte de défi, je quitterai cette ville.

Le docteur dit qu'il le comprenait encore, mais que cela ne le regardait pas.

— Si, cela vous regarde, fit Rambert avec un éclat soudain. Je suis venu vers vous parce qu'on m'a dit que vous aviez eu une grande part dans les décisions prises. J'ai pensé alors que, pour un cas au moins, vous pourriez défaire ce que vous aviez contribué à faire. Mais cela vous est égal. Vous n'avez pensé à personne. Vous n'avez pas tenu compte de ceux qui étaient séparés.

Rieux reconnut que, dans un sens, cela était vrai, il n'avait pas voulu en tenir compte.

— Ah! je vois, fit Rambert, vous allez parler de service public. Mais le bien public est fait du bonheur de chacun.

— Allons, dit le docteur qui semblait sortir d'une distraction, il y a cela et il y a autre chose. Il ne faut pas juger. Mais vous avez tort de vous fâcher. Si vous pouvez vous tirer de cette affaire, j'en serai profondément heureux. Simplement, il y a des choses que ma fonction m'interdit.

L'autre secoua la tête avec impatience.

— Oui, j'ai tort de me fâcher. Et je vous ai pris assez de temps comme cela.

Rieux lui demanda de le tenir au courant de ses démarches et de ne pas lui garder rancune. Il y avait sûrement un plan sur lequel ils pouvaient se rencontrer. Rambert parut soudain perplexe :

— Je le crois, dit-il, après un silence, oui, je le crois malgré moi et malgré tout ce que vous m'avez dit.

Il hésita :

— Mais je ne puis pas vous approuver.

Il baissa son feutre sur le front et partit d'un pas rapide. Rieux le vit entrer dans l'hôtel où habitait Jean Tarrou.

Après un moment le docteur secoua la tête. Le journaliste avait raison dans son impatience de bonheur. Mais avait-il raison quand il l'accusait? « Vous vivez dans l'abstraction. » Était-ce vraiment l'abstraction que ces journées passées dans son hôpital où la peste mettait les bouchées doubles, portant à cinq cents le nombre moyen des victimes par semaine? Oui, il y avait dans le malheur une part d'abstraction et d'irréalité. Mais quand l'abstraction se met à vous tuer, il faut bien s'occuper de l'abstraction. Et Rieux savait seulement que ce n'était pas le plus facile. Ce n'était pas facile, par exemple, de diriger cet hôpital auxiliaire (il y en avait maintenant trois) dont il était chargé. Il avait fait aménager dans une pièce, donnant sur la salle de consultations, une chambre de réception. Le sol creusé formait un lac d'eau crésylée au centre duquel se trouvait un îlot de briques. Le malade était transporté sur son île, déshabillé rapidement et ses vêtements tombaient dans l'eau. Lavé, séché, recouvert de la chemise rugueuse de l'hôpital, il passait aux mains de Rieux, puis on le transportait dans l'une des salles. On avait été obligé d'utiliser les préaux d'une école qui contenait maintenant, et en tout, cinq cents lits dont la presque totalité était occupée. Après la réception du matin qu'il dirigeait lui-même, les malades vaccinés, les bubons incisés, Rieux vérifiait encore les statistiques, et retournait à ses consultations de l'après-midi. Dans la soirée enfin, il faisait ses visites et rentrait tard dans la nuit. La nuit précédente, sa mère avait remarqué, en lui tendant un télégramme de M^{me} Rieux jeune, que les mains du docteur tremblaient.

— Oui, disait-il, mais en persévérant, je serai moins nerveux.

Il était vigoureux et résistant. En fait, il n'était pas encore fatigué. Mais ses visites, par exemple, lui devenaient insupportables. Diagnostiquer la fièvre épidémique revenait à faire enlever rapidement le malade. Alors commençaient l'abstraction et la difficulté en effet, car la famille du malade savait qu'elle ne verrait plus ce dernier que guéri ou mort. « Pitié, docteur ! » disait M^{me} Loret, la mère de la femme de chambre qui travaillait à l'hôtel de Tarrou. Que signifiait cela ? Bien entendu, il avait pitié. Mais cela ne faisait avancer personne. Il fallait téléphoner. Bientôt le timbre de l'ambulance résonnait. Les voisins, au début, ouvraient leurs fenêtres et regardaient. Plus tard, ils les fermaient avec précipitation. Alors commençaient les luttes, les larmes, la persuasion, l'abstraction en somme. Dans ces appartements surchauffés par la fièvre et l'angoisse, des scènes de folie se déroulaient. Mais le malade était emmené. Rieux pouvait partir.

Les premières fois, il s'était borné à téléphoner et à courir vers d'autres malades, sans attendre l'ambulance. Mais les parents avaient alors fermé leur porte, préférant le tête-à-tête avec la peste à une séparation

dont ils connaissaient maintenant l'issue. Cris, injonc-
tions, interventions de la police et, plus tard, de la force
armée, le malade était pris d'assaut. Pendant les premières semaines, Rieux avait été obligé de rester jusqu'à
l'arrivée de l'ambulance. Ensuite, quand chaque médecin fut accompagné dans ses tournées par un ins-
pecteur volontaire, Rieux put courir d'un malade à
l'autre. Mais dans les commencements, tous les soirs
furent comme ce soir où, entré chez Mᵐᵉ Loret, dans
un petit appartement décoré d'éventails et de fleurs
artificielles, il fut reçu par la mère qui lui dit avec un
sourire mal dessiné :

— J'espère bien que ce n'est pas la fièvre dont tout
le monde parle.

Et lui, relevant drap et chemise, contemplait en silence
les taches rouges sur le ventre et les cuisses, l'enflure
des ganglions. La mère regardait entre les jambes de
sa fille et criait, sans pouvoir se dominer. Tous les soirs
des mères hurlaient ainsi, avec un air abstrait, devant
des ventres offerts avec tous leurs signes mortels, tous
les soirs des bras s'agrippaient à ceux de Rieux, des
paroles inutiles, des promesses et des pleurs se précipi-
taient, tous les soirs des timbres d'ambulance déclen-
chaient des crises aussi vaines que toute douleur. Et
au bout de cette longue suite de soirs toujours semblables, Rieux ne pouvait espérer rien d'autre qu'une
longue suite de scènes pareilles, indéfiniment renouvelées. Oui, la peste, comme l'abstraction, était monotone. Une seule chose peut-être changeait et c'était
Rieux lui-même. Il le sentait ce soir-là, au pied du
monument à la République, conscient seulement de la
difficile indifférence qui commençait à l'emplir, regardant toujours la porte d'hôtel où Rambert avait disparu.

Au bout de ces semaines harassantes, après tous ces

crépuscules où la ville se déversait dans les rues pour
y tourner en rond, Rieux comprenait qu'il n'avait plus
à se défendre contre la pitié. On se fatigue de la pitié
quand la pitié est inutile. Et dans la sensation de ce cœur
fermé lentement sur lui-même, le docteur trouvait
le seul soulagement de ces journées écrasantes. Il savait
que sa tâche en serait facilitée. C'est pourquoi il s'en
réjouissait. Lorsque sa mère, le recevant à deux heures
du matin, s'affligeait du regard vide qu'il posait sur elle,
elle déplorait précisément le seul adoucissement que
Rieux pût alors recevoir. Pour lutter contre l'abstraction, il faut un peu lui ressembler. Mais comment cela
pouvait-il être sensible à Rambert? L'abstraction pour
Rambert était tout ce qui s'opposait à son bonheur.
Et à la vérité, Rieux savait que le journaliste avait raison,
dans un certain sens. Mais il savait aussi qu'il arrive
que l'abstraction se montre plus forte que le bonheur
et qu'il faut alors, et alors seulement, en tenir compte.
C'est ce qui devait arriver à Rambert et le docteur put
l'apprendre dans le détail par les confidences que
Rambert lui fit ultérieurement. Il put ainsi suivre, et sur
un nouveau plan, cette espèce de lutte morne entre le
bonheur de chaque homme et les abstractions de la
peste, qui constitua toute la vie de notre cité pendant
cette longue période.

# III

MAIS là où les uns voyaient l'abstraction, d'autres voyaient la vérité. La fin du premier mois de peste fut assombrie en effet par une recrudescence marquée de l'épidémie et un prêche véhément du Père Paneloux, le jésuite qui avait assisté le vieux Michel au début de sa maladie. Le Père Paneloux s'était déjà distingué par des collaborations fréquentes au bulletin de la Société géographique d'Oran, où ses reconstitutions épigraphiques faisaient autorité. Mais il avait gagné une audience plus étendue que celle d'un spécialiste en faisant une série de conférences sur l'individualisme moderne. Il s'y était fait le défenseur chaleureux d'un christianisme exigeant, également éloigné du libertinage moderne et de l'obscurantisme des siècles passés. A cette occasion, il n'avait pas marchandé de dures vérités à son auditoire. De là, sa réputation.

Or, vers la fin de ce mois, les autorités ecclésiastiques de notre ville décidèrent de lutter contre la peste par leurs propres moyens, en organisant une semaine de prières collectives. Ces manifestations de la piété publique devaient se terminer le dimanche par une messe solennelle placée sous l'invocation de saint Roch, le

saint pestiféré. A cette occasion, on avait demandé
au Père Paneloux de prendre la parole. Depuis une
quinzaine de jours, celui-ci s'était arraché à ses travaux
sur saint Augustin et l'Église africaine qui lui avaient
conquis une place à part dans son ordre. D'une nature
fougueuse et passionnée, il avait accepté avec résolution
la mission dont on le chargeait. Longtemps avant ce
prêche, on en parlait déjà et il marqua, à sa manière,
une date importante dans l'histoire de cette période.

La semaine fut suivie par un nombreux public. Ce
n'est pas qu'en temps ordinaire, les habitants d'Oran
soient particulièrement pieux. Le dimanche matin,
par exemple, les bains de mer font une concurrence
sérieuse à la messe. Ce n'était pas non plus qu'une
subite conversion les eût illuminés. Mais, d'une part,
la ville fermée et le port interdit, les bains n'étaient
plus possibles, et, d'autre part, ils se trouvaient dans un
état d'esprit très particulier où, sans savoir admis au fond
d'eux-mêmes les événements surprenants qui les frap-
paient, ils sentaient bien, évidemment, que quelque
chose était changé. Beaucoup cependant espéraient
toujours que l'épidémie allait s'arrêter et qu'ils seraient
épargnés avec leur famille. En conséquence, ils ne se
sentaient encore obligés à rien. La peste n'était pour
eux qu'une visiteuse désagréable qui devait partir un
jour puisqu'elle était venue. Effrayés, mais non désespérés, le moment n'était pas encore arrivé où la peste
leur apparaîtrait comme la forme même de leur vie
et où ils oublieraient l'existence que, jusqu'à elle, ils
avaient pu mener. En somme, ils étaient dans l'attente.
A l'égard de la religion, comme de beaucoup d'autres
problèmes, la peste leur avait donné une tournure d'esprit singulière, aussi éloignée de l'indifférence que de
la passion et qu'on pouvait assez bien définir par le

mot « objectivité ». La plupart de ceux qui suivirent la semaine de prières auraient fait leur, par exemple, le propos qu'un des fidèles devait tenir devant le docteur Rieux : « De toute façon, ça ne peut pas faire de mal. » Tarrou lui-même, après avoir noté dans ses carnets que les Chinois, en pareil cas, vont jouer du tambourin devant le génie de la peste, remarquait qu'il était absolument impossible de savoir si, en réalité, le tambourin se montrait plus efficace que les mesures prophylactiques. Il ajoutait seulement que, pour trancher la question, il eût fallu être renseigné sur l'existence d'un génie de la peste et que notre ignorance sur ce point stérilisait toutes les opinions qu'on pouvait avoir.

La cathédrale de notre ville, en tout cas, fut à peu près remplie par les fidèles pendant toute la semaine. Les premiers jours, beaucoup d'habitants restaient encore dans les jardins de palmiers et de grenadiers qui s'étendent devant le porche, pour écouter la marée d'invocations et de prières qui refluaient jusque dans les rues. Peu à peu, l'exemple aidant, les mêmes auditeurs se décidèrent à entrer et à mêler une voix timide aux répons de l'assistance. Et le dimanche, un peuple considérable envahit la nef, débordant jusque sur le parvis et les derniers escaliers. Depuis la veille, le ciel s'était assombri, la pluie tombait à verse. Ceux qui se tenaient dehors avaient ouvert leurs parapluies. Une odeur d'encens et d'étoffes mouillées flottait dans la cathédrale quand le Père Paneloux monta en chaire.

Il était de taille moyenne, mais trapu. Quand il s'appuya sur le rebord de la chaire, serrant le bois entre ses grosses mains, on ne vit de lui qu'une forme épaisse et noire surmontée des deux taches de ses joues, rubicondes sous les lunettes d'acier. Il avait une voix forte, passionnée, qui portait loin, et lorsqu'il attaqua l'assistance d'une seule phrase véhémente et martelée : « Mes frères, vous êtes dans le malheur, mes frères, vous l'avez mérité », un remous parcourut l'assistance jusqu'au parvis.

Logiquement, ce qui suivit ne semblait pas se raccorder à cet exorde pathétique. Ce fut la suite du discours qui fit seulement comprendre à nos concitoyens que, par un procédé oratoire habile, le Père avait donné en une seule fois, comme on assène un coup, le thème de son prêche entier. Paneloux, tout de suite après cette phrase, en effet, cita le texte de l'Exode relatif à la peste en Égypte et dit : « La première fois que ce fléau apparaît dans l'histoire, c'est pour frapper les ennemis de Dieu. Pharaon s'oppose aux desseins éternels et la peste le fait alors tomber à genoux. Depuis le début de toute l'histoire, le fléau de Dieu met à ses pieds les orgueilleux et les aveugles. Méditez cela et tombez à genoux. »

La pluie redoublait au-dehors et cette dernière phrase, prononcée au milieu d'un silence absolu, rendu plus profond encore par le crépitement de l'averse sur les vitraux, retentit avec un tel accent que quelques auditeurs, après une seconde d'hésitation, se laissèrent glisser de leur chaise sur le prie-Dieu. D'autres crurent qu'il fallait suivre leur exemple si bien que, de proche en proche, sans un autre bruit que le craquement de quelques chaises, tout l'auditoire se trouva bientôt à genoux. Paneloux se redressa alors, respira profondément et reprit sur un ton de plus en plus accentué : « Si, aujourd'hui, la peste vous regarde, c'est que le moment de réfléchir est venu. Les justes ne peuvent craindre cela, mais les méchants ont raison de trembler. Dans l'immense grange de l'univers, le fléau implacable battra le blé humain jusqu'à ce que la paille soit séparée du grain. Il y aura plus de paille que de grain, plus d'appelés

que d'élus, et ce malheur n'a pas été voulu par Dieu.
Trop longtemps, ce monde a composé avec le mal,
trop longtemps, il s'est reposé sur la miséricorde divine.
Il suffisait du repentir, tout était permis. Et pour le
repentir, chacun se sentait fort. Le moment venu, on
l'éprouverait assurément. D'ici là, le plus facile était
de se laisser aller, la miséricorde divine ferait le reste.
Eh bien! cela ne pouvait durer. Dieu qui, pendant si
longtemps, a penché sur les hommes de cette ville son
visage de pitié, lassé d'attendre, déçu dans son éternel
espoir, vient de détourner son regard. Privé de la
lumière de Dieu, nous voici pour longtemps dans les
ténèbres de la peste! »

Dans la salle quelqu'un s'ébroua, comme un cheval
impatient. Après une courte pause, le Père reprit, sur un
ton plus bas : « On lit dans *La Légende dorée* qu'au temps
du roi Humbert, en Lombardie, l'Italie fut ravagée
d'une peste si violente qu'à peine les vivants suffisaient-
ils à enterrer les morts et cette peste sévissait surtout à
Rome et à Pavie. Et un bon ange apparut visiblement,
qui donnait des ordres au mauvais ange qui portait
un épieu de chasse et il lui ordonnait de frapper les maisons; et autant de fois qu'une maison recevait de coups,
autant y avait-il de morts qui en sortaient. »

Paneloux tendit ici ses deux bras courts dans la direction du parvis, comme s'il montrait quelque chose
derrière le rideau mouvant de la pluie : « Mes frères,
dit-il avec force, c'est la même chasse mortelle qui
court aujourd'hui dans nos rues. Voyez-le, cet ange
de la peste, beau comme Lucifer et brillant comme le
mal lui-même, dressé au-dessus de vos toits, la main
droite portant l'épieu rouge à hauteur de sa tête, la main
gauche désignant l'une de vos maisons. A l'instant,
peut-être, son doigt se tend vers votre porte, l'épieu

résonne sur le bois; à l'instant encore, la peste entre
chez vous, s'assied dans votre chambre et attend votre
retour. Elle est là, patiente et attentive, assurée comme
l'ordre même du monde. Cette main qu'elle vous
tendra, nulle puissance terrestre et pas même, sachez-le
bien, la vaine science humaine, ne peut faire que vous
l'évitiez. Et battus sur l'aire sanglante de la douleur,
vous serez rejetés avec la paille. »

Ici, le Père reprit avec plus d'ampleur encore l'image
pathétique du fléau. Il évoqua l'immense pièce de bois
tournoyant au-dessus de la ville, frappant au hasard
et se relevant ensanglantée, éparpillant enfin le sang et
la douleur humaine « pour des semailles qui prépare-
raient les moissons de la vérité ».

Au bout de sa longue période, le Père Paneloux s'arrêta, les cheveux sur le front, le corps agité d'un tremblement que ses mains communiquaient à la chaire et
reprit, plus sourdement, mais sur un ton accusateur :
« Oui, l'heure est venue de réfléchir. Vous avez cru
qu'il vous suffirait de visiter Dieu le dimanche pour
être libres de vos journées. Vous avez pensé que quelques
génuflexions le paieraient bien assez de votre insou-
ciance criminelle. Mais Dieu n'est pas tiède. Ces rapports espacés ne suffisaient pas à sa dévorante tendresse.
Il voulait vous voir plus longtemps, c'est sa manière
de vous aimer et, à vrai dire, c'est la seule manière
d'aimer. Voilà pourquoi, fatigué d'attendre votre venue,
il a laissé le fléau vous visiter comme il a visité toutes les
villes du péché depuis que les hommes ont une histoire.
Vous savez maintenant ce qu'est le péché, comme l'ont
su Caïn et ses fils, ceux d'avant le déluge, ceux de
Sodome et de Gomorrhe, Pharaon et Job et aussi tous
les maudits. Et comme tous ceux-là l'ont fait, c'est un
regard neuf que vous portez sur les êtres et su r les choses,

depuis le jour où cette ville a refermé ses murs autour de vous et du fléau. Vous savez maintenant, et enfin, qu'il faut venir à l'essentiel. »

Un vent humide s'engouffrait à présent sous la nef et les flammes des cierges se courbèrent en grésillant. Une odeur épaisse de cire, des toux, un éternuement montèrent vers le Père Paneloux qui, revenant sur son exposé avec une subtilité qui fut très appréciée, reprit d'une voix calme : « Beaucoup d'entre vous, je le sais, se demandent justement où je veux en venir. Je veux vous faire venir à la vérité et vous apprendre à vous réjouir, malgré tout ce que j'ai dit. Le temps n'est plus où des conseils, une main fraternelle étaient les moyens de vous pousser vers le bien. Aujourd'hui, la vérité est un ordre. Et le chemin du salut, c'est un épieu rouge qui vous le montre et vous y pousse. C'est ici, mes frères, que se manifeste enfin la miséricorde divine qui a mis en toute chose le bien et le mal, la colère et la pitié, la peste et le salut. Ce fléau même qui vous meurtrit, il vous élève et vous montre la voie.

« Il y a bien longtemps, les chrétiens d'Abyssinie voyaient dans la peste un moyen efficace, d'origine divine, de gagner l'éternité. Ceux qui n'étaient pas atteints s'enroulaient dans les draps des pestiférés afin de mourir certainement. Sans doute, cette fureur de salut n'est-elle pas recommandable. Elle marque une précipitation regrettable, bien proche de l'orgueil. Il ne faut pas être plus pressé que Dieu et tout ce qui prétend accélérer l'ordre immuable, qu'il a établi une fois pour toutes, conduit à l'hérésie. Mais, du moins, cet exemple comporte sa leçon. A nos esprits plus clairvoyants, il fait valoir seulement cette lueur exquise d'éternité qui gît au fond de toute souffrance. Elle éclaire, cette lueur, les chemins crépusculaires qui mènent vers la délivrance. Elle manifeste la volonté divine qui, sans défaillance, transforme le mal en bien. Aujourd'hui encore, à travers ce cheminement de mort, d'angoisses et de clameurs, elle nous guide vers le silence essentiel et vers le principe de toute vie. Voilà, mes frères, l'immense consolation que je voulais vous apporter pour que ce ne soient pas seulement des paroles qui châtient que vous emportiez d'ici, mais aussi un verbe qui apaise. »

On sentait que Paneloux avait fini. Au-dehors, la pluie avait cessé. Un ciel mêlé d'eau et de soleil déversait sur la place une lumière plus jeune. De la rue montaient des bruits de voix, des glissements de véhicules, tout le langage d'une ville qui s'éveille. Les auditeurs réunissaient discrètement leurs affaires dans un remue-ménage assourdi. Le Père reprit cependant la parole et dit qu'après avoir montré l'origine divine de la peste et le caractère punitif de ce fléau, il en avait terminé et qu'il ne ferait pas appel pour sa conclusion à une éloquence qui serait déplacée, touchant une matière si tragique. Il lui semblait que tout devait être clair à tous. Il rappela seulement qu'à l'occasion de la grande peste de Marseille, le chroniqueur Mathieu Marais s'était plaint d'être plongé dans l'enfer, à vivre ainsi sans secours et sans espérance. Eh bien! Mathieu Marais était aveugle! Jamais plus qu'aujourd'hui, au contraire, le Père Paneloux n'avait senti le secours divin et l'espérance chrétienne qui étaient offerts à tous. Il espérait contre tout espoir que, malgré l'horreur de ces journées et les cris des agonisants, nos concitoyens adresseraient au ciel la seule parole qui fût chrétienne et qui était d'amour. Dieu ferait le reste.

IV

Ce prêche eut-il de l'effet sur nos concitoyens, il est difficile de le dire. M. Othon, le juge d'instruction, déclara au docteur Rieux qu'il avait trouvé l'exposé du Père Paneloux « absolument irréfutable ». Mais tout le monde n'avait pas d'opinion aussi catégorique. Simplement, le prêche rendit plus sensible à certains l'idée, vague jusque-là, qu'ils étaient condamnés, pour un crime inconnu, à un emprisonnement inimaginable. Et alors que les uns continuaient leur petite vie et s'adaptaient à la claustration, pour d'autres, au contraire, leur seule idée fut dès lors de s'évader de cette prison.

Les gens avaient d'abord accepté d'être coupés de l'extérieur comme ils auraient accepté n'importe quel ennui temporaire qui ne dérangerait que quelques-unes de leurs habitudes. Mais, soudain conscients d'une sorte de séquestration, sous le couvercle du ciel où l'été commençait de grésiller, ils sentaient confusément que cette réclusion menaçait toute leur vie et, le soir venu, l'énergie qu'ils retrouvaient avec la fraîcheur les jetait parfois à des actes désespérés.

Tout d'abord, et que ce soit ou non par l'effet d'une coïncidence, c'est à partir de ce dimanche qu'il y eut dans notre ville une sorte de peur assez générale et assez

profonde pour qu'on pût soupçonner que nos concitoyens commençaient vraiment à prendre conscience
de leur situation. De ce point de vue, le climat où nous
vivions dans notre ville fut un peu modifié. Mais, en
vérité, le changement était-il dans le climat ou dans les
cœurs, voilà la question.

Peu de jours après le prêche, Rieux qui commentait
cet événement avec Grand, en se dirigeant vers les faubourgs, heurta dans la nuit un homme qui se dandi-
nait devant eux, sans essayer d'avancer. A ce même
moment, les lampadaires de notre ville, qu'on allumait
de plus en plus tard, resplendirent brusquement. La
haute lampe placée derrière les promeneurs éclaira subitement l'homme qui riait sans bruit, les yeux fermés.
Sur son visage blanchâtre, distendu par une hilarité
muette, la sueur coulait à grosses gouttes. Ils passèrent.

— C'est un fou, dit Grand.

Rieux, qui venait de lui prendre le bras pour l'entraîner, sentit que l'employé tremblait d'énervement.

— Il n'y aura bientôt plus que des fous dans nos
murs, fit Rieux.

La fatigue aidant, il se sentait la gorge sèche.

— Buvons quelque chose.

Dans le petit café où ils entrèrent, et qui était éclairé
par une seule lampe au-dessus du comptoir, les gens
parlaient à voix basse, sans raison apparente, dans l'air
épais et rougeâtre. Au comptoir, Grand, à la surprise
du docteur, commanda un alcool qu'il but d'un trait
et dont il déclara qu'il était fort. Puis il voulut sortir.
Au-dehors, il semblait à Rieux que la nuit était pleine
de gémissements. Quelque part dans le ciel noir, au-
dessus des lampadaires, un sifflement sourd lui rappela
l'invisible fléau qui brassait inlassablement l'air chaud.

— Heureusement, heureusement, disait Grand.

Rieux se demandait ce qu'il voulait dire.

— Heureusement, disait l'autre, j'ai mon travail.

— Oui, dit Rieux, c'est un avantage.

Et, décidé à ne pas écouter le sifflement, il demanda à Grand s'il était content de ce travail.

— Eh bien, je crois que je suis dans la bonne voie.

— Vous en avez encore pour longtemps?

Grand parut s'animer, la chaleur de l'alcool passa dans sa voix.

— Je ne sais pas. Mais la question n'est pas là, docteur, ce n'est pas la question, non.

Dans l'obscurité, Rieux devinait qu'il agitait ses bras. Il semblait préparer quelque chose qui vint brusquement, avec volubilité :

— Ce que je veux, voyez-vous, docteur, c'est que le jour où le manuscrit arrivera chez l'éditeur, celui-ci se lève après l'avoir lu et dise à ses collaborateurs :

« Messieurs, chapeau bas! »

Cette brusque déclaration surprit Rieux. Il lui sembla que son compagnon faisait le geste de se découvrir, portant la main à sa tête, et ramenant son bras à l'horizontale. Là-haut, le bizarre sifflement semblait reprendre avec plus de force.

— Oui, disait Grand, il faut que ce soit parfait.

Quoique peu averti des usages de la littérature, Rieux avait cependant l'impression que les choses ne devaient pas se passer aussi simplement et que, par exemple, les éditeurs, dans leurs bureaux, devaient être nu-tête. Mais, en fait, on ne savait jamais, et Rieux préféra se taire. Malgré lui, il prêtait l'oreille aux rumeurs mystérieuses de la peste. On approchait du quartier de Grand et comme il était un peu surélevé, une légère brise les rafraîchissait qui nettoyait en même temps la ville de tous ses bruits. Grand continuait cependant de parler et Rieux ne saisissait pas tout ce que disait le bonhomme. Il comprit seulement que l'œuvre en question avait déjà beaucoup de pages, mais que la peine que son auteur prenait pour l'amener à la perfection lui était très douloureuse. « Des soirées, des semaines entières sur un mot... et quelquefois une simple conjonction. » Ici, Grand s'arrêta et prit le docteur par un bouton de son manteau. Les mots sortaient en trébuchant de sa bouche mal garnie.

— Comprenez bien, docteur. A la rigueur, c'est assez facile de choisir entre *mais* et *et*. C'est déjà plus difficile d'opter entre *et* et *puis*. La difficulté grandit avec *puis* et *ensuite*. Mais, assurément, ce qu'il y a de plus difficile c'est de savoir s'il faut mettre *et* ou s'il ne faut pas.

— Oui, dit Rieux, je comprends.

Et il se remit en route. L'autre parut confus, vint de nouveau à sa hauteur.

— Excusez-moi, bredouilla-t-il. Je ne sais pas ce que j'ai, ce soir !

Rieux lui frappa doucement sur l'épaule et lui dit qu'il désirait l'aider et que son histoire l'intéressait beaucoup. Grand parut un peu rasséréné et, arrivé devant la maison, après avoir hésité, offrit au docteur de monter un moment. Rieux accepta.

Dans la salle à manger, Grand l'invita à s'asseoir devant une table pleine de papiers couverts de ratures sur une écriture microscopique.

— Oui, c'est ça, dit Grand au docteur qui l'interrogeait du regard. Mais voulez-vous boire quelque chose ? J'ai un peu de vin.

Rieux refusa. Il regardait les feuilles de papier.

— Ne regardez pas, dit Grand. C'est ma première phrase. Elle me donne du mal, beaucoup de mal.

Lui aussi contemplait toutes ces feuilles et sa main

parut invinciblement attirée par l'une d'elles qu'il éleva
en transparence devant l'ampoule électrique sans abat-
jour. La feuille tremblait dans sa main. Rieux remarqua
que le front de l'employé était moite.

— Asseyez-vous, dit-il, et lisez-la-moi.

L'autre le regarda et sourit avec une sorte de gratitude.

— Oui, dit-il, je crois que j'en ai envie.

Il attendit un peu, regardant toujours la feuille, puis
s'assit. Rieux écoutait en même temps une sorte de
bourdonnement confus qui, dans la ville, semblait répondre aux sifflements du fléau. Il avait, à ce moment
précis, une perception extraordinairement aiguë de cette
ville qui s'étendait à ses pieds, du monde clos qu'elle
formait et des terribles hurlements qu'elle étouffait
dans la nuit. La voix de Grand s'éleva sourdement :
« Par une belle matinée du mois de mai, une élégante
amazone parcourait, sur une superbe jument alezane,
les allées fleuries du Bois de Boulogne. » Le silence
revint et, avec lui, l'indistincte rumeur de la ville en
souffrance. Grand avait posé la feuille et continuait à
la contempler. Au bout d'un moment, il releva les yeux :

— Qu'en pensez-vous?

Rieux répondit que ce début le rendait curieux de
connaître la suite. Mais l'autre dit avec animation que
ce point de vue n'était pas le bon. Il frappa ses papiers
du plat de la main.

— Ce n'est là qu'une approximation. Quand je serai
arrivé à rendre parfaitement le tableau que j'ai dans
l'imagination, quand ma phrase aura l'allure même de
cette promenade au trot, une-deux-trois, une-deux-trois,
alors le reste sera plus facile et surtout l'illusion sera
telle, dès le début, qu'il sera possible de dire : « Chapeau
bas! »

Mais, pour cela, il avait encore du pain sur la planche.

Il ne consentirait jamais à livrer cette phrase telle quelle
à un imprimeur. Car, malgré le contentement qu'elle
lui donnait parfois, il se rendait compte qu'elle ne
collait pas tout à fait encore à la réalité et que, dans une
certaine mesure, elle gardait une facilité de ton qui l'apparentait de loin, mais qui l'apparentait tout de même,
à un cliché. C'était, du moins, le sens de ce qu'il disait
quand on entendit des hommes courir sous les fenêtres.
Rieux se leva.

— Vous verrez ce que j'en ferai, disait Grand, et,
tourné vers la fenêtre, il ajouta : « Quand tout cela
sera fini. »

Mais les bruits de pas précipités reprenaient. Rieux
descendait déjà et deux hommes passèrent devant lui
quand il fut dans la rue. Apparemment, ils allaient
vers les portes de la ville. Certains de nos concitoyens
en effet, perdant la tête entre la chaleur et la peste,
s'étaient déjà laissé aller à la violence et avaient essayé
de tromper la vigilance des barrages pour fuir hors de
la ville.

# V

D'AUTRES, comme Rambert, essayaient aussi de fuir cette atmosphère de panique naissante, mais avec plus d'obstination et d'adresse, sinon plus de succès. Rambert avait d'abord continué ses démarches officielles. Selon ce qu'il disait, il avait toujours pensé que l'obstination finit par triompher de tout et, d'un certain point de vue, c'était son métier d'être débrouillard. Il avait donc visité une grande quantité de fonctionnaires et de gens dont on ne discutait pas ordinairement la compétence. Mais, en l'espèce, cette compétence ne leur servait à rien. C'étaient, la plupart du temps, des hommes qui avaient des idées précises et bien classées sur tout ce qui concerne la banque, ou l'exportation, ou les agrumes, ou encore le commerce des vins; qui possédaient d'indiscutables connaissances dans des problèmes de contentieux ou d'assurances, sans compter des diplômes solides et une bonne volonté évidente. Et même, ce qu'il y avait de plus frappant chez tous, c'était la bonne volonté. Mais en matière de peste, leurs connaissances étaient à peu près nulles.

Devant chacun d'eux cependant, et chaque fois que cela avait été possible, Rambert avait plaidé sa cause. Le fond de son argumentation consistait toujours à dire qu'il était étranger à notre ville et que, par consé-

quent, son cas devait être spécialement examiné. En
général, les interlocuteurs du journaliste admettaient
volontiers ce point. Mais ils lui représentaient ordinairement que c'était aussi le cas d'un certain nombre de
gens et que, par conséquent, son affaire n'était pas aussi
particulière qu'il l'imaginait. A quoi Rambert pouvait
répondre que cela ne changeait rien au fond de son argumentation, on lui répondait que cela changeait quelque
chose aux difficultés administratives qui s'opposaient à
toute mesure de faveur risquant de créer ce que l'on
appelait, avec une expression de grande répugnance, un
précédent. Selon la classification que Rambert proposa
au docteur Rieux, ce genre de raisonneurs constituait
la catégorie des formalistes. A côté d'eux, on pouvait
encore trouver les bien-parlants, qui assuraient le
demandeur que rien de tout cela ne pouvait durer et qui,
prodigues de bons conseils quand on leur demandait
des décisions, consolaient Rambert en décidant qu'il
s'agissait seulement d'un ennui momentané. Il y avait
aussi les importants, qui priaient leur visiteur de laisser
une note résumant son cas et qui l'informaient qu'ils
statueraient sur ce cas; les futiles, qui lui proposaient
des bons de logement ou des adresses de pensions éco-
nomiques; les méthodiques, qui faisaient remplir une
fiche et la classaient ensuite; les débordés, qui levaient
les bras, et les importunés, qui détournaient les yeux;
il y avait enfin les traditionnels, de beaucoup les plus
nombreux, qui indiquaient à Rambert un autre bureau
ou une nouvelle démarche à faire.

Le journaliste s'était ainsi épuisé en visites et il avait
pris une idée juste de ce que pouvait être une mairie
ou une préfecture, à force d'attendre sur une banquette
de moleskine devant de grandes affiches invitant à sous-
crire à des bons du Trésor, exempts d'impôts, ou à

s'engager dans l'armée coloniale, à force d'entrer dans des bureaux où les visages se laissaient aussi facilement prévoir que le classeur à tirettes et les étagères de dossiers. L'avantage, comme le disait Rambert à Rieux, avec une nuance d'amertume, c'est que tout cela lui masquait la véritable situation. Les progrès de la peste lui échappaient pratiquement. Sans compter que les jours passaient ainsi plus vite et, dans la situation où se trouvait la ville entière, on pouvait dire que chaque jour passé rapprochait chaque homme, à condition qu'il ne mourût pas, de la fin de ses épreuves. Rieux dut reconnaître que ce point était vrai, mais qu'il s'agissait cependant d'une vérité un peu trop générale.

A un moment donné, Rambert conçut de l'espoir. Il avait reçu de la préfecture un bulletin de renseignements en blanc qu'on le priait de remplir exactement. Le bulletin s'inquiétait de son identité, sa situation de famille, ses ressources, anciennes et actuelles, et de ce qu'on appelait son *curriculum vitae*. Il eut l'impression qu'il s'agissait d'une enquête destinée à recenser les cas des personnes susceptibles d'être renvoyées dans leur résidence habituelle. Quelques renseignements confus, recueillis dans un bureau, confirmèrent cette impression. Mais, après quelques démarches précises, il parvint à retrouver le service qui avait envoyé le bulletin et on lui dit alors que ces renseignements avaient été recueillis « pour le cas ».

— Pour le cas de quoi? demanda Rambert.

On lui précisa alors que c'était au cas où il tomberait malade de la peste et en mourrait, afin de pouvoir, d'une part, prévenir sa famille et, d'autre part, savoir s'il fallait imputer les frais d'hôpital au budget de la ville ou si l'on pouvait en attendre le remboursement de ses proches. Évidemment, cela prouvait qu'il n'était pas tout à fait séparé de celle qui l'attendait, la société s'occupant d'eux. Mais cela n'était pas une consolation. Ce qui était plus remarquable, et Rambert le remarqua en conséquence, c'était la manière dont, au plus fort d'une catastrophe, un bureau pouvait continuer son service et prendre des initiatives d'un autre temps, souvent à l'insu des plus hautes autorités, pour la seule raison qu'il était fait pour ce service.

La période qui suivit fut pour Rambert à la fois la plus facile et la plus difficile. C'était une période d'engourdissement. Il avait vu tous les bureaux, fait toutes les démarches, les issues de ce côté-là étaient pour le moment bouchées. Il errait alors de café en café. Il s'asseyait, le matin, à une terrasse, devant un verre de bière tiède, lisait un journal avec l'espoir d'y trouver quelques signes d'une fin prochaine de la maladie, regardait au visage les passants de la rue, se détournait avec dégoût de leur expression de tristesse et après avoir lu, pour la centième fois, les enseignes des magasins qui lui faisaient face, la publicité des grands apéritifs que déjà on ne servait plus, il se levait et marchait au hasard dans les rues jaunes de la ville. De promenades solitaires en cafés et de cafés en restaurants, il atteignait ainsi le soir. Rieux l'aperçut, un soir précisément, à la porte d'un café où le journaliste hésitait à entrer. Il sembla se décider et alla s'asseoir au fond de la salle. C'était cette heure où dans les cafés, par ordre supérieur, on retardait alors le plus possible le moment de donner la lumière. Le crépuscule envahissait la salle comme une eau grise, le rose du ciel couchant se reflétait dans les vitres, et les marbres des tables reluisaient faiblement dans l'obscurité commençante. Au milieu de la salle déserte, Rambert semblait une ombre perdue et

Rieux pensa que c'était l'heure de son abandon. Mais c'était aussi le moment où tous les prisonniers de cette ville sentaient le leur et il fallait faire quelque chose pour hâter leur délivrance. Rieux se détourna.

Rambert passait aussi de longs moments dans la gare. L'accès des quais était interdit. Mais les salles d'attente qu'on atteignait de l'extérieur restaient ouvertes et, quelquefois, des mendiants s'y installaient aux jours de chaleur parce qu'elles étaient ombreuses et fraîches. Rambert venait y lire d'anciens horaires, les pancartes interdisant de cracher et le règlement de la police des trains. Puis, il s'asseyait dans un coin. La salle était sombre. Un vieux poêle de fonte refroidissait depuis des mois, au milieu des décalques en huit de vieux arrosages. Au mur, quelques affiches plaidaient pour une vie heureuse et libre à Bandol ou à Cannes. Rambert touchait ici cette sorte d'affreuse liberté qu'on trouve au fond du dénuement. Les images qui lui étaient le plus difficiles à porter alors, du moins selon ce qu'il en disait à Rieux, étaient celles de Paris. Un paysage de vieilles pierres et d'eaux, les pigeons du Palais-Royal, la gare du Nord, les quartiers déserts du Panthéon, et quelques autres lieux d'une ville qu'il ne savait pas avoir tant aimée poursuivaient alors Rambert et l'empêchaient de rien faire de précis. Rieux pensait seulement qu'il identifiait ces images à celles de son amour. Et, le jour où Rambert lui dit qu'il aimait se réveiller à quatre heures du matin et penser à sa ville, le docteur n'eut pas de peine à traduire du fond de sa propre expérience qu'il aimait imaginer alors la femme qu'il avait laissée. C'était l'heure, en effet, où il pouvait se saisir d'elle. A quatre heures du matin, on ne fait rien en général et l'on dort, même si la nuit a été une nuit de trahison. Oui, on dort à cette heure-là, et cela est rassurant puisque le grand désir d'un cœur inquiet est de posséder interminablement l'être qu'il aime ou de pouvoir plonger cet être, quand le temps de l'absence est venu, dans un sommeil sans rêves qui ne puisse prendre fin qu'au jour de la réunion.

# VI

Pᴇᴜ après le prêche, les chaleurs commencèrent.
On arrivait à la fin du mois de juin. Au lendemain
des pluies tardives qui avaient marqué le dimanche
du prêche, l'été éclata d'un seul coup dans le ciel et au-
dessus des maisons. Un grand vent brûlant se leva d'abord
qui souffla pendant un jour et qui dessécha les murs.
Le soleil se fixa. Des flots ininterrompus de chaleur
et de lumière inondèrent la ville à longueur de journée.
En dehors des rues à arcades et des appartements, il
semblait qu'il n'était pas un point de la ville qui ne fût
placé dans la réverbération la plus aveuglante. Le soleil
poursuivait nos concitoyens dans tous les coins de rue
et, s'ils s'arrêtaient, il les frappait alors. Comme ces
premières chaleurs coïncidèrent avec un accroissement
en flèche du nombre des victimes, qui se chiffra à près
de sept cents par semaine, une sorte d'abattement
s'empara de la ville. Parmi les faubourgs, entre les rues
plates et les maisons à terrasses, l'animation décrut et,
dans ce quartier où les gens vivaient toujours sur leur
seuil, toutes les portes étaient fermées et les persiennes
closes, sans qu'on pût savoir si c'était de la peste ou
du soleil qu'on entendait ainsi se protéger. De quelques
maisons, pourtant, sortaient des gémissements. Aupa- _

ravant, quand cela arrivait, on voyait souvent des curieux qui se tenaient dans la rue, aux écoutes. Mais, après ces longues alertes, il semblait que le cœur de chacun se fût endurci et tous marchaient ou vivaient à côté des plaintes comme si elles avaient été le langage naturel des hommes.

Les bagarres aux portes, pendant lesquelles les gendarmes avaient dû faire usage de leurs armes, créèrent une sourde agitation. Il y avait eu sûrement des blessés, mais on parlait de morts en ville où tout s'exagérait par l'effet de la chaleur et de la peur. Il est vrai, en tout cas, que le mécontentement ne cessait de grandir, que nos autorités avaient craint le pire et envisagé sérieusement les mesures à prendre dans le cas où cette population, maintenue sous le fléau, se serait portée à la révolte. Les journaux publièrent des décrets qui renouvelaient l'interdiction de sortir et menaçaient de peines de prison les contrevenants. Des patrouilles parcoururent la ville. Souvent, dans les rues désertes et surchauffées, on voyait avancer, annoncés d'abord par le bruit des sabots sur les pavés, des gardes à cheval qui passaient entre des rangées de fenêtres closes. La patrouille disparue, un lourd silence méfiant retombait sur la ville menacée. De loin en loin, claquaient les coups de feu des équipes spéciales chargées, par une récente ordonnance, de tuer les chiens et les chats qui auraient pu communiquer des puces. Ces détonations sèches contribuaient à mettre dans la ville une atmosphère d'alerte.

Dans la chaleur et le silence, et pour le cœur épouvanté de nos concitoyens, tout prenait d'ailleurs une importance plus grande. Les couleurs du ciel et les odeurs de la terre qui font le passage des saisons étaient, pour la première fois, sensibles à tous. Chacun comprenait avec effroi que les chaleurs aideraient l'épidémie et, dans le même temps, chacun voyait que l'été s'installait. Le cri des martinets dans le ciel du soir devenait plus grêle au-dessus de la ville. Il n'était plus à la mesure de ces crépuscules de juin qui reculent l'horizon dans notre pays. Les fleurs sur les marchés n'arrivaient plus en boutons, elles éclataient déjà et, après la vente du matin, leurs pétales jonchaient les trottoirs poussiéreux. On voyait clairement que le printemps s'était exténué, qu'il s'était prodigué dans des milliers de fleurs éclatant partout à la ronde et qu'il allait maintenant s'assoupir, s'écraser lentement sous la double pesée de la peste et de la chaleur. Pour tous nos concitoyens, ce ciel d'été, ces rues qui pâlissaient sous les teintes de la poussière et de l'ennui, avaient le même sens menaçant que la centaine de morts dont la ville s'alourdissait chaque jour. Le soleil incessant, ces heures au goût de sommeil et de vacances, n'invitaient plus comme auparavant aux fêtes de l'eau et de la chair. Elles sonnaient creux au contraire dans la ville close et silencieuse. Elles avaient perdu l'éclat cuivré des saisons heureuses. Le soleil de la peste éteignait toutes les couleurs et faisait fuir toute joie.

C'était là une des grandes révolutions de la maladie. Tous nos concitoyens accueillaient ordinairement l'été avec allégresse. La ville s'ouvrait alors vers la mer et déversait sa jeunesse sur les plages. Cet été-là, au contraire, la mer proche était interdite et le corps n'avait plus droit à ses joies. Que faire dans ces conditions? C'est encore Tarrou qui donne l'image la plus fidèle de notre vie d'alors. Il suivait, bien entendu, les progrès de la peste en général, notant justement qu'un tournant de l'épidémie avait été marqué par la radio lorsqu'elle n'annonça plus des centaines de décès par semaine, mais quatre-vingt-douze, cent sept et cent vingt morts par jour. « Les journaux et les autorités jouent au plus fin avec la peste. Ils s'imaginent qu'ils lui enlèvent des points parce que cent trente est un moins gros chiffre que neuf cent dix. » Il évoquait aussi les aspects pathétiques ou spectaculaires de l'épidémie, comme cette femme qui, dans un quartier désert, aux persiennes closes, avait brusquement ouvert une fenêtre, au-dessus de lui, et poussé deux grands cris avant de rabattre les volets sur l'ombre épaisse de la chambre. Mais il notait par ailleurs que les pastilles de menthe avaient disparu des pharmacies parce que beaucoup de gens en suçaient pour se prémunir contre une contagion éventuelle.

Il continuait aussi d'observer ses personnages favoris. On apprenait que le petit vieux aux chats vivait, lui aussi, dans la tragédie. Un matin, en effet, des coups de feu avaient claqué et, comme l'écrivait Tarrou, quelques crachats de plomb avaient tué la plupart des chats et terrorisé les autres, qui avaient quitté la rue. Le même jour, le petit vieux était sorti sur le balcon, à l'heure habituelle, avait marqué une certaine surprise, s'était penché, avait scruté les extrémités de la rue et s'était résigné à attendre. Sa main frappait à petits coups la grille du balcon. Il avait attendu encore, émietté un peu de papier, était rentré, sorti de nouveau, puis, au bout d'un certain temps, il avait disparu brusquement, fermant derrière lui avec colère ses portes-fenêtres. Les jours suivants, la même scène se renouvela, mais on pouvait lire sur les traits du petit vieux une tristesse et un désarroi de plus en plus manifestes. Au bout d'une semaine, Tarrou attendit en vain l'apparition quotidienne et les fenêtres restèrent obstinément fermées sur un chagrin bien compréhensible. « En temps de peste, défense de cracher sur les chats », telle était la conclusion des carnets.

D'un autre côté, quand Tarrou rentrait le soir, il était toujours sûr de rencontrer dans le hall, la figure sombre du veilleur de nuit qui se promenait de long en large. Ce dernier ne cessait de rappeler à tout venant qu'il avait prévu ce qui arrivait. A Tarrou, qui reconnaissait lui avoir entendu prédire un malheur, mais qui lui rappelait son idée de tremblement de terre, le vieux gardien répondait : « Ah! si c'était un tremblement de terre! Une bonne secousse et on n'en parle plus... On compte les morts, les vivants, et le tour est joué. Mais cette cochonnerie de maladie! Même ceux qui ne l'ont pas la portent dans leur cœur. »

Le directeur n'était pas moins accablé. Au début, les voyageurs, empêchés de quitter la ville, avaient été maintenus à l'hôtel par la fermeture de la cité. Mais peu à peu, l'épidémie se prolongeant, beaucoup avaient préféré se loger chez des amis. Et les mêmes raisons qui avaient rempli toutes les chambres de l'hôtel les gardaient vides depuis lors, puisqu'il n'arrivait plus de nouveaux voyageurs dans notre ville. Tarrou restait un des rares locataires et le directeur ne manquait jamais une occasion de lui faire remarquer que, sans son désir d'être agréable à ses derniers clients, il aurait fermé son établissement depuis longtemps. Il demandait souvent à Tarrou d'évaluer la durée probable de l'épidémie : « On dit, remarquait Tarrou, que les froids contrarient ces sortes de maladies. » Le directeur s'affolait : « Mais il ne fait jamais réellement froid ici, monsieur. De toutes façons, cela nous ferait encore plusieurs mois. » Il était sûr d'ailleurs que les voyageurs se détourneraient longtemps encore de la ville. Cette peste était la ruine du tourisme.

Au restaurant, après une courte absence, on vit réapparaître M. Othon, l'homme-chouette, mais suivi seulement des deux chiens savants. Renseignements pris, la femme avait soigné et enterré sa propre mère et poursuivait en ce moment sa quarantaine.

— Je n'aime pas ça, dit le directeur à Tarrou. Quarantaine ou pas, elle est suspecte, et eux aussi par conséquent.

Tarrou lui faisait remarquer que, de ce point de vue, tout le monde était suspect. Mais l'autre était catégorique et avait sur la question des vues bien tranchées :

— Non, monsieur, ni vous ni moi ne sommes suspects. Eux le sont.

Mais M. Othon ne changeait pas pour si peu et, cette fois, la peste en était pour ses frais. Il entrait de la même façon dans la salle de restaurant, s'asseyait avant ses enfants et leur tenait toujours des propos distingués et hostiles. Seul, le petit garçon avait changé d'aspect. Vêtu de noir comme sa sœur, un peu plus tassé sur lui-même, il semblait la petite ombre de son père. Le veilleur de nuit, qui n'aimait pas M. Othon, avait dit à Tarrou :

— Ah! celui-là, il crèvera tout habillé. Comme ça, pas besoin de toilette. Il s'en ira tout droit.

Le prêche de Paneloux était aussi rapporté, mais avec le commentaire suivant : « Je comprends cette sympathique ardeur. Au commencement des fléaux et lorsqu'ils sont terminés, on fait toujours un peu de rhétorique. Dans le premier cas, l'habitude n'est pas encore perdue et, dans le second, elle est déjà revenue. C'est au moment du malheur qu'on s'habitue à la vérité, c'est-à-dire au silence. Attendons. »

Tarrou notait enfin qu'il avait eu une longue conversation avec le docteur Rieux dont il rappelait seulement qu'elle avait eu de bons résultats, signalait à ce propos la couleur marron clair des yeux de M^me Rieux mère, affirmait bizarrement à son propos qu'un regard où se lisait tant de bonté serait toujours plus fort que la peste, et consacrait enfin d'assez longs passages au vieil asthmatique soigné par Rieux.

Il était allé le voir, avec le docteur, après leur entrevue. Le vieux avait accueilli Tarrou par des ricanements et des frottements de mains. Il était au lit, adossé à son oreiller, au-dessus de ses deux marmites de pois : « Ah! encore un autre, avait-il dit en voyant Tarrou. C'est le monde à l'envers, plus de médecins que de malades. C'est que ça va vite, hein? Le curé a raison, c'est bien mérité. » Le lendemain, Tarrou était revenu sans avertissement.

Si l'on en croit ses carnets, le vieil asthmatique, mercier de son état, avait jugé à cinquante ans qu'il en avait assez fait. Il s'était couché et ne s'était plus relevé depuis. Son asthme se conciliait pourtant avec la station debout. Une petite rente l'avait mené jusqu'aux soixante-quinze ans qu'il portait allégrement. Il ne pouvait souffrir la vue d'une montre et, en fait, il n'y en avait pas une seule dans toute sa maison. « Une montre, disait-il, c'est cher et c'est bête. » Il évaluait le temps, et surtout l'heure des repas qui était la seule qui lui importât, avec ses deux marmites dont l'une était pleine de pois à son réveil. Il remplissait l'autre, pois par pois, du même mouvement appliqué et régulier. Il trouvait ainsi ses repères dans une journée mesurée à la marmite. « Toutes les quinze marmites, disait-il, il me faut mon casse-croûte. C'est tout simple. »

A en croire sa femme, d'ailleurs, il avait donné très jeune des signes de sa vocation. Rien, en effet, ne l'avait jamais intéressé, ni son travail, ni les amis, ni le café, ni la musique, ni les femmes, ni les promenades. Il n'était jamais sorti de sa ville, sauf un jour où, obligé de se rendre à Alger pour des affaires de famille, il s'était arrêté à la gare la plus proche d'Oran, incapable de pousser plus loin l'aventure. Il était revenu chez lui par le premier train.

A Tarrou qui avait eu l'air de s'étonner de la vie cloîtrée qu'il menait, il avait à peu près expliqué que selon la religion, la première moitié de la vie d'un homme était une ascension et l'autre moitié une descente, que dans la descente les journées de l'homme ne lui appartenaient plus, qu'on pouvait les lui enlever à n'importe quel moment, qu'il ne pouvait donc rien en faire et que le mieux justement était de n'en rien faire. La contradiction, d'ailleurs, ne l'effrayait pas, car il avait dit peu après à Tarrou que sûrement Dieu n'existait pas, puisque, dans le cas contraire, les curés seraient inutiles. Mais, à quelques réflexions qui suivirent, Tarrou comprit que cette philosophie tenait étroitement à l'humeur que lui donnaient les quêtes fréquentes de sa paroisse. Mais ce qui achevait le portrait du vieillard est un souhait qui semble profond et qu'il fit à plusieurs reprises devant son interlocuteur : il espérait mourir très vieux.

« Est-ce un saint ? » se demandait Tarrou. Et il répondait : « Oui, si la sainteté est un ensemble d'habitudes. »

Mais, en même temps, Tarrou entreprenait la description assez minutieuse d'une journée dans la ville empestée et donnait ainsi une idée juste des occupations et de la vie de nos concitoyens pendant cet été : « Personne ne rit que les ivrognes, disait Tarrou, et ceux-là rient trop. » Puis il entamait sa description :

« Au petit matin, des souffles légers parcourent la ville encore déserte. A cette heure, qui est entre les morts de la nuit et les agonies de la journée, il semble que la peste suspende un instant son effort et reprenne son souffle. Toutes les boutiques sont fermées. Mais sur quelques-unes, l'écriteau « Fermé pour cause de peste » atteste qu'elles n'ouvriront pas tout à l'heure avec les autres. Des vendeurs de journaux encore endormis ne crient pas les nouvelles, mais adossés au coin des rues, offrent leur marchandise aux réverbères dans un geste de somnambules. Tout à l'heure, réveillés par les premiers tramways, ils se répandront dans toute la ville, tendant à bout de bras les feuilles où éclate le mot « Peste ». « Y aura-t-il un automne de peste? Le « professeur B... répond : Non. » « Cent vingt-quatre « morts, tel est le bilan de la quatre-vingt-quatorzième « journée de peste. »

« Malgré la crise du papier qui devient de plus en plus aiguë et qui a forcé certains périodiques à diminuer le nombre de leurs pages, il s'est créé un autre journal : *Le Courrier de l'Épidémie,* qui se donne pour tâche d'« informer nos concitoyens, dans un souci de scrupuleuse objectivité, des progrès ou des reculs de la maladie; de leur fournir les témoignages les plus autorisés sur l'avenir de l'épidémie; de prêter l'appui de ses colonnes à tous ceux, connus ou inconnus, qui sont disposés à lutter contre le fléau; de soutenir le moral de la population, de transmettre les directives des autorités et, en un mot, de grouper toutes les bonnes volontés pour lutter efficacement contre le mal qui nous frappe. » En réalité, ce journal s'est borné très rapidement à publier des annonces de nouveaux produits, infaillibles pour prévenir la peste.

« Vers six heures du matin, tous ces journaux commencent à se vendre dans les queues qui s'installent aux portes des magasins, plus d'une heure avant leur ouverture, puis dans les tramways qui arrivent, bondés, des faubourgs. Les tramways sont devenus le seul

moyen de transport et ils avancent à grand-peine, leurs
marchepieds et leurs rambardes chargés à craquer.
Chose curieuse, cependant, tous les occupants, dans la
mesure du possible, se tournent le dos pour éviter une
contagion mutuelle. Aux arrêts, le tramway déverse
une cargaison d'hommes et de femmes, pressés de s'éloigner et de se trouver seuls. Fréquemment éclatent
des scènes dues à la seule mauvaise humeur, qui devient
chronique.

« Après le passage des premiers tramways, la ville
s'éveille peu à peu, les premières brasseries ouvrent
leur porte sur des comptoirs chargés de pancartes :
« Plus de café », « Apportez votre sucre », etc.
Puis les boutiques s'ouvrent, les rues s'animent. En
même temps, la lumière monte et la chaleur plombe
peu à peu le ciel de juillet. C'est l'heure où ceux qui ne
font rien se risquent sur les boulevards. La plupart
semblent avoir pris à tâche de conjurer la peste par
l'étalage de leur luxe. Il y a tous les jours vers onze heures,
sur les artères principales, une parade de jeunes hommes
et de jeunes femmes où l'on peut éprouver cette passion
de vivre qui croît au sein des grands malheurs. Si l'épidémie s'étend, la morale s'élargira aussi. Nous reverrons
les saturnales milanaises au bord des tombes.

« A midi, les restaurants se remplissent en un clin
d'œil. Très vite, de petits groupes qui n'ont pu trouver
de place se forment à leur porte. Le ciel commence à
perdre sa lumière par excès de chaleur. A l'ombre des
grands stores, les candidats à la nourriture attendent
leur tour, au bord de la rue craquante de soleil. Si les
restaurants sont envahis, c'est qu'ils simplifient pour
beaucoup le problème du ravitaillement. Mais ils laissent
intacte l'angoisse de la contagion. Les convives perdent
de longues minutes à essuyer patiemment leurs couverts.

Il n'y a pas longtemps, certains restaurants affichaient :
« Ici, le couvert est ébouillanté. » Mais, peu à peu, ils
ont renoncé à toute publicité puisque les clients étaient
forcés de venir. Le client, d'ailleurs, dépense volontiers.
Les vins fins ou supposés tels, les suppléments les plus
chers, c'est le commencement d'une course effrénée.
Il paraît aussi que des scènes de panique ont éclaté
dans un restaurant parce qu'un client pris de malaise
avait pâli, s'était levé, avait chancelé et gagné très vite
la sortie.

   « Vers deux heures, la ville se vide peu à peu et c'est
le moment où le silence, la poussière, le soleil et la peste
se rencontrent dans la rue. Tout le long des grandes
maisons grises la chaleur coule sans arrêt. Ce sont de
longues heures prisonnières qui finissent dans des
soirs enflammés croulant sur la ville populeuse et jacas-
sante. Pendant les premiers jours de la chaleur, de loin
en loin, et sans qu'on sache pourquoi, les soirs étaient
désertés. Mais à présent, la première fraîcheur amène
une détente, sinon un espoir. Tous descendent alors
dans les rues, s'étourdissent à parler, se querellent
ou se convoitent et sous le ciel rouge de juillet la ville,
chargée de couples et de clameurs, dérive vers la nuit
haletante. En vain, tous les soirs sur les boulevards,
un vieillard inspiré, portant feutre et lavallière, traverse
la foule en répétant sans arrêt : « Dieu est grand, venez
à lui », tous se précipitent au contraire vers quelque
chose qu'ils connaissent mal ou qui leur paraît plus
urgent que Dieu. Au début, quand ils croyaient que
c'était une maladie comme les autres, la religion était
à sa place. Mais quand ils ont vu que c'était sérieux,
ils se sont souvenu de la jouissance. Toute l'angoisse
qui se peint dans la journée sur les visages se résout
alors, dans le crépuscule ardent et poussiéreux, en une

sorte d'excitation hagarde, une liberté maladroite qui enfièvre tout un peuple.

« Et moi aussi, je suis comme eux. Mais quoi! la mort n'est rien pour les hommes comme moi. C'est un événement qui leur donne raison. »

C'EST Tarrou qui avait demandé à Rieux l'entrevue
dont il parle dans ses carnets. Le soir où Rieux,
l'attendait, le docteur regardait justement sa mère,
sagement assise dans un coin de la salle à manger,
sur une chaise. Elle passait ses journées là quand les
soins du ménage ne l'occupaient plus. Les mains
réunies sur les genoux, elle attendait. Rieux n'était
même pas sûr que ce fût lui qu'elle attendît. Mais,
cependant, quelque chose changeait dans le visage de
sa mère lorsqu'il apparaissait. Tout ce qu'une vie labo-
rieuse y avait mis de mutisme semblait s'animer alors.
Puis, elle retombait dans le silence. Ce soir-là, elle regardait par la fenêtre, dans la rue maintenant déserte.
L'éclairage de nuit avait été diminué des deux tiers.
Et, de loin en loin, une lampe très faible mettait quelques
reflets dans les ombres de la ville.

— Est-ce qu'on va garder l'éclairage réduit pendant
toute la peste? dit M<sup>me</sup> Rieux.

— Probablement.

— Pourvu que ça ne dure pas jusqu'à l'hiver. Ce serait
triste, alors.

— Oui, dit Rieux.

Il vit le regard de sa mère se poser sur son front.

Il savait que l'inquiétude et le surmenage des dernières
journées avaient creusé son visage.

— Ça n'a pas marché, aujourd'hui? dit M^me Rieux.

— Oh! comme d'habitude.

Comme d'habitude! C'est-à-dire que le nouveau sérum
envoyé par Paris avait l'air d'être moins efficace que le
premier et les statistiques montaient. On n'avait toujours pas la possibilité d'inoculer les sérums préventifs
ailleurs que dans les familles déjà atteintes. Il eût
fallu des quantités industrielles pour en généraliser
l'emploi. La plupart des bubons se refusaient à percer,
comme si la saison de leur durcissement était venue,
et ils torturaient les malades. Depuis la veille, il y avait
dans la ville deux cas d'une nouvelle forme de l'épidémie. La peste devenait alors pulmonaire. Le jour
même, au cours d'une réunion, les médecins harassés,
devant un préfet désorienté, avaient demandé et
obtenu de nouvelles mesures pour éviter la contagion
qui se faisait de bouche à bouche, dans la peste pulmonaire. Comme d'habitude, on ne savait toujours
rien.

Il regarda sa mère. Le beau regard marron fit remonter
en lui des années de tendresse.

— Est-ce que tu as peur, mère?

— A mon âge, on ne craint plus grand-chose.

— Les journées sont bien longues et je ne suis plus
jamais là.

— Cela m'est égal de t'attendre si je sais que tu dois
venir. Et quand tu n'es pas là, je pense à ce que tu fais.
As-tu des nouvelles?

— Oui, tout va bien, si j'en crois le dernier télégramme.
Mais je sais qu'elle dit cela pour me tranquilliser.

La sonnette de la porte retentit. Le docteur sourit à
sa mère et alla ouvrir. Dans la pénombre du palier,

Tarrou avait l'air d'un grand ours vêtu de gris. Rieux fit asseoir le visiteur devant son bureau. Lui-même restait debout derrière son fauteuil. Ils étaient séparés par la seule lampe allumée dans la pièce, sur le bureau.

— Je sais, dit Tarrou sans préambule, que je puis parler tout droit avec vous.

Rieux approuva en silence.

— Dans quinze jours ou un mois, vous ne serez d'aucune utilité ici, vous êtes dépassé par les événements.

— C'est vrai, dit Rieux.

— L'organisation du service sanitaire est mauvaise. Vous manquez d'hommes et de temps.

Rieux reconnut encore que c'était la vérité.

— J'ai appris que la préfecture envisage une sorte de service civil pour obliger les hommes valides à participer au sauvetage général.

— Vous êtes bien renseigné. Mais le mécontentement est déjà grand et le préfet hésite.

— Pourquoi ne pas demander des volontaires ?

— On l'a fait, mais les résultats ont été maigres.

— On l'a fait par la voie officielle, un peu sans y croire. Ce qui leur manque, c'est l'imagination. Ils ne sont jamais à l'échelle des fléaux. Et les remèdes qu'ils imaginent sont à peine à la hauteur d'un rhume de cerveau. Si nous les laissons faire, ils périront, et nous avec eux.

— C'est probable, dit Rieux. Je dois dire qu'ils ont cependant pensé aussi aux prisonniers, pour ce que j'appellerai les gros travaux.

— J'aimerais mieux que ce fût des hommes libres.

— Moi aussi. Mais pourquoi, en somme ?

— J'ai horreur des condamnations à mort.

Rieux regarda Tarrou :

— Alors? dit-il.

— Alors, j'ai un plan d'organisation pour des formations sanitaires volontaires. Autorisez-moi à m'en
occuper et laissons l'administration de côté. Du reste,
elle est débordée. J'ai des amis un peu partout et ils
feront le premier noyau. Et naturellement, j'y parti-
ciperai.

— Bien entendu, dit Rieux, vous vous doutez que
j'accepte avec joie. On a besoin d'être aidé, surtout
dans ce métier. Je me charge de faire accepter l'idée à
la préfecture. Du reste, ils n'ont pas le choix. Mais...

Rieux réfléchit.

— Mais ce travail peut être mortel, vous le savez bien.
Et dans tous les cas, il faut que je vous en avertisse.
Avez-vous bien réfléchi?

Tarrou le regardait de ses yeux gris.

— Que pensez-vous du prêche de Paneloux, Docteur?

La question était posée naturellement et Rieux y
répondit naturellement.

— J'ai trop vécu dans les hôpitaux pour aimer l'idée
de punition collective. Mais, vous savez, les chrétiens
parlent quelquefois ainsi, sans le penser jamais réellement. Ils sont meilleurs qu'ils ne paraissent.

— Vous pensez pourtant, comme Paneloux, que la
peste a sa bienfaisance, qu'elle ouvre les yeux, qu'elle
force à penser!

Le docteur secoua la tête avec impatience.

— Comme toutes les maladies de ce monde. Mais
ce qui est vrai des maux de ce monde est vrai aussi de
la peste. Cela peut servir à grandir quelques-uns. Cependant, quand on voit la misère et la douleur qu'elle
apporte, il faut être fou, aveugle ou lâche pour se résigner
à la peste.

Rieux avait à peine élevé le ton. Mais Tarrou fit

un geste de la main comme pour le calmer. Il souriait.

— Oui, dit Rieux en haussant les épaules. Mais vous ne m'avez pas répondu. Avez-vous réfléchi?

Tarrou se carra un peu dans son fauteuil et avança la tête dans la lumière.

— Croyez-vous en Dieu, docteur?

La question était encore posée naturellement. Mais cette fois, Rieux hésita.

— Non, mais qu'est-ce que cela veut dire? Je suis dans la nuit, et j'essaie d'y voir clair. Il y a longtemps que j'ai cessé de trouver ça original.

— N'est-ce pas ce qui vous sépare de Paneloux?

— Je ne crois pas. Paneloux est un homme d'études. Il n'a pas vu assez mourir et c'est pourquoi il parle au nom d'une vérité. Mais le moindre prêtre de campagne qui administre ses paroissiens et qui a entendu la respiration d'un mourant pense comme moi. Il soignerait la misère avant de vouloir en démontrer l'excellence.

Rieux se leva, son visage était maintenant dans l'ombre.

— Laissons cela, dit-il, puisque vous ne voulez pas répondre.

Tarrou sourit sans bouger de son fauteuil.

— Puis-je répondre par une question?

A son tour, le docteur sourit:

— Vous aimez le mystère, dit-il. Allons-y.

— Voilà, dit Tarrou. Pourquoi vous-même montrez-vous tant de dévouement puisque vous ne croyez pas en Dieu? Votre réponse m'aidera peut-être à répondre moi-même.

Sans sortir de l'ombre, le docteur dit qu'il avait déjà répondu, que s'il croyait en un Dieu tout-puissant, il cesserait de guérir les hommes, lui laissant alors ce soin. Mais que personne au monde, non, pas même Paneloux qui croyait y croire, ne croyait en un Dieu de cette sorte, puisque personne ne s'abandonnait totalement et qu'en cela du moins, lui, Rieux, croyait être sur le chemin de la vérité, en luttant contre la création telle qu'elle était.

— Ah! dit Tarrou, c'est donc l'idée que vous vous faites de votre métier?

— A peu près, répondit le docteur en revenant dans la lumière.

Tarrou siffla doucement et le docteur le regarda.

— Oui, dit-il, vous vous dites qu'il y faut de l'orgueil. Mais je n'ai que l'orgueil qu'il faut, croyez-moi. Je ne sais pas ce qui m'attend ni ce qui viendra après tout ceci. Pour le moment il y a des malades et il faut les guérir. Ensuite, ils réfléchiront et moi aussi. Mais le plus pressé est de les guérir. Je les défends comme je peux, voilà tout.

— Contre qui?

Rieux se tourna vers la fenêtre. Il devinait au loin la mer à une condensation plus obscure de l'horizon. Il éprouvait seulement sa fatigue et luttait en même temps contre un désir soudain et déraisonnable de se livrer un peu plus à cet homme singulier, mais qu'il sentait fraternel.

— Je n'en sais rien, Tarrou, je vous jure que je n'en sais rien. Quand je suis entré dans ce métier, je l'ai fait abstraitement, en quelque sorte, parce que j'en avais besoin, parce que c'était une situation comme les autres, une de celles que les jeunes gens se proposent. Peut-être aussi parce que c'était particulièrement difficile pour un fils d'ouvrier comme moi. Et puis il a fallu voir mourir. Savez-vous qu'il y a des gens qui refusent de mourir? Avez-vous jamais entendu une femme crier : « Jamais! » au moment de mourir? Moi, oui. Et je me suis aperçu alors que je ne pouvais pas m'y habituer. J'étais jeune et mon dégoût croyait s'adresser à l'ordre même du monde. Depuis, je suis devenu plus modeste. Simplement, je ne suis toujours pas habitué à voir mourir. Je ne sais rien de plus. Mais après tout...

Rieux se tut et se rassit. Il se sentait la bouche sèche.

— Après tout? dit doucement Tarrou.

— Après tout..., reprit le docteur, et il hésita encore, regardant Tarrou avec attention, c'est une chose qu'un homme comme vous peut comprendre, n'est-ce pas, mais puisque l'ordre du monde est réglé par la mort, peut-être vaut-il mieux pour Dieu qu'on ne croie pas en lui et qu'on lutte de toutes ses forces contre la mort, sans lever les yeux vers ce ciel où il se tait.

— Oui, approuva Tarrou, je peux comprendre. Mais vos victoires seront toujours provisoires, voilà tout.

Rieux parut s'assombrir.

— Toujours, je le sais. Ce n'est pas une raison pour cesser de lutter.

— Non, ce n'est pas une raison. Mais j'imagine alors ce que doit être cette peste pour vous.

— Oui, dit Rieux. Une interminable défaite.

Tarrou fixa un moment le docteur, puis il se leva et marcha lourdement vers la porte. Et Rieux le suivit. Il le rejoignait déjà quand Tarrou qui semblait regarder à ses pieds lui dit :

— Qui vous a appris tout cela, Docteur?

La réponse vint immédiatement :

— La misère.

Rieux ouvrit la porte de son bureau et, dans le couloir, dit à Tarrou qu'il descendait aussi, allant voir un de ses malades dans les faubourgs. Tarrou lui proposa de l'accompagner et le docteur accepta. Au bout du couloir, ils rencontrèrent M^{me} Rieux à qui le docteur présenta Tarrou.

— Un ami, dit-il.

— Oh! fit M^me Rieux, je suis très contente de vous connaître.

Quand elle partit, Tarrou se retourna encore sur elle. Sur le palier, le docteur essaya en vain de faire fonctionner la minuterie. Les escaliers restaient plongés dans la nuit. Le docteur se demandait si c'était l'effet d'une nouvelle mesure d'économie. Mais on ne pouvait pas savoir. Depuis quelque temps déjà, dans les maisons et dans la ville, tout se détraquait. C'était peut-être simplement que les concierges, et nos concitoyens en général, ne prenaient plus soin de rien. Mais le docteur n'eut pas le temps de s'interroger plus avant, car la voix de Tarrou résonnait derrière lui :

— Encore un mot, Docteur, même s'il vous paraît ridicule : vous avez tout à fait raison.

Rieux haussa les épaules pour lui-même, dans le noir.

— Je n'en sais rien, vraiment. Mais vous, qu'en savez-vous?

— Oh! dit l'autre sans s'émouvoir, j'ai peu de choses à apprendre.

Le docteur s'arrêta et le pied de Tarrou, derrière lui, glissa sur une marche. Tarrou se rattrapa en prenant l'épaule de Rieux.

— Croyez-vous tout connaître de la vie? demanda celui-ci.

La réponse vint dans le noir, portée par la même voix tranquille :

— Oui.

Quand ils débouchèrent dans la rue, ils comprirent qu'il était assez tard, onze heures peut-être. La ville était muette, peuplée seulement de frôlements. Très loin, le timbre d'une ambulance résonna. Ils montèrent dans la voiture et Rieux mit le moteur en marche.

— Il faudra, dit-il, que vous veniez demain à l'hôpital pour le vaccin préventif. Mais, pour en finir et avant d'entrer dans cette histoire, dites-vous que vous avez une chance sur trois d'en sortir.

— Ces évaluations n'ont pas de sens, docteur, vous le savez comme moi. Il y a cent ans, une épidémie de peste a tué tous les habitants d'une ville de Perse, sauf précisément le laveur des morts qui n'avait jamais cessé d'exercer son métier.

— Il a gardé sa troisième chance, voilà tout, dit Rieux d'une voix soudain plus sourde. Mais il est vrai que nous avons encore tout à apprendre à ce sujet.

Ils entraient maintenant dans les faubourgs. Les phares illuminaient les rues désertes. Ils s'arrêtèrent. Devant l'auto, Rieux demanda à Tarrou s'il voulait entrer et l'autre dit que oui. Un reflet du ciel éclairait leurs visages. Rieux eut soudain un rire d'amitié :

— Allons, Tarrou, dit-il, qu'est-ce qui vous pousse à vous occuper de cela?

— Je ne sais pas. Ma morale peut-être.

— Et laquelle?

— La compréhension.

Tarrou se tourna vers la maison et Rieux ne vit plus son visage jusqu'au moment où ils furent chez le vieil asthmatique.

# VIII

Dès le lendemain, Tarrou se mit au travail et réunit une première équipe qui devait être suivie de beaucoup d'autres.

L'intention du narrateur n'est cependant pas de donner à ces formations sanitaires plus d'importance qu'elles n'en eurent. A sa place, il est vrai que beaucoup de nos concitoyens céderaient aujourd'hui à la tentation d'en exagérer le rôle. Mais le narrateur est plutôt tenté de croire qu'en donnant trop d'importance aux belles actions, on rend finalement un hommage indirect et puissant au mal. Car on laisse supposer alors que ces belles actions n'ont tant de prix que parce qu'elles sont rares et que la méchanceté et l'indifférence sont des moteurs bien plus fréquents dans les actions des hommes. C'est là une idée que le narrateur ne partage pas. Le mal qui est dans le monde vient presque toujours de l'ignorance, et la bonne volonté peut faire autant de dégâts que la méchanceté, si elle n'est pas éclairée. Les hommes sont plutôt bons que mauvais, et en vérité ce n'est pas la question. Mais ils ignorent plus ou moins, et c'est ce qu'on appelle vertu ou vice, le vice le plus désespérant étant celui de l'ignorance qui croit tout savoir et qui s'autorise alors à tuer. L'âme du meurtrier est aveugle et il n'y a pas de vraie bonté ni de bel amour sans toute la clairvoyance possible.

C'est pourquoi nos formations sanitaires qui se réalisèrent grâce à Tarrou doivent être jugées avec une satisfaction objective. C'est pourquoi le narrateur ne se fera pas le chantre trop éloquent de la volonté et d'un héroïsme auquel il n'attache qu'une importance raisonnable. Mais il continuera d'être l'historien des cœurs déchirés et exigeants que la peste fit alors à tous nos concitoyens.

Ceux qui se dévouèrent aux formations sanitaires n'eurent pas si grand mérite à le faire, en effet, car ils savaient que c'était la seule chose à faire et c'est de ne pas s'y décider qui alors eût été incroyable. Ces formations aidèrent nos concitoyens à entrer plus avant dans la peste et les persuadèrent en partie que, puisque la maladie était là, il fallait faire ce qu'il fallait pour lutter contre elle. Parce que la peste devenait ainsi le devoir de quelques-uns, elle apparut réellement pour ce qu'elle était, c'est-à-dire l'affaire de tous.

Cela est bien. Mais on ne félicite pas un instituteur d'enseigner que deux et deux font quatre. On le félicitera peut-être d'avoir choisi ce beau métier. Disons donc qu'il était louable que Tarrou et d'autres eussent choisi de démontrer que deux et deux faisaient quatre plutôt que le contraire, mais disons aussi que cette bonne volonté leur était commune avec l'instituteur, avec tous ceux qui ont le même cœur que l'instituteur et qui, pour l'honneur de l'homme, sont plus nombreux qu'on ne pense, c'est du moins la conviction du narrateur. Celui-ci aperçoit très bien d'ailleurs l'objection qu'on pourrait lui faire et qui est que ces hommes risquaient leur vie. Mais il vient toujours une heure dans l'histoire où celui qui ose dire que deux et deux font quatre est puni de mort. L'instituteur le sait bien. Et la question n'est pas de savoir quelle est la récompense ou la punition qui attend ce raisonnement.¹ La question est de savoir si deux et deux, oui ou non, font quatre. Pour ceux de nos concitoyens qui risquaient alors leur vie, ils avaient à décider si, oui ou non, ils étaient dans la peste et si, oui ou non, il fallait lutter contre elle.

Beaucoup de nouveaux moralistes dans notre ville allaient alors, disant que rien ne servait à rien et qu'il fallait se mettre à genoux. Et Tarrou, et Rieux, et leurs amis pouvaient répondre ceci ou cela, mais la conclusion était toujours ce qu'ils savaient : il fallait lutter de telle ou telle façon et ne pas se mettre à genoux. Toute la question était d'empêcher le plus d'hommes possible de mourir et de connaître la séparation définitive. Il n'y avait pour cela qu'un seul moyen qui était de combattre la peste. Cette vérité n'était pas admirable, elle n'était que conséquente.

C'est pourquoi il était naturel que le vieux Castel mît toute sa confiance et son énergie à fabriquer des sérums sur place, avec du matériel de fortune. Rieux et lui espéraient qu'un sérum fabriqué avec les cultures du microbe même qui infestait la ville aurait une efficacité plus directe que les sérums venus de l'extérieur, puisque le microbe différait légèrement du bacille de la peste, tel qu'il était classiquement défini. Castel espérait avoir son premier sérum assez rapidement.

C'est pourquoi encore il était naturel que Grand, qui n'avait rien d'un héros, assurât maintenant une sorte de secrétariat des formations sanitaires. Une partie des équipes formées par Tarrou se consacrait en effet à un travail d'assistance préventive dans les quartiers sur-peuplés. On essayait d'y introduire l'hygiène nécessaire, on faisait le compte des greniers et des caves que la désinfection n'avait pas visités. Une autre partie des équipes secondait les médecins dans les visites à domicile, assurait le transport des pestiférés et même, par la suite, en l'absence de personnel spécialisé, conduisit les voitures des malades et des morts. Tout ceci exigeait un travail d'enregistrement et de statistiques que Grand avait accepté de faire.

De ce point de vue, et plus que Rieux ou Tarrou, le narrateur estime que Grand était le représentant réel de cette vertu tranquille qui animait les formations sanitaires. Il avait dit oui sans hésitation, avec la bonne volonté qui était la sienne. Il avait seulement demandé à se rendre utile dans de petits travaux. Il était trop vieux pour le reste. De dix-huit heures à vingt heures, il pouvait donner son temps. Et comme Rieux le remerciait avec chaleur, il s'en étonnait : « Ce n'est pas le plus difficile. Il y a la peste, il faut se défendre, c'est clair. Ah! si tout était aussi simple! » Et il revenait à sa phrase. Quelquefois, le soir, quand le travail des fiches était terminé, Rieux parlait avec Grand. Ils avaient fini par mêler Tarrou à leur conversation et Grand se confiait avec un plaisir de plus en plus évident à ses deux compagnons. Ces derniers suivaient avec intérêt le travail patient que Grand continuait au milieu de la peste. Eux aussi, finalement, y trouvaient une sorte de détente.

« Comment va l'amazone? » demandait souvent Tarrou. Et Grand répondait invariablement : « Elle trotte, elle trotte », avec un sourire difficile. Un soir, Grand dit qu'il avait définitivement abandonné l'adjectif « élégante » pour son amazone et qu'il la qualifiait désormais de « svelte ». « C'est plus concret », avait-il ajouté. Une autre fois, il lut à ses deux auditeurs la première phrase ainsi modifiée : « Par une belle matinée de mai, une svelte amazone, montée sur une superbe jument alezane, parcourait les allées fleuries du Bois de Boulogne. »

— N'est-ce pas, dit Grand, on la voit mieux et j'ai préféré : « Par une matinée de mai », parce que « mois de mai » allongeait un peu le trot.

Il se montra ensuite fort préoccupé par l'adjectif « superbe ». Cela ne parlait pas, selon lui, et il cherchait le terme qui photographierait d'un seul coup la fastueuse jument qu'il imaginait. « Grasse » n'allait pas, c'était concret, mais un peu péjoratif. « Reluisante » l'avait tenté un moment, mais le rythme ne s'y prêtait pas. Un soir, il annonça triomphalement qu'il avait trouvé : « Une noire jument alezane. » Le noir indiquait discrètement l'élégance, toujours selon lui.

— Ce n'est pas possible, dit Rieux.

— Et pourquoi?

— Alezane n'indique pas la race, mais la couleur.

— Quelle couleur?

— Eh bien, une couleur qui n'est pas le noir, en tout cas!

Grand parut très affecté.

— Merci, disait-il, vous êtes là, heureusement. Mais vous voyez comme c'est difficile.

— Que penseriez-vous de « somptueuse », dit Tarrou.

Grand le regarda. Il réfléchissait :

— Oui, dit-il, oui!

Et un sourire lui venait peu à peu.

A quelque temps de là, il avoua que le mot « fleuries » l'embarrassait. Comme il n'avait jamais connu qu'Oran et Montélimar, il demandait quelquefois à ses amis des indications sur la façon dont les allées du Bois étaient fleuries. A proprement parler, elles n'avaient jamais donné l'impression de l'être à Rieux ou à Tarrou, mais la conviction de l'employé les ébranlait. Il s'étonnait de leur incertitude. « Il n'y a que les artistes qui sachent regarder. » Mais le docteur le trouva une fois dans une

grande excitation. Il avait remplacé « fleuries » par
« pleines de fleurs ». Il se frottait les mains. « Enfin, on
les voit, on les sent. Chapeau bas, Messieurs! » Il lut
triomphalement la phrase : « Par une belle matinée de
mai, une svelte amazone montée sur une somptueuse
jument alezane parcourait les allées pleines de fleurs
du Bois de Boulogne. » Mais, lus à haute voix, les trois
génitifs qui terminaient la phrase résonnèrent fâcheu-
sement et Grand bégaya un peu. Il s'assit, l'air accablé.
Puis il demanda au docteur la permission de partir. Il
avait besoin de réfléchir un peu.

C'est à cette époque, on l'apprit par la suite, qu'il
donna au bureau des signes de distraction qui furent
jugés regrettables à un moment où la mairie devait
faire face, avec un personnel diminué, à des obligations
écrasantes. Son service en souffrit et le chef de bureau
le lui reprocha sévèrement en lui rappelant qu'il était
payé pour accomplir un travail que, précisément, il n'accomplissait pas. « Il paraît, avait dit le chef de bureau,
que vous faites du service volontaire dans les formations
sanitaires, en dehors de votre travail. Ça ne me regarde
pas. Mais ce qui me regarde, c'est votre travail. Et la
première façon de vous rendre utile dans ces terribles
circonstances, c'est de bien faire votre travail. Ou sinon,
le reste ne sert à rien. »

— Il a raison, dit Grand à Rieux.

— Oui, il a raison, approuva le docteur.

— Mais je suis distrait et je ne sais pas comment
sortir de la fin de ma phrase.

Il avait pensé à supprimer « de Boulogne », estimant
que tout le monde comprendrait. Mais alors la phrase
avait l'air de rattacher à « fleurs », ce qui, en fait, se reliait
à « allées ». Il avait envisagé aussi la possibilité d'écrire :
« Les allées du Bois pleines de fleurs. » Mais la situation

de « Bois » entre un substantif et un qualificatif qu'il séparait arbitrairement lui était une épine dans la chair. Certains soirs, il est bien vrai qu'il avait l'air encore plus fatigué que Rieux.

Oui, il était fatigué par cette recherche qui l'absorbait tout entier, mais il n'en continuait pas moins à faire les additions et les statistiques dont avaient besoin les formations sanitaires. Patiemment, tous les soirs, il mettait des fiches au clair, il les accompagnait de courbes et il s'évertuait lentement à présenter des états aussi précis que possible. Assez souvent, il allait rejoindre Rieux dans l'un des hôpitaux et lui demandait une table dans quelque bureau ou infirmerie. Il s'y installait avec ses papiers, exactement comme il s'installait à sa table de la mairie, et dans l'air épaissi par les désinfectants et par la maladie elle-même, il agitait ses feuilles pour en faire sécher l'encre. Il essayait honnêtement alors de ne plus penser à son amazone et de faire seulement ce qu'il fallait.

Oui, s'il est vrai que les hommes tiennent à se proposer des exemples et des modèles qu'ils appellent héros, et s'il faut absolument qu'il y en ait un dans cette histoire, le narrateur propose justement ce héros insignifiant et effacé qui n'avait pour lui qu'un peu de bonté au cœur et un idéal apparemment ridicule. Cela donnera à la vérité ce qui lui revient, à l'addition de deux et deux son total de quatre, et à l'héroïsme la place secondaire qui doit être la sienne, juste après, et jamais avant, l'exigence généreuse du bonheur. Cela donnera aussi à cette chronique son caractère, qui doit être celui d'une relation faite avec de bons sentiments, c'est-à-dire des sentiments qui ne sont ni ostensiblement mauvais, ni exaltants à la vilaine façon d'un spectacle.

C'était du moins l'opinion du docteur Rieux lorsqu'il

lisait dans les journaux ou écoutait à la radio les appels et les encouragements que le monde extérieur faisait parvenir à la ville empestée. En même temps que les secours envoyés par air et par route, tous les soirs, sur les ondes ou dans la presse, des commentaires apitoyés ou admiratifs s'abattaient sur la cité désormais solitaire. Et chaque fois le ton d'épopée ou de discours de prix impatientait le docteur. Certes, il savait que cette sollicitude n'était pas feinte. Mais elle ne pouvait s'exprimer que dans le langage conventionnel par lequel les hommes essaient d'exprimer ce qui les lie à l'humanité. Et ce langage ne pouvait s'appliquer aux petits efforts quotidiens de Grand, par exemple, ne pouvant rendre compte de ce que signifiait Grand au milieu de la peste.

A minuit, quelquefois, dans le grand silence de la ville alors désertée, au moment de regagner son lit pour un sommeil trop court, le docteur tournait le bouton de son poste. Et des confins du monde, à travers des milliers de kilomètres, des voix inconnues et fraternelles s'essayaient maladroitement à dire leur solidarité et le disaient, en effet, mais démontraient en même temps la terrible impuissance où se trouve tout homme de partager vraiment une douleur qu'il ne peut pas voir : « Oran! Oran! » En vain, l'appel traversait les mers, en vain Rieux se tenait en alerte, bientôt l'éloquence montait et accusait mieux encore la séparation essentielle qui faisait deux étrangers de Grand et de l'orateur. « Oran! oui, Oran! Mais non, pensait le docteur, aimer ou mourir ensemble, il n'y a pas d'autre ressource. Ils sont trop loin. »

## IX

Eᴛ justement ce qui reste à retracer avant d'en arriver au sommet de la peste, pendant que le fléau réunissait toutes ses forces pour les jeter sur la ville et s'en emparer définitivement, ce sont les longs efforts désespérés et monotones que les derniers individus, comme Rambert, faisaient pour retrouver leur bonheur et ôter à la peste cette part d'eux-mêmes qu'ils défendaient contre toute atteinte. C'était là leur manière de refuser l'asservissement qui les menaçait, et bien que ce refus-là, apparemment, ne fût pas aussi efficace que l'autre, l'avis du narrateur est qu'il avait bien son sens et qu'il témoignait aussi, dans sa vanité et ses contradictions mêmes, pour ce qu'il y avait alors de fier en chacun de nous.

Rambert luttait pour empêcher que la peste le recouvrît. Ayant acquis la preuve qu'il ne pouvait sortir de la ville par les moyens légaux, il était décidé, avait-il dit à Rieux, à user des autres. Le journaliste commença par les garçons de café. Un garçon de café est toujours au courant de tout. Mais les premiers qu'il interrogea étaient surtout au courant des pénalités très graves qui sanctionnaient ce genre d'entreprises. Dans un cas, il fut même pris pour un provocateur. Il lui fallut rencontrer Cottard chez Rieux pour avancer un peu. Ce jour-là, Rieux et lui avaient parlé encore des démarches vaines que le journaliste avait faites dans les administrations. Quelques jours après, Cottard rencontra Rambert dans la rue, et l'acueillit avec la rondeur qu'il mettait à présent dans tous ses rapports :

— Toujours rien? avait-il dit.

— Non, rien.

— On ne peut pas compter sur les bureaux. Ils ne sont pas faits pour comprendre.

— C'est vrai. Mais je cherche autre chose. C'est difficile.

— Ah! dit Cottard, je vois.

Lui connaissait une filière et à Rambert, qui s'en étonnait, il expliqua que, depuis longtemps, il fréquentait tous les cafés d'Oran, qu'il y avait des amis et qu'il était renseigné sur l'existence d'une organisation qui s'occupait de ce genre d'opérations. La vérité était que Cottard, dont les dépenses dépassaient désormais les revenus, s'était mêlé à des affaires de contrebande sur les produits rationnés. Il revendait ainsi des cigarettes et du mauvais alcool dont les prix montaient sans cesse et qui étaient en train de lui rapporter une petite fortune.

— En êtes-vous bien sûr? demanda Rambert.

— Oui, puisqu'on me l'a proposé.

— Et vous n'en avez pas profité?

— Ne soyez pas méfiant, dit Cottard d'un air bonhomme, je n'en ai pas profité parce que je n'ai pas, moi, envie de partir. J'ai mes raisons.

Il ajouta après un silence :

— Vous ne me demandez pas quelles sont mes raisons?

— Je suppose, dit Rambert, que cela ne me regarde pas.

— Dans un sens, cela ne vous regarde pas, en effet. Mais dans un autre... Enfin, la seule chose évidente, c'est que je me sens bien mieux ici depuis que nous avons la peste avec nous.

L'autre écourta son discours :

— Comment joindre cette organisation?

— Ah! dit Cottard, ce n'est pas facile, venez avec moi.

Il était quatre heures de l'après-midi. Sous un ciel lourd, la ville cuisait lentement. Tous les magasins avaient leur store baissé. Les chaussées étaient désertes. Cottard et Rambert prirent des rues à arcades et marchèrent longtemps sans parler. C'était une de ces heures où la peste se faisait invisible. Ce silence, cette mort des couleurs et des mouvements, pouvaient être aussi bien ceux de l'été que ceux du fléau. On ne savait si l'air était lourd de menaces ou de poussières et de brûlure. Il fallait observer et réfléchir pour rejoindre la peste. Car elle ne se trahissait que par des signes négatifs. Cottard, qui avait des affinités avec elle, fit remarquer par exemple à Rambert l'absence des chiens qui, normalement, eussent dû être sur le flanc, haletants, au seuil des couloirs, à la recherche d'une fraîcheur impossible.

Ils prirent le boulevard des Palmiers, traversèrent la Place d'Armes et descendirent vers le quartier de la Marine. A gauche, un café peint en vert s'abritait sous un store oblique de grosse toile jaune. En entrant, Cottard et Rambert, essuyèrent leur front. Ils prirent place sur des chaises pliantes de jardin, devant des tables de tôle verte. La salle était absolument déserte. Des mouches grésillaient dans l'air. Dans une cage jaune posée sur le comptoir bancal, un perroquet, toutes plumes retombées, était affaissé sur son perchoir. De vieux tableaux, représentant des scènes militaires,

pendaient au mur, couverts de crasse et de toiles d'arai-
gnée en épais filaments. Sur toutes les tables de tôle,
et devant Rambert lui-même, séchaient des fientes de
poule dont il s'expliquait mal l'origine jusqu'à ce que
d'un coin obscur, après un peu de remue-ménage, un
magnifique coq sortît en sautillant.

La chaleur, à ce moment, sembla monter encore.
Cottard enleva sa veste et frappa sur la tôle. Un petit
homme, perdu dans un long tablier bleu, sortit du
fond, salua Cottard du plus loin qu'il le vit, avança
en écartant le coq d'un vigoureux coup de pied et
demanda, au milieu des gloussements du volatile, ce
qu'il fallait servir à ces messieurs. Cottard voulait du
vin blanc et s'enquit d'un certain Garcia. Selon le
nabot, il y avait déjà quelques jours qu'on ne l'avait
vu dans le café.

— Pensez-vous qu'il viendra ce soir?

— Eh! dit l'autre, je ne suis pas dans sa chemise.
Mais vous connaissez son heure?

— Oui, mais ce n'est pas très important. J'ai seulement un ami à lui présenter.

Le garçon essuyait ses mains moites contre le devant
de son tablier.

— Ah! Monsieur s'occupe aussi d'affaires?

— Oui, dit Cottard.

Le nabot renifla :

— Alors, revenez ce soir. Je vais lui envoyer le gosse.

En sortant, Rambert demanda de quelles affaires il
s'agissait.

— De contrebande, naturellement. Ils font passer des
marchandises aux portes de la ville. Ils vendent au prix
fort.

— Bon, dit Rambert. Ils ont des complicités?

— Justement.

Le soir, le store était relevé, le perroquet jabotait
dans sa cage et les tables de tôle étaient entourées
d'hommes en bras de chemise. L'un d'eux le chapeau
de paille en arrière, une chemise blanche ouverte sur
une poitrine couleur de terre brûlée, se leva à l'entrée
de Cottard. Un visage régulier et tanné, l'œil noir et
petit, les dents blanches, deux ou trois bagues aux doigts.
il paraissait trente ans environ.

— Salut, dit-il, on boit au comptoir.

Ils prirent trois tournées en silence.

— Si on sortait? dit alors Garcia.

Ils descendirent vers le port et Garcia demanda ce
qu'on lui voulait. Cottard lui dit que ce n'était pas
exactement pour des affaires qu'il voulait lui présenter
Rambert, mais seulement pour ce qu'il appela « une
sortie ». Garcia marchait droit devant lui en fumant.
Il posa des questions, disant « Il » en parlant de Rambert,
sans paraître s'apercevoir de sa présence.

— Pourquoi faire? disait-il.

— Il a sa femme en France.

— Ah!

Et après un temps :

— Qu'est-ce qu'il a comme métier?

— Journaliste.

— C'est un métier où on parle beaucoup.

Rambert se taisait.

— C'est un ami, dit Cottard.

Ils avancèrent en silence. Ils étaient arrivés aux quais,
dont l'accès était interdit par de grandes grilles. Mais
ils se dirigèrent vers une petite buvette où l'on vendait
des sardines frites, dont l'odeur venait jusqu'à eux.

— De toute façon, conclut Garcia, ce n'est pas moi
que ça concerne, mais Raoul. Et il faut que je le retrouve.
Ça ne sera pas facile.

— Ah! demanda Cottard avec animation, il se cache?

Garcia ne répondit pas. Près de la buvette, il s'arrêta et se tourna vers Rambert pour la première fois.

— Après-demain, à onze heures, au coin de la caserne des douanes, en haut de la ville.

Il fit mine de partir, mais se retourna vers les deux hommes.

— Il y aura des frais, dit-il.

C'était une constatation.

— Bien sûr, approuva Rambert.

Un peu après, le journaliste remercia Cottard :

— Oh! non, dit l'autre avec jovialité. Ça me fait plaisir de vous rendre service. Et puis, vous êtes journaliste, vous me revaudrez ça un jour ou l'autre.

Le surlendemain, Rambert et Cottard gravissaient les grandes rues sans ombrage qui mènent vers le haut de notre ville. Une partie de la caserne des douanes avait été transformée en infirmerie et, devant la grande porte, des gens stationnaient, venus dans l'espoir d'une visite qui ne pouvait pas être autorisée ou à la recherche de renseignements qui, d'une heure à l'autre, seraient périmés. En tout cas, ce rassemblement permettait beaucoup d'allées et venues et on pouvait supposer que cette considération n'était pas étrangère à la façon dont le rendez-vous de Garcia et de Rambert avait été fixé.

— C'est curieux, dit Cottard, cette obstination à partir. En somme, ce qui se passe est bien intéressant.

— Pas pour moi, répondit Rambert.

— Oh! bien sûr, on risque quelque chose. Mais, après tout, on risquait autant, avant la peste, à traverser un carrefour très fréquenté.

A ce moment, l'auto de Rieux s'arrêta à leur hauteur. Tarrou conduisait et Rieux semblait dormir à moitié. Il se réveilla pour faire les présentations.

— Nous nous connaissons, dit Tarrou, nous habitons le même hôtel.

Il offrit à Rambert de le conduire en ville.

— Non, nous avons rendez-vous ici.

Rieux regarda Rambert :

— Oui, fit celui-ci.

— Ah! s'étonnait Cottard, le docteur est au courant?

— Voilà le juge d'instruction, avertit Tarrou en regardant Cottard.

Celui-ci changea de figure. M. Othon descendait en effet la rue et s'avançait vers eux d'un pas vigoureux, mais mesuré. Il ôta son chapeau en passant devant le petit groupe.

— Bonjour, monsieur le juge! dit Tarrou.

Le juge rendit le bonjour aux occupants de l'auto, et, regardant Cottard et Rambert qui étaient restés en arrière, les salua gravement de la tête. Tarrou présenta le rentier et le journaliste. Le juge regarda le ciel pendant une seconde et soupira, disant que c'était une époque bien triste.

— On me dit, monsieur Tarrou, que vous vous occupez de l'application des mesures prophylactiques. Je ne saurais trop vous approuver. Pensez-vous, docteur, que la maladie s'étendra?

Rieux dit qu'il fallait espérer que non et le juge répéta qu'il fallait toujours espérer, les desseins de la Providence sont impénétrables. Tarrou lui demanda si les événements lui avaient apporté un surcroît de travail.

— Au contraire, les affaires que nous appelons de droit commun diminuent. Je n'ai plus à instruire que des manquements graves aux nouvelles dispositions. On n'a jamais autant respecté les anciennes lois.

— C'est, dit Tarrou, qu'en comparaison elles semblent bonnes, forcément.

Le juge quitta l'air rêveur qu'il avait pris, le regard comme suspendu au ciel. Et il examina Tarrou d'un air froid.

— Qu'est-ce que cela fait? dit-il. Ce n'est pas la loi qui compte, c'est la condamnation. Nous n'y pouvons rien.

— Celui-là, dit Cottard quand le juge fut parti, c'est l'ennemi numéro un.

La voiture démarra.

Un peu plus tard, Rambert et Cottard virent arriver Garcia. Il avança vers eux sans leur faire de signe et dit en guise de bonjour : « Il faut attendre. »

Autour d'eux, la foule, où dominaient les femmes, attendait dans un silence total. Presque toutes portaient des paniers dont elles avaient le vain espoir qu'elles pourraient les faire passer à leurs parents malades et l'idée encore plus folle que ceux-ci pourraient utiliser leurs provisions. La porte était gardée par des factionnaires en armes et, de temps en temps, un cri bizarre traversait la cour qui séparait la caserne de la porte. Dans l'assistance, des visages inquiets se tournaient alors vers l'infirmerie.

Les trois hommes regardaient ce spectacle lorsque dans leur dos un « bonjour » net et grave les fit se retourner. Malgré la chaleur, Raoul était habillé très correctement. Grand et fort, il portait un costume croisé de couleur sombre et un feutre à bords retournés. Son visage était assez pâle. Les yeux bruns et la bouche serrée, Raoul parlait de façon rapide et précise :

— Descendons vers la ville, dit-il. Garcia, tu peux nous laisser.

Garcia alluma une cigarette et les laissa s'éloigner. Ils marchèrent rapidement, accordant leur allure à celle de Raoul qui s'était placé au milieu d'eux.

7

— Garcia m'a expliqué, dit-il. Cela peut se faire. De toute façon, ça vous coûtera dix mille francs.

Rambert répondit qu'il acceptait.

— Déjeunez avec moi, demain, au restaurant espagnol de la Marine.

Rambert dit que c'était entendu et Raoul lui serra la main, souriant pour la première fois. Après son départ, Cottard s'excusa. Il n'était pas libre le lendemain et d'ailleurs Rambert n'avait plus besoin de lui.

Lorsque, le lendemain, le journaliste entra dans le restaurant espagnol, toutes les têtes se tournèrent sur son passage. Cette cave ombreuse, située en contrebas d'une petite rue jaune et desséchée par le soleil, n'était fréquentée que par des hommes, de type espagnol pour la plupart. Mais dès que Raoul, installé à une table du fond, eut fait un signe au journaliste et que Rambert se fut dirigé vers lui, la curiosité disparut des visages qui revinrent à leurs assiettes. Raoul avait à sa table un grand type maigre et mal rasé, aux épaules démesurément larges, la figure chevaline et les cheveux clairsemés. Ses longs bras minces, couverts de poils noirs, sortaient d'une chemise aux manches retroussées. Il hocha la tête trois fois lorsque Rambert lui fut présenté. Son nom n'avait pas été prononcé et Raoul ne parlait de lui qu'en disant « notre ami ».

— Notre ami croit avoir la possibilité de vous aider. Il va vous...

Raoul s'arrêta parce que la serveuse intervenait pour la commande de Rambert.

— Il va vous mettre en rapport avec deux de nos amis qui vous feront connaître des gardes qui nous sont acquis. Tout ne sera pas fini alors. Il faut que les gardes jugent eux-mêmes du moment propice. Le plus simple

serait que vous logiez pendant quelques nuits chez l'un
d'eux, qui habite près des portes. Mais auparavant,
notre ami doit vous donner les contacts nécessaires.
Quand tout sera arrangé, c'est à lui que vous réglerez les
frais.

L'ami hocha encore une fois sa tête de cheval sans
cesser de broyer la salade de tomates et de poivrons
qu'il ingurgitait. Puis il parla avec un léger accent espagnol. Il proposait à Rambert de prendre rendez-vous
pour le surlendemain, à huit heures du matin, sous le
porche de la cathédrale.

— Encore deux jours, remarqua Rambert.

— C'est que ce n'est pas facile, dit Raoul. Il faut
retrouver les gens.

Le cheval encensa une fois de plus et Rambert approuva
sans passion. Le reste du déjeuner se passa à rechercher
un sujet de conversation. Mais tout devint très facile
lorsque Rambert découvrit que le cheval était joueur de
football. Lui-même avait beaucoup pratiqué ce sport.
On parla donc du championnat de France, de la valeur
des équipes professionnelles anglaises et de la tactique
en W. A la fin du déjeuner, le cheval s'était tout à fait
animé et il tutoyait Rambert pour le persuader qu'il
n'y avait pas de plus belle place dans une équipe que
celle de demi-centre. « Tu comprends, disait-il, le
demi-centre, c'est celui qui distribue le jeu. Et distri-
buer le jeu, c'est ça le football. » Rambert était de cet
avis, quoiqu'il eût toujours joué avant-centre. La dis-
cussion fut seulement interrompue par un poste de
radio qui, après avoir seriné en sourdine les mélodies
sentimentales, annonça que, la veille, la peste avait fait
cent trente-sept victimes. Personne ne réagit dans l'assistance. L'homme à tête de cheval haussa les épaules
et se leva. Raoul et Rambert l'imitèrent.

En partant, le demi-centre serra la main de Rambert avec énergie :

— Je m'appelle Gonzalès, dit-il.

Ces deux jours parurent interminables à Rambert. Il se rendit chez Rieux et lui raconta ses démarches dans le détail. Puis il accompagna le docteur dans une de ses visites. Il lui dit au revoir à la porte de la maison où l'attendait un malade suspect. Dans le couloir, un bruit de courses et de voix : on avertissait la famille de l'arrivée du docteur.

— J'espère que Tarrou ne tardera pas, murmura Rieux.

Il avait l'air fatigué.

— L'épidémie va trop vite? demanda Rambert.

Rieux dit que ce n'était pas cela et que même la courbe des statistiques montait moins vite. Simplement, les moyens de lutter contre la peste n'étaient pas assez nombreux.

— Nous manquons de matériel, dit-il. Dans toutes les armées du monde, on remplace généralement le manque de matériel par des hommes. Mais nous manquons d'hommes aussi.

— Il est venu des médecins de l'extérieur et du personnel sanitaire.

— Oui, dit Rieux. Dix médecins et une centaine d'hommes. C'est beaucoup, apparemment. C'est à peine assez pour l'état présent de la maladie. Ce sera insuffisant si l'épidémie s'étend.

Rieux prêta l'oreille aux bruits de l'intérieur, puis sourit à Rambert.

— Oui, dit-il, vous devriez vous dépêcher de réussir.

Une ombre passa sur le visage de Rambert :

— Vous savez, dit-il d'une voix sourde, ce n'est pas cela qui me fait partir.

Rieux répondit qu'il le savait, mais Rambert continuait :

— Je crois que je ne suis pas lâche, du moins la plupart du temps. J'ai eu l'occasion de l'éprouver. Seulement, il y a des idées que je ne peux pas supporter.

Le docteur le regarda en face.

— Vous la retrouverez, dit-il.

— Peut-être, mais je ne peux pas supporter l'idée que cela va durer et qu'elle vieillira pendant tout ce temps. A trente ans, on commence à vieillir et il faut profiter de tout. Je ne sais pas si vous pouvez comprendre.

Rieux murmurait qu'il croyait comprendre, lorsque Tarrou arriva, très animé.

— Je viens de demander à Paneloux de se joindre à nous.

— Eh bien? demanda le docteur.

— Il a réfléchi et il a dit oui.

— J'en suis content, dit le docteur. Je suis content de le savoir meilleur que son prêche.

— Tout le monde est comme ça, dit Tarrou. Il faut seulement leur donner l'occasion.

Il sourit et cligna de l'œil vers Rieux.

— C'est mon affaire à moi, dans la vie, de fournir des occasions.

— Pardonnez-moi, dit Rambert, mais il faut que je parte.

Le jeudi du rendez-vous, Rambert se rendit sous le porche de la cathédrale, cinq minutes avant huit heures. L'air était encore assez frais. Dans le ciel progressaient de petits nuages blancs et ronds que, tout à l'heure, la montée de la chaleur avalerait d'un coup. Une vague odeur d'humidité montait encore des pelouses, pourtant desséchées. Le soleil, derrière les maisons de l'est, réchauffait seulement le casque de la Jeanne d'Arc entièrement dorée qui garnit la place. Une horloge

sonna les huit coups. Rambert fit quelques pas sous le
porche désert. De vagues psalmodies lui parvenaient
de l'intérieur avec de vieux parfums de cave et d'encens.
Soudain, les chants se turent. Une dizaine de petites
formes noires sortirent de l'église et se mirent à trottiner
vers la ville. Rambert commença à s'impatienter.
D'autres formes noires faisaient l'ascension des grands
escaliers et se dirigeaient vers le porche. Il alluma une
cigarette, puis s'avisa que le lieu peut-être ne l'y autorisait pas.

A huit heures quinze, les orgues de la cathédrale
commencèrent à jouer en sourdine. Rambert entra
sous la voûte obscure. Au bout d'un moment, il put
apercevoir, dans la nef, les ombres noires qui étaient
passées devant lui. Elles étaient toutes réunies dans
un coin, devant une sorte d'autel improvisé où l'on
venait d'installer un saint Roch, hâtivement exécuté
dans un des ateliers de notre ville. Agenouillées, elles
semblaient s'être recroquevillées encore, perdues dans
la grisaille comme des morceaux d'ombre coagulée, à
peine plus épaisses, çà et là, que la brume dans laquelle
elles flottaient. Au-dessus d'elles, les orgues faisaient
des variations sans fin.

Lorsque Rambert sortit, Gonzalès descendait déjà
l'escalier et se dirigeait vers la ville.

— Je croyais que tu étais parti, dit-il au journaliste.
C'était normal.

Il expliqua qu'il avait attendu ses amis à un autre
rendez-vous qu'il leur avait donné, non loin de là, à
huit heures moins dix. Mais il les avait attendus vingt
minutes, en vain.

— Il y a un empêchement, c'est sûr. On n'est pas
toujours à l'aise dans le travail que nous faisons.

Il proposait un autre rendez-vous, le lendemain, à la

même heure, devant le monument aux morts. Rambert
soupira et rejeta son feutre en arrière.

— Ce n'est rien, conclut Gonzalès en riant. Pense un
peu à toutes les combinaisons, les descentes et les passes
qu'il faut faire avant de marquer un but.

— Bien sûr, dit encore Rambert. Mais la partie ne
dure qu'une heure et demie.

Le monument aux morts d'Oran se trouve sur le
seul endroit d'où l'on peut apercevoir la mer, une sorte
de promenade longeant, sur une assez courte distance,
les falaises qui dominent le port. Le lendemain, Rambert, premier au rendez-vous, lisait avec attention la
liste des morts aux champ d'honneur. Quelques minutes
après, deux hommes s'approchèrent, le regardèrent
avec indifférence, puis allèrent s'accouder au parapet de
la promenade et parurent tout à fait absorbés par la
contemplation des quais vides et déserts. Ils étaient
tous les deux de la même taille, vêtus tous les deux
d'un pantalon bleu et d'un tricot marine à manches
courtes. Le journaliste s'éloigna un peu, puis s'assit
sur un banc et put les regarder à loisir. Il s'aperçut
alors qu'ils n'avaient sans doute pas plus de vingt ans.
A ce moment, il vit Gonzalès qui marchait vers lui en
s'excusant.

« Voilà nos amis », dit-il, et il l'amena vers les deux
jeunes gens qu'il présenta sous les noms de Marcel et
de Louis. De face, ils se ressemblaient beaucoup et
Rambert estima qu'ils étaient frères.

— Voilà, dit Gonzalès. Maintenant la connaissance
est faite. Il faudra arranger l'affaire elle-même.

Marcel ou Louis dit alors que leur tour de garde
commençait dans deux jours, durait une semaine et
qu'il faudrait repérer le jour le plus commode. Ils étaient
quatre à garder la porte ouest et les deux autres étaient

des militaires de carrière. Il n'était pas question de les
mettre dans l'affaire. Ils n'étaient pas sûrs et, d'ailleurs,
cela augmenterait les frais. Mais il arrivait, certains soirs,
que les deux collègues allassent passer une partie de la
nuit dans l'arrière-salle d'un bar qu'ils connaissaient.
Marcel ou Louis proposait ainsi à Rambert de venir
s'installer chez eux, à proximité des portes, et d'attendre qu'on vînt le chercher. Le passage alors serait
tout à fait facile. Mais il fallait se dépêcher parce qu'on
parlait, depuis peu, d'installer des doubles postes à
l'extérieur de la ville.

Rambert approuva et offrit quelques-unes de ses
dernières cigarettes. Celui des deux qui n'avait pas encore
parlé demanda alors à Gonzalès si la question des frais
était réglée et si l'on pouvait recevoir des avances.

— Non, dit Gonzalès, ce n'est pas la peine, c'est un
copain. Les frais seront réglés au départ.

On convint d'un nouveau rendez-vous. Gonzalès
proposa un dîner au restaurant espagnol, le surlendemain. De là, on pourrait se rendre à la maison des gardes.

— Pour la première nuit, dit-il à Rambert, je te tien-
drai compagnie.

Le lendemain, Rambert, remontant dans sa chambre,
croisa Tarrou dans l'escalier de l'hôtel.

— Je vais rejoindre Rieux, lui dit ce dernier, voulez-
vous venir?

— Je ne suis jamais sûr de ne pas le déranger, dit
Rambert après une hésitation.

— Je ne crois pas, il m'a beaucoup parlé de vous.
Le journaliste réfléchissait :

— Écoutez, dit-il. Si vous avez un moment après
dîner, même tard, venez au bar de l'hôtel tous les deux.

— Ça dépend de lui et de la peste, dit Tarrou.

A onze heures du soir, pourtant, Rieux et Tarrou

entrèrent dans le bar, petit et étroit. Une trentaine de
personnes s'y coudoyaient et parlaient à très haute voix.
Venus du silence de la ville empestée, les deux arrivants
s'arrêtèrent, un peu étourdis. Ils comprirent cette agitation en voyant qu'on servait encore des alcools. Rambert était à une extrémité du comptoir et leur faisait
signe du haut de son tabouret. Ils l'entourèrent, Tarrou
repoussant avec tranquillité un voisin bruyant.

— L'alcool ne vous effraie pas?

— Non, dit Tarrou, au contraire.

Rieux renifla l'odeur d'herbes amères de son verre.
Il était difficile de parler dans ce tumulte, mais Rambert
semblait surtout occupé à boire. Le docteur ne pouvait
pas juger encore s'il était ivre. A l'une des deux tables
qui occupaient le reste du local étroit où ils se tenaient,
un officier de marine, une femme à chaque bras, racontait
à un gros interlocuteur congestionné, une épidémie de
typhus au Caire : « Des camps, disait-il, on avait fait
des camps pour les indigènes, avec des tentes pour les
malades et, tout autour, un cordon de sentinelles qui
tiraient sur la famille, quand elle essayait d'apporter
en fraude des remèdes de bonne femme. C'était dur,
mais c'était juste. » A l'autre table, occupée par des
jeunes gens élégants, la conversation était incompréhensible et se perdait dans les mesures de *Saint
James Infirmary*, que déversait un pick-up haut per-
ché.

— Êtes-vous content? dit Rieux en élevant la voix.

— Ça s'approche, dit Rambert. Peut-être dans la
semaine.

— Dommage, cria Tarrou.

— Pourquoi?

Tarrou regarda Rieux.

— Oh! dit celui-ci, Tarrou dit cela parce qu'il pense

7*

que vous auriez pu nous être utile ici. Mais moi, je comprends trop bien votre désir de partir.

Tarrou offrit une autre tournée. Rambert descendit de son tabouret et le regarda en face pour la première fois :

— En quoi vous serais-je utile?

— Eh bien, dit Tarrou, en tendant la main vers son verre sans se presser, dans nos formations sanitaires.

Rambert reprit cet air de réflexion butée qui lui était habituel et remonta sur son tabouret.

— Ces formations ne vous paraissent-elles pas utiles? dit Tarrou qui venait de boire et regardait Rambert attentivement.

— Très utiles, dit le journaliste, et il but.

Rieux remarqua que sa main tremblait. Il pensa que décidément, oui, il était tout à fait ivre.

Le lendemain, lorsque Rambert entra pour la deuxième fois dans le restaurant espagnol, il passa au milieu d'un petit groupe d'hommes qui avaient sorti des chaises devant l'entrée et goûtaient un soir vert et or où la chaleur commençait seulement de s'affaisser. Ils fumaient un tabac à l'odeur âcre. A l'intérieur, le restaurant était presque désert. Rambert alla s'asseoir à la table du fond où il avait rencontré Gonzalès, la première fois. Il dit à la serveuse qu'il attendrait. Il était dix-neuf heures trente. Peu à peu, les hommes rentrèrent dans la salle à manger et s'installèrent. On commença à les servir et la voûte surbaissée s'emplit de bruits de couverts et de conversations sourdes. A vingt heures, Rambert attendait toujours. On donna de la lumière. De nouveaux clients s'installèrent à sa table. Il commanda son dîner. A vingt heures trente, il avait terminé sans avoir vu Gonzalès, ni les deux jeunes gens. Il fuma des cigarettes. La salle se vidait lentement. Au-dehors, la nuit tombait très rapidement. Un souffle tiède qui venait de la mer soulevait doucement les rideaux des portes-fenêtres. Quand il fut vingt-et-une heures, Rambert s'aperçut que la salle était vide et que la serveuse le regardait avec étonnement. Il paya et sortit. Face au restaurant, un café était ouvert. Rambert s'installa au comptoir et surveilla l'entrée du restaurant. A vingt-et-une heures trente, il se dirigea vers son hôtel, cherchant en vain comment rejoindre Gonzalès dont il n'avait pas l'adresse, le cœur désemparé à l'idée de toutes les démarches qu'il faudrait reprendre.

C'est à ce moment, dans la nuit traversée d'ambulances fugitives, qu'il s'aperçut, comme il devait le dire au docteur Rieux, que pendant tout ce temps il avait en quelque sorte oublié sa femme, pour s'appliquer tout entier à la recherche d'une ouverture dans les murs qui le séparaient d'elle. Mais c'est à ce moment aussi que, toutes les voies une fois de plus bouchées, il la retrouva de nouveau au centre de son désir, et avec un si soudain éclatement de douleur qu'il se mit à courir vers son hôtel, pour fuir cette atroce brûlure qu'il emportait pourtant avec lui et qui lui mangeait les tempes.

Très tôt, le lendemain, il vint voir cependant Rieux, pour lui demander comment trouver Cottard :

— Tout ce qui me reste à faire, dit-il, c'est de suivre à nouveau la filière.

— Venez demain soir, dit Rieux, Tarrou m'a demandé d'inviter Cottard, je ne sais pourquoi. Il doit venir à dix heures. Arrivez à dix heures et demie.

Lorsque Cottard arriva chez le docteur, le lendemain, Tarrou et Rieux parlaient d'une guérison inattendue qui avait eu lieu dans le service de ce dernier.

— Un sur dix. Il a eu de la chance, disait Tarrou.

— Ah! bon, dit Cottard, ce n'était pas la peste.

On l'assura qu'il s'agissait bien de cette maladie.

— Ce n'est pas possible puisqu'il est guéri. Vous le savez aussi bien que moi, la peste ne pardonne pas.

— En général, non, dit Rieux. Mais avec un peu d'entêtement, on a des surprises.

Cottard riait.

— Il n'y paraît pas. Vous avez entendu les chiffres, ce soir?

Tarrou, qui regardait le rentier avec bienveillance, dit qu'il connaissait les chiffres, que la situation était grave, mais qu'est-ce que cela prouvait? Cela prouvait qu'il fallait des mesures encore plus exceptionnelles.

— Eh! Vous les avez déjà prises.

— Oui, mais il faut que chacun les prenne pour son compte.

Cottard regardait Tarrou sans comprendre. Celui-ci dit que trop d'hommes restaient inactifs, que l'épidémie était l'affaire de chacun et que chacun devait faire son devoir. Les formations volontaires étaient ouvertes à tous.

— C'est une idée, dit Cottard, mais ça ne servira à rien. La peste est trop forte.

— Nous le saurons, dit Tarrou sur le ton de la patience, quand nous aurons tout essayé.

Pendant ce temps, Rieux à son bureau recopiait des fiches. Tarrou regardait toujours le rentier qui s'agitait sur sa chaise.

— Pourquoi ne viendriez-vous pas avec nous, monsieur Cottard?

L'autre se leva d'un air offensé, prit son chapeau rond à la main :

— Ce n'est pas mon métier.

Puis sur un ton de bravade :

— D'ailleurs je m'y trouve bien, moi, dans la peste,

et je ne vois pas pourquoi je me mêlerais de la faire cesser.

Tarrou se frappa le front, comme illuminé par une vérité soudaine :

— Ah! c'est vrai, j'oubliais, vous seriez arrêté sans cela.

Cottard eut un haut-le-corps et se saisit de la chaise comme s'il allait tomber. Rieux avait cessé d'écrire et le regardait d'un air sérieux et intéressé.

— Qui vous l'a dit? cria le rentier.

Tarrou parut surpris et dit :

— Mais vous. Ou du moins, c'est ce que le docteur et moi avons cru comprendre.

Et comme Cottard, envahi tout à coup d'une rage trop forte pour lui, bredouillait des paroles incompréhensibles :

— Ne vous énervez pas, ajouta Tarrou. Ce n'est pas le docteur ni moi qui vous dénoncerons. Votre histoire ne nous regarde pas. Et puis, la police, nous n'avons jamais aimé ça. Allons, asseyez-vous.

Le rentier regarda sa chaise et s'assit, après une hésitation. Au bout d'un moment, il soupira.

— C'est une vieille histoire, reconnut-il, qu'ils ont ressortie. Je croyais que c'était oublié. Mais il y en a un qui a parlé. Ils m'ont fait appeler et m'ont dit de me tenir à leur disposition jusqu'à la fin de l'enquête. J'ai compris qu'ils finiraient par m'arrêter.

— C'est grave? demanda Tarrou.

— Ça dépend de ce que vous voulez dire. Ce n'est pas un meurtre en tout cas.

— Prison ou travaux forcés?

Cottard paraissait très abattu.

— Prison, si j'ai de la chance...

Mais après un moment, il reprit avec véhémence :

— C'est une erreur. Tout le monde fait des erreurs. Et je ne peux pas supporter l'idée d'être enlevé pour ça, d'être séparé de ma maison, de mes habitudes, de tous ceux que je connais.

— Ah! demanda Tarrou, c'est pour ça que vous avez inventé de vous pendre?

— Oui, une bêtise, bien sûr.

Rieux parla pour la première fois et dit à Cottard qu'il comprenait son inquiétude, mais que tout s'arrangerait peut-être.

— Oh! pour le moment, je sais que je n'ai rien à craindre.

— Je vois, dit Tarrou, vous n'entrerez pas dans nos formations.

L'autre, qui tournait son chapeau entre ses mains, leva vers Tarrou un regard incertain :

— Il ne faut pas m'en vouloir.

— Sûrement pas. Mais essayez au moins, dit Tarrou en souriant, de ne pas propager volontairement le microbe.

Cottard protesta qu'il n'avait pas voulu la peste, qu'elle était arrivée comme ça et que ce n'était pas sa faute si elle arrangeait ses affaires pour le moment. Et quand Rambert arriva à la porte, le rentier ajoutait, avec beaucoup d'énergie dans la voix :

— Du reste, mon idée est que vous n'arriverez à rien.

Rambert apprit que Cottard ignorait l'adresse de Gonzalès, mais qu'on pouvait toujours retourner au petit café. On prit rendez-vous pour le lendemain. Et comme Rieux manifesta le désir d'être renseigné, Rambert l'invita avec Tarrou pour la fin de la semaine à n'importe quelle heure de la nuit, dans sa chambre.

Au matin, Cottard et Rambert allèrent au petit café et laissèrent à Garcia un rendez-vous pour le soir, ou le lendemain en cas d'empêchement. Le soir, ils l'atten-

dirent en vain. Le lendemain, Garcia était là. Il écouta
en silence l'histoire de Rambert. Il n'était pas au courant,
mais il savait qu'on avait consigné des quartiers entiers
pendant vingt-quatre heures afin de procéder à des
vérifications domiciliaires. Il était possible que Gonzalès
et les deux jeunes gens n'eussent pu franchir les barrages.
Mais tout ce qu'il pouvait faire était de les mettre en
rapport à nouveau avec Raoul. Naturellement, ce ne
serait pas avant le surlendemain.

— Je vois, dit Rambert, il faut tout recommencer.

Le surlendemain, au coin d'une rue, Raoul confirma
l'hypothèse de Garcia; les bas quartiers avaient été
consignés. Il fallait reprendre contact avec Gonzalès.
Deux jours après, Rambert déjeunait avec le joueur de
football.

— C'est idiot, disait celui-ci. On aurait dû convenir
d'un moyen de se retrouver.

C'était aussi l'avis de Rambert.

— Demain matin, nous irons chez les petits, on
tâchera de tout arranger.

Le lendemain, les petits n'étaient pas chez eux. On
leur laissa un rendez-vous pour le lendemain midi,
place du Lycée. Et Rambert rentra chez lui avec une
expression qui frappa Tarrou, lorsqu'il le rencontra
dans l'après-midi.

— Ça ne va pas? lui demanda Tarrou.

— C'est à force de recommencer, dit Rambert.

Et il renouvela son invitation :

— Venez ce soir.

Le soir, quand les deux hommes pénétrèrent dans
la chambre de Rambert, celui-ci était étendu. Il se leva,
emplit des verres qu'il avait préparés. Rieux, prenant
le sien, lui demanda si c'était en bonne voie. Le journaliste dit qu'il avait fait à nouveau un tour complet,

qu'il était arrivé au même point et qu'il aurait bientôt son dernier rendez-vous. Il but et ajouta :

— Naturellement, ils ne viendront pas.

— Il ne faut pas en faire un principe, dit Tarrou.

— Vous n'avez pas encore compris, répondit Rambert, en haussant les épaules.

— Quoi donc?

— La peste.

— Ah! fit Rieux.

— Non, vous n'avez pas compris que ça consiste à recommencer.

Rambert alla dans un coin de sa chambre et ouvrit un petit phonographe.

— Quel est ce disque? demanda Tarrou. Je le connais.

Rambert répondit que c'était *Saint James Infirmary*.

Au milieu du disque, on entendit deux coups de feu claquer au loin.

— Un chien ou une évasion, dit Tarrou.

Un moment après, le disque s'acheva et l'appel d'une ambulance se précisa, grandit, passa sous les fenêtres de la chambre d'hôtel, diminua, puis s'éteignit enfin.

— Ce disque n'est pas drôle, dit Rambert. Et puis cela fait bien dix fois que je l'entends aujourd'hui.

— Vous l'aimez tant que cela?

— Non, mais je n'ai que celui-là.

Et après un moment :

— Je vous dis que ça consiste à recommencer.

Il demanda à Rieux comment marchaient les formations. Il y avait cinq équipes au travail. On espérait en former d'autres. Le journaliste s'était assis sur son lit et paraissait préoccupé par ses ongles. Rieux examinait sa silhouette courte et puissante, ramassée sur le bord du lit. Il s'aperçut tout d'un coup que Rambert le regardait.

— Vous savez, docteur, dit-il, j'ai beaucoup pensé à
votre organisation. Si je ne suis pas avec vous, c'est que
j'ai mes raisons. Pour le reste, je crois que je saurais
encore payer de ma personne, j'ai fait la guerre d'Espagne.

— De quel côté? demanda Tarrou.

— Du côté des vaincus. Mais depuis, j'ai un peu
réfléchi.

— A quoi? fit Tarrou.

— Au courage. Maintenant je sais que l'homme est
capable de grandes actions. Mais s'il n'est pas capable
d'un grand sentiment, il ne m'intéresse pas.

— On a l'impression qu'il est capable de tout, dit
Tarrou.

— Mais non, il est incapable de souffrir ou d'être
heureux longtemps. Il n'est donc capable de rien qui
vaille.

Il les regardait, et puis :

— Voyons, Tarrou, êtes-vous capable de mourir pour
un amour?

— Je ne sais pas, mais il me semble que non, maintenant.

— Voilà. Et vous êtes capable de mourir pour une
idée, c'est visible à l'œil nu. Eh bien, moi, j'en ai assez
des gens qui meurent pour une idée. Je ne crois pas à
l'héroïsme, je sais que c'est facile et j'ai appris que
c'était meurtrier. Ce qui m'intéresse, c'est qu'on vive
et qu'on meure de ce qu'on aime.

Rieux avait écouté le journaliste avec attention. Sans
cesser de le regarder, il dit avec douceur :

— L'homme n'est pas une idée, Rambert.

L'autre sautait de son lit, le visage enflammé de
passion.

— C'est une idée, et une idée courte, à partir du
moment où il se détourne de l'amour. Et justement,

nous ne sommes plus capables d'amour. Résignons-
nous, docteur. Attendons de le devenir et si vraiment
ce n'est pas possible, attendons la délivrance générale
sans jouer au héros. Moi, je ne vais pas plus loin.

Rieux se leva, avec un air de soudaine lassitude.

— Vous avez raison, Rambert, tout à fait raison, et
pour rien au monde je ne voudrais vous détourner de
ce que vous allez faire, qui me paraît juste et bon. Mais
il faut cependant que je vous le dise : il ne s'agit pas
d'héroïsme dans tout cela. Il s'agit d'honnêteté. C'est
une idée qui peut faire rire, mais la seule façon de lutter
contre la peste, c'est l'honnêteté.

— Qu'est-ce que l'honnêteté, dit Rambert, d'un air
soudain sérieux.

— Je ne sais pas ce qu'elle est en général. Mais dans
mon cas, je sais qu'elle consiste à faire mon métier.

— Ah! dit Rambert, avec rage, je ne sais pas quel est
mon métier. Peut-être en effet suis-je dans mon tort
en choisissant l'amour.

Rieux lui fit face :

— Non, dit-il avec force, vous n'êtes pas dans votre tort.

Rambert les regardait pensivement.

— Vous deux, je suppose que vous n'avez rien à perdre
dans tout cela. C'est plus facile d'être du bon côté.

Rieux vida son verre.

— Allons, dit-il, nous avons à faire.

Il sortit.

Tarrou le suivit, mais parut se raviser au moment
de sortir, se retourna vers le journaliste et lui dit :

— Savez-vous que la femme de Rieux se trouve dans
une maison de santé à quelques centaines de kilomètres
d'ici?

Rambert eut un geste de surprise, mais Tarrou était
déjà parti.

A la première heure, le lendemain, Rambert téléphonait au docteur :

— Accepteriez-vous que je travaille avec vous jusqu'à
ce que j'aie trouvé le moyen de quitter la ville?

Il y eut un silence au bout du fil, et puis :

— Oui, Rambert. Je vous remercie.

III

AINSI, à longueur de semaine, les prisonniers de la peste se débattirent comme ils le purent. Et quelques-uns d'entre eux, comme Rambert, arrivaient même à imaginer, on le voit, qu'ils agissaient encore en hommes libres, qu'ils pouvaient encore choisir. Mais, en fait, on pouvait dire à ce moment, au milieu du mois d'août, que la peste avait tout recouvert. Il n'y avait plus alors de destins individuels, mais une histoire collective qui était la peste et des sentiments partagés par tous. Le plus grand était la séparation et l'exil, avec ce que cela comportait de peur et de révolte. Voilà pourquoi le narrateur croit qu'il convient, à ce sommet de la chaleur et de la maladie, de décrire la situation générale et à titre d'exemple, les violences de nos concitoyens vivants, les enterrements des défunts et la souffrance des amants séparés.

C'est au milieu de cette année-là que le vent se leva et souffla pendant plusieurs jours sur la cité empestée. Le vent est particulièrement redouté des habitants d'Oran parce qu'il ne rencontre aucun obstacle naturel sur le plateau où elle est construite et qu'il s'engouffre ainsi dans les rues avec toute sa violence. Après ces longs mois où pas une goutte d'eau n'avait rafraîchi la ville, elle s'était couverte d'un enduit gris qui s'écailla sous le souffle du vent. Ce dernier soulevait ainsi des vagues de poussière et de papiers qui battaient les jambes des promeneurs devenus plus rares. On les voyait se hâter par les rues, courbés en avant, un mouchoir ou la main sur la bouche. Le soir, au lieu des rassemblements où l'on tentait de prolonger le plus possible ces jours dont chacun pouvait être le dernier, on rencontrait de petits groupes de gens pressés de rentrer chez eux ou dans des cafés, si bien que pendant quelques jours, au crépuscule qui arrivait bien plus vite à cette époque, les rues étaient désertes et le vent seul y poussait des plaintes continues. De la mer soulevée et toujours invisible montait une odeur d'algues et de sel. Cette ville déserte, blanchie de poussière, saturée d'odeurs marines, toute sonore des cris du vent, gémissait alors comme une île malheureuse.

Jusqu'ici la peste avait fait beaucoup plus de victimes dans les quartiers extérieurs, plus peuplés et moins confortables, que dans le centre de la ville. Mais elle sembla tout d'un coup se rapprocher et s'installer aussi dans les quartiers d'affaires. Les habitants accusaient le vent de transporter les germes d'infection. « Il brouille les cartes », disait le directeur de l'hôtel. Mais quoi qu'il en fût, les quartiers du centre savaient que leur tour était venu en entendant vibrer tout près d'eux, dans la nuit, et de plus en plus fréquemment, le timbre des ambulances qui faisait résonner sous leurs fenêtres l'appel morne et sans passion de la peste.

A l'intérieur même de la ville, on eut l'idée d'isoler certains quartiers particulièrement éprouvés et de n'autoriser à en sortir que les hommes dont les services étaient indispensables. Ceux qui y vivaient jusque-là ne purent s'empêcher de considérer cette mesure comme une brimade spécialement dirigée contre eux, et **dans**

tous les cas, ils pensaient par contraste aux habitants
des autres quartiers comme à des hommes libres. Ces
derniers, en revanche, dans leurs moments difficiles,
trouvaient une consolation à imaginer que d'autres
étaient encore moins libres qu'eux. « Il y a toujours plus
prisonnier que moi » était la phrase qui résumait alors
le seul espoir possible.

A peu près à cette époque, il y eut aussi une recrudescence d'incendies, surtout dans les quartiers de
plaisance, aux portes ouest de la ville. Renseignements
pris, il s'agissait de personnes revenues de quarantaine
et qui, affolés par le deuil et le malheur, mettaient le
feu à leur maison dans l'illusion qu'elles y faisaient mourir
la peste. On eut beaucoup de mal à combattre ces entreprises dont la fréquence soumettait des quartiers entiers
à un perpétuel danger en raison du vent violent. Après
avoir démontré en vain que la désinfection des maisons
opérée par les autorités suffisait à exclure tout risque
de contamination, il fallut édicter des peines très sévères
contre ces incendiaires innocents. Et sans doute, ce
n'était pas l'idée de la prison qui fit alors reculer ces
malheureux, mais la certitude commune à tous les habitants qu'une peine de prison équivalait à une peine de
mort par suite de l'excessive mortalité qu'on relevait
dans la geôle municipale. Bien entendu, cette croyance
n'était pas sans fondement. Pour des raisons évidentes,
il semblait que la peste s'acharnât particulièrement sur
tous ceux qui avaient pris l'habitude de vivre en groupes,
soldats, religieux ou prisonniers. Malgré l'isolement
de certains détenus, une prison est une communauté,
et, ce qui le prouve bien, c'est que dans notre prison municipale les gardiens, autant que les prisonniers, payaient leur tribut à la maladie. Du point de vue
supérieur de la peste, tout le monde, depuis le direc-

teur jusqu'au dernier détenu, était condamné et, pour
la première fois peut-être, il régnait dans la prison une
justice absolue.

C'est en vain que les autorités essayèrent d'introduire
de la hiérarchie dans ce nivellement, en concevant l'idée
de décorer les gardiens de prison morts dans l'exercice
de leurs fonctions. Comme l'état de siège était décrété
et que, sous un certain angle, on pouvait considérer que
les gardiens de prison étaient des mobilisés, on leur
donna la médaille militaire à titre posthume. Mais si
les détenus ne laissèrent entendre aucune protestation,
les milieux militaires ne prirent pas bien la chose et
firent remarquer à juste titre qu'une confusion regrettable pouvait s'établir dans l'esprit du public. On fit
droit à leur demande et on pensa que le plus simple
était d'attribuer aux gardiens qui mourraient la médaille
de l'épidémie. Mais pour les premiers, le mal était fait,
on ne pouvait songer à leur retirer la décoration, et les
milieux militaires continuèrent à maintenir leur point
de vue. D'autre part, en ce qui concerne la médaille
des épidémies, elle avait l'inconvénient de ne pas produire l'effet moral qu'on avait obtenu par l'attribution
d'une décoration militaire, puisqu'en temps d'épidémie
il était banal d'obtenir une décoration de ce genre.
Tout le monde fut mécontent.

De plus, l'administration pénitentiaire ne put opérer
comme les autorités religieuses et, dans une moindre
mesure, militaire. Les moines des deux seuls couvents
de la ville avaient été, en effet, dispersés et logés provisoirement dans des familles pieuses. De même, chaque
fois que cela fut possible, des petites compagnies avaient
été détachées des casernes et mises en garnison dans
des écoles ou des immeubles publics. Ainsi la maladie
qui, apparemment, avait forcé les habitants à une soli-

darité d'assiégés, brisait en même temps les associations
traditionnelles et renvoyait les individus à leur solitude.
Cela faisait du désarroi.

On peut penser que toutes ces circonstances, ajoutées
au vent, portèrent aussi l'incendie dans certains esprits.
Les portes de la ville furent attaquées de nouveau pendant
la nuit, et à plusieurs reprises, mais cette fois par de
petits groupes armés. Il y eut des échanges de coups
de feu, des blessés et quelques évasions. Les postes de
garde furent renforcés et ces tentatives cessèrent assez
rapidement. Elles suffirent, cependant, pour faire lever
dans la ville un souffle de révolution qui provoqua
quelques scènes de violence. Des maisons, incendiées
ou fermées pour des raisons sanitaires, furent pillées.
A vrai dire, il est difficile de supposer que ces actes aient
été prémédités. La plupart du temps, une occasion
subite amenait des gens, jusque-là honorables, à des
actions répréhensibles qui furent imitées sur-le-champ.
Il se trouva ainsi des forcenés pour se précipiter dans
une maison encore en flammes, en présence du proprié-
taire lui-même, hébété par la douleur. Devant son indifférence, l'exemple des premiers fut suivi par beaucoup
de spectateurs et, dans cette rue obscure, à la lueur de
l'incendie, on vit s'enfuir de toutes parts des ombres
déformées par les flammes mourantes et par les objets
ou les meubles qu'elles portaient sur les épaules. Ce furent
ces incidents qui forcèrent les autorités à assimiler
l'état de peste à l'état de siège et à appliquer les lois qui
en découlent. On fusilla deux voleurs, mais il est douteux que cela fît impression sur les autres, car au milieu
de tant de morts, ces deux exécutions passèrent inaper-
çues : c'était une goutte d'eau dans la mer. Et, à la vérité,
des scènes semblables se renouvelèrent assez souvent
sans que les autorités fissent mine d'intervenir. La seule

mesure qui sembla impressionner tous les habitants fut l'institution du couvre-feu. A partir de onze heures, plongée dans la nuit complète, la ville était de pierre.

Sous les ciels de lune, elle alignait ses murs blanchâtres et ses rues rectilignes, jamais tachées par la masse noire d'un arbre, jamais troublées par le pas d'un promeneur ni le cri d'un chien. La grande cité silencieuse n'était plus alors qu'un assemblage de cubes massifs et inertes, entre lesquels les effigies taciturnes de bienfaiteurs oubliés ou d'anciens grands hommes étouffés à jamais dans le bronze s'essayaient seules, avec leurs faux visages de pierre ou de fer, à évoquer une image dégradée de ce qui avait été l'homme. Ces idoles médiocres trônaient sous un ciel épais, dans les carrefours sans vie, brutes insensibles qui figuraient assez bien le règne immobile où nous étions entrés ou du moins son ordre ultime, celui d'une nécropole où la peste, la pierre et la nuit auraient fait taire enfin toute voix.

Mais la nuit était aussi dans tous les cœurs et les vérités comme les légendes qu'on rapportait au sujet des enterrements n'étaient pas faites pour rassurer nos concitoyens. Car il faut bien parler des enterrements et le narrateur s'en excuse. Il sent bien le reproche qu'on pourrait lui faire à cet égard, mais sa seule justification est qu'il y eut des enterrements pendant toute cette époque et que, d'une certaine manière, on l'a obligé, comme on a obligé tous ses concitoyens, à se préoccuper des enterrements. Ce n'est pas, en tout cas, qu'il ait du goût pour ces sortes de cérémonies, préférant au contraire la société des vivants et, pour donner un exemple, les bains de mer. Mais, en somme, les bains de mer avaient été supprimés et la société des vivants craignait à longueur de journée d'être obligée de céder le pas à la société des morts. C'était là l'évidence. Bien entendu, on pouvait toujours s'efforcer de ne pas la voir, se boucher les yeux et la refuser, mais l'évidence a une force terrible qui finit toujours par tout emporter. Le moyen, par exemple, de refuser les enterrements, le jour où ceux que vous aimez ont besoin des enterrements?

Eh bien, ce qui caractérisait au début nos cérémonies c'était la rapidité! Toutes les formalités avaient été simplifiées et d'une manière générale la pompe funéraire avait été supprimée. Les malades mouraient loin de leur famille et on avait interdit les veillées rituelles, si bien que celui qui était mort dans la soirée passait sa nuit tout seul et celui qui mourait dans la journée était enterré sans délai. On avisait la famille, bien entendu, mais dans la plupart des cas, celle-ci ne pouvait pas se déplacer, étant en quarantaine si elle avait vécu auprès du malade. Dans le cas où la famille n'habitait pas avec le défunt, elle se présentait à l'heure indiquée qui était celle du départ pour le cimetière, le corps ayant été lavé et mis en bière.

Supposons que cette formalité ait eu lieu à l'hôpital auxiliaire dont s'occupait le docteur Rieux. L'école avait une sortie placée derrière le bâtiment principal. Un grand débarras donnant sur le couloir contenait des cercueils. Dans le couloir même, la famille trouvait un seul cercueil déjà fermé. Aussitôt, on passait au plus important, c'est-à-dire qu'on faisait signer des papiers au chef de famille. On chargeait ensuite le corps dans une voiture automobile qui était soit un vrai fourgon, soit une grande ambulance transformée. Les parents montaient dans un des taxis encore autorisés et, à toute vitesse, les voitures gagnaient le cimetière par des rues extérieures. A la porte, des gendarmes arrêtaient le convoi, donnaient un coup de tampon sur le laissez-passer officiel, sans lequel il était impossible d'avoir ce que nos concitoyens appellent une dernière demeure, s'effaçaient, et les voitures allaient se placer près d'un carré où de nombreuses fosses attendaient d'être comblées. Un prêtre accueillait le corps, car les services funèbres avaient été supprimés à l'église. On sortait la bière sous les prières, on la cordait, elle était traînée, elle glissait, butait contre le fond, le prêtre agitait son goupillon et déjà la première terre rebondissait sur le couvercle. L'ambulance était partie un peu avant pour se soumettre à un arrosage désinfectant et, pendant que les pelletées de glaise résonnaient de plus en plus sourdement, la famille s'engouffrait dans le taxi. Un quart d'heure après, elle avait retrouvé son domicile.

Ainsi, tout se passait vraiment avec le maximum de rapidité et le minimum de risques. Et sans doute, au début du moins, il est évident que le sentiment naturel des familles s'en trouvait froissé. Mais, en temps de peste, ce sont là des considérations dont il n'est pas possible de tenir compte : on avait tout sacrifié à l'efficacité. Du reste, si, au début, le moral de la population avait souffert de ces pratiques, car le désir d'être enterré décemment est plus répandu qu'on ne le croit, un peu plus tard, par bonheur, le problème du ravitaillement devint délicat et l'intérêt des habitants fut dérivé vers des préoccupations plus immédiates. Absorbés par les queues à faire, les démarches à accomplir et les formalités à remplir s'ils voulaient manger, les gens n'eurent pas le temps de songer à la façon dont on mourait autour d'eux et dont ils mourraient un jour. Ainsi, ces difficultés matérielles qui devaient être un mal se révélèrent un bienfait par la suite. Et tout aurait été pour le mieux, si l'épidémie ne s'était pas étendue, comme on l'a déjà vu.

Car les cercueils se firent alors plus rares, la toile manqua pour les linceuls et la place au cimetière. Il fallut aviser. Le plus simple, et toujours pour des raisons d'efficacité, parut de grouper les cérémonies et, lorsque la chose était nécessaire, de multiplier les voyages entre l'hôpital et le cimetière. Ainsi, en ce qui concerne le service de Rieux, l'hôpital disposait à ce moment de cinq cercueils. Une fois pleins, l'ambulance les chargeait. Au cimetière, les boîtes étaient vidées, les corps couleur de fer étaient chargés sur les brancards et attendaient dans un hangar, aménagé à cet effet. Les bières étaient arrosées d'une solution antiseptique, ramenées à l'hôpital, et l'opération recommençait autant de fois qu'il était nécessaire. L'organisation était donc très bonne et le préfet s'en montra satisfait. Il dit même à Rieux que cela valait mieux en fin de compte que les charrettes de morts conduites par des nègres, telles qu'on les retrouvait dans les chroniques des anciennes pestes.

— Oui, dit Rieux, c'est le même enterrement, mais nous, nous faisons des fiches. Le progrès est incontestable.

Malgré ces succès de l'administration, le caractère désagréable que revêtaient maintenant les formalités obligea la préfecture à écarter les parents de la cérémonie. On tolérait seulement qu'ils vinssent à la porte du cimetière et, encore, cela n'était pas officiel. Car, en ce qui concerne la dernière cérémonie, les choses avaient un peu changé. A l'extrémité du cimetière, dans un espace nu couvert de lentisques, on avait creusé deux immenses fosses. Il y avait la fosse des hommes et celle des femmes. De ce point de vue, l'administration respectait les convenances et ce n'est que bien plus tard que, par la force des choses, cette dernière pudeur disparut et qu'on enterra pêle-mêle, les uns sur les autres, hommes et femmes, sans souci de la décence. Heureusement, cette confusion ultime marqua seulement les derniers moments du fléau. Dans la période qui nous occupe, la séparation des fosses existait et la préfecture y tenait beaucoup. Au fond de chacune d'elles, une grosse épaisseur de chaux vive fumait et bouillonnait. Sur les bords du trou, un monticule de la même chaux laissait ses bulles éclater à l'air libre. Quand les voyages de l'ambulance étaient terminés, on amenait les brancards en cortège, on laissait glisser au fond, à peu près les uns à côté des autres, les corps dénudés et légèrement tordus et, à ce moment, on les recouvrait de chaux vive, puis de terre, mais jusqu'à une certaine hauteur seulement, afin de ménager la place des hôtes à venir. Le lendemain, les parents étaient invités à signer sur un registre, ce qui marquait la différence qu'il peut y avoir entre les hommes et, par exemple, les chiens : le contrôle était toujours possible.

Pour toutes ces opérations, il fallait du personnel et l'on était toujours à la veille d'en manquer. Beaucoup de ces infirmiers et de ces fossoyeurs d'abord officiels, puis improvisés, moururent de la peste. Quelque précaution que l'on prît, la contagion se faisait un jour. Mais à y bien réfléchir, le plus étonnant fut qu'on ne manqua jamais d'hommes pour faire ce métier, pendant tout le temps de l'épidémie. La période critique se plaça peu avant que la peste eût atteint son sommet et les inquiétudes du docteur Rieux étaient alors fondées. Ni pour les cadres, ni pour ce qu'il appelait les gros travaux, la main-d'œuvre n'était suffisante. Mais, à partir du moment où la peste se fut réellement emparée de toute la ville, alors son excès même entraîna des conséquences bien commodes, car elle désorganisa

toute la vie économique et suscita ainsi un nombre
considérable de chômeurs. Dans la plupart des cas, ils
ne fournissaient pas de recrutement pour les cadres,
mais quant aux basses œuvres, elles s'en trouvèrent
facilitées. A partir de ce moment, en effet, on vit toujours
la misère se montrer plus forte que la peur, d'autant
que le travail était payé en proportion des risques. Les
services sanitaires purent disposer d'une liste de solli-
citeurs et, dès qu'une vacance venait de se produire,
on avisait les premiers de la liste qui, sauf si dans l'intervalle ils étaient entrés eux aussi en vacances, ne manquaient pas de se présenter. C'est ainsi que le préfet
qui avait longtemps hésité à utiliser les condamnés,
à temps ou à vie, pour ce genre de travail, put éviter
d'en arriver à cette extrémité. Aussi longtemps qu'il
y aurait des chômeurs, il était d'avis qu'on pouvait
attendre.

Tant bien que mal, et jusqu'à la fin du mois d'août,
nos concitoyens purent donc être conduits à leur dernière demeure sinon décemment, du moins dans un ordre
suffisant pour que l'administration gardât la conscience
qu'elle accomplissait son devoir. Mais il faut anticiper
un peu sur la suite des événements pour rapporter les
derniers procédés auxquels il fallut recourir. Sur le
palier où la peste se maintint en effet à partir du mois
d'août, l'accumulation des victimes surpassa de beaucoup les possibilités que pouvait offrir notre petit cimetière. On eut beau abattre des pans de mur, ouvrir aux
morts une échappée sur les terrains environnants, il
fallut bien vite trouver autre chose. On se décida d'abord
à enterrer la nuit, ce qui, du coup, dispensa de prendre
certains égards. On put entasser les corps de plus en
plus nombreux dans les ambulances. Et les quelques
promeneurs attardés qui, contre toute règle, se trouvaient

8

encore dans les quartiers extérieurs après le couvre-feu
(ou ceux que leur métier y amenait) rencontraient parfois de longues ambulances blanches qui filaient à toute
allure, faisant résonner de leur timbre sans éclat les rues
creuses de la nuit. Hâtivement, les corps étaient jetés
dans les fosses. Ils n'avaient pas fini de basculer que les
pelletées de chaux s'écrasaient sur leurs visages et la
terre les recouvrait de façon anonyme, dans des trous
que l'on creusait de plus en plus profonds.

Un peu plus tard cependant, on fut obligé de chercher
ailleurs et de prendre encore du large. Un arrêté préfectoral expropria les occupants des concessions à perpé-
tuité et l'on achemina vers le four crématoire tous les
restes exhumés. Il fallut bientôt conduire les morts
de la peste eux-mêmes à la crémation. Mais on dut utiliser alors l'ancien four d'incinération qui se trouvait
à l'est de la ville, à l'extérieur des portes. On reporta
plus loin le piquet de garde et un employé de la mairie
facilita beaucoup la tâche des autorités en conseillant
d'utiliser les tramways qui, autrefois, desservaient la
corniche maritime, et qui se trouvaient sans emploi.
A cet effet, on aménagea l'intérieur des balladeuses et
des motrices en enlevant les sièges, et on détourna la
voie à hauteur du four, qui devint ainsi une tête de ligne.

Et pendant toute la fin de l'été, comme au milieu des
pluies de l'automne, on put voir le long de la corniche,
au cœur de chaque nuit, passer d'étranges convois de
tramways sans voyageurs, brinqueballant au-dessus de
la mer. Les habitants avaient fini par savoir ce qu'il en
était. Et malgré les patrouilles qui interdisaient l'accès
de la corniche, des groupes parvenaient à se glisser bien
souvent dans les rochers qui surplombent les vagues,
et à lancer des fleurs dans les balladeuses, au passage
des tramways. On entendait alors les véhicules cahoter

encore dans la nuit d'été, avec leur chargement de fleurs et de morts.

Vers le matin, en tout cas, les premiers jours, une vapeur épaisse et nauséabonde planait sur les quartiers orientaux de la ville. De l'avis de tous les médecins, ces exhalaisons, quoique désagréables, ne pouvaient nuire à personne. Mais les habitants de ces quartiers menacèrent aussitôt de les déserter, persuadés que la peste s'abattait ainsi sur eux du haut du ciel, si bien qu'on fut obligé de détourner les fumées par un système de canalisations compliquées et les habitants se calmèrent. Les jours de grand vent seulement, une vague odeur venue de l'est leur rappelait qu'ils étaient installés dans un nouvel ordre, et que les flammes de la peste dévoraient leur tribut chaque soir.

Ce furent là les conséquences extrêmes de l'épidémie. Mais il est heureux qu'elle ne se soit point accrue par la suite, car on peut penser que l'ingéniosité de nos bureaux, les dispositions de la préfecture et même la capacité d'absorption du four eussent peut-être été dépassées. Rieux savait qu'on avait prévu alors des solutions désespérées, comme le rejet des cadavres à la mer, et il imaginait aisément leur écume monstrueuse sur l'eau bleue. Il savait aussi que si les statistiques continuaient à monter, aucune organisation, si excellente fût-elle, n'y résisterait, que les hommes viendraient mourir dans l'entassement, pourrir dans la rue, malgré la préfecture, et que la ville verrait, sur les places publiques, les mourants s'accrocher aux vivants avec un mélange de haine légitime et de stupide espérance.

C'était ce genre d'évidence ou d'appréhensions, en tout cas, qui entretenait chez nos concitoyens le sentiment de leur exil et de leur séparation. A cet égard, le narrateur sait parfaitement combien il est regrettable de ne pouvoir rien rapporter ici qui soit vraiment spectaculaire, comme par exemple quelque héros réconfortant ou quelque action éclatante, pareils à ceux qu'on trouve dans les vieux récits. C'est que rien n'est moins spectaculaire qu'un fléau et, par leur durée même, les grands malheurs sont monotones. Dans le souvenir de ceux qui les ont vécues, les journées terribles de la peste n'apparaissaient pas comme de grandes flammes somptueuses et cruelles, mais plutôt comme un interminable piétinement qui écrasait tout sur son passage.

Non, la peste n'avait rien à voir avec les grandes images exaltantes qui avaient poursuivi le docteur Rieux au début de l'épidémie. Elle était d'abord une administration prudente et impeccable, au bon fonctionnement. C'est ainsi, soit dit entre parenthèses, que pour ne rien trahir et surtout pour ne pas se trahir lui-même, le narrateur a tendu à l'objectivité. Il n'a presque rien voulu modifier par les effets de l'art, sauf en ce qui concerne les besoins élémentaires d'une relation à peu près cohérente. Et c'est l'objectivité elle-même qui lui commande de dire maintenant que si la grande souffrance de cette époque, la plus générale comme la plus profonde, était la séparation, s'il est indispensable en conscience d'en donner une nouvelle description à ce stade de la peste, il n'en est pas moins vrai que cette souffrance elle-même perdait alors de son pathétique.

Nos concitoyens, ceux du moins qui avaient le plus souffert de cette séparation, s'habituaient-ils à la situation? Il ne serait pas tout à fait juste de l'affirmer. Il serait plus exact de dire qu'au moral comme au physique, ils souffraient de décharnement. Au début de la peste, ils se souvenaient très bien de l'être qu'ils avaient perdu et ils le regrettaient. Mais s'ils se souvenaient nettement du visage aimé, de son rire, de tel jour dont ils reconnaissaient après coup qu'il avait été heureux, ils imaginaient difficilement ce que l'autre pouvait faire à l'heure même où ils l'évoquaient et dans des lieux désormais si lointains. En somme, à ce moment-là ils avaient de la mémoire, mais une imagination insuffisante. Au deuxième stade de la peste, ils perdirent aussi la mémoire. Non qu'ils eussent oublié ce visage, mais, ce qui revient au même, il avait perdu sa chair, ils ne l'apercevaient plus à l'intérieur d'eux-mêmes. Et alors qu'ils avaient tendance à se plaindre, les premières semaines, de n'avoir plus affaire qu'à des ombres dans les choses de leur amour, ils s'aperçurent par la suite que ces ombres pouvaient encore devenir plus décharnées, en perdant jusqu'aux infimes couleurs que leur gardait le souvenir. Tout au bout de ce long temps de séparation, ils n'imaginaient plus cette intimité qui avait été la leur, ni comment avait pu vivre près d'eux un être sur lequel, à tout moment, ils pouvaient poser la main.

De ce point de vue, ils étaient entrés dans l'ordre même de la peste, d'autant plus efficace qu'il était plus médiocre. Personne, chez nous, n'avait plus de grands sentiments. Mais tout le monde éprouvait des sentiments monotones. « Il est temps que cela finisse », disaient nos concitoyens, parce qu'en période de fléau, il est normal de souhaiter la fin des souffrances collectives, et parce qu'en fait, ils souhaitaient que cela finît. Mais tout cela se disait sans la flamme ou l'aigre sentiment du début, et seulement avec les quelques raisons qui nous restaient encore claires, et qui étaient pauvres. Au grand élan farouche des premières semaines avait succédé un abattement qu'on aurait eu tort de prendre pour de la résignation, mais qui n'en était pas moins une sorte de consentement provisoire.

Nos concitoyens s'étaient mis au pas, ils s'étaient adaptés, comme on dit, parce qu'il n'y avait pas moyen de faire autrement. Ils avaient encore, naturellement, l'attitude du malheur et de la souffrance, mais ils n'en ressentaient plus la pointe. Du reste, le docteur Rieux, par exemple, considérait que c'était cela le malheur, justement, et que l'habitude du désespoir est pire que le désespoir lui-même. Auparavant, les séparés n'étaient pas réellement malheureux, il y avait dans leur souffrance une illumination qui venait de s'éteindre. A présent, on les voyait au coin des rues, dans les cafés ou chez leurs amis, placides et distraits, et l'œil si ennuyé que, grâce à eux, toute la ville ressemblait à une salle d'attente. Pour ceux qui avaient un métier, ils le faisaient à l'allure même de la peste, méticuleusement et sans éclat. Tout le monde était modeste. Pour la première fois, les séparés n'avaient pas de répugnance à parler de l'absent, à prendre le langage de tous, à examiner leur séparation sous le même angle que les statistiques de l'épidémie. Alors que, jusque-là, ils avaient soustrait farouchement leur souffrance au malheur collectif, ils acceptaient maintenant la confusion. Sans mémoire et sans espoir, ils s'installaient dans le présent. A la vérité, tout leur devenait présent. Il faut bien le dire, la peste avait enlevé à tous le pouvoir de l'amour et même de l'amitié. Car l'amour demande un peu d'avenir, et il n'y avait plus pour nous que des instants.

Bien entendu, rien de tout cela n'était absolu. Car s'il est vrai que tous les séparés en vinrent à cet état, il est juste d'ajouter qu'ils n'y arrivèrent pas tous en même temps et qu'aussi bien, une fois installés dans cette nouvelle attitude, des éclairs, des retours, de brusques lucidités ramenaient les patients à une sensibilité plus

jeune et plus douloureuse. Il y fallait ces moments de
distraction où ils formaient quelque projet qui impli-
quait que la peste eût cessé. Il fallait qu'ils ressentissent
inopinément, et par l'effet de quelque grâce, la morsure
d'une jalousie sans objet. D'autres trouvaient aussi des
renaissances soudaines, sortaient de leur torpeur certains jours de la semaine, le dimanche naturellement
et le samedi après-midi, parce que ces jours-là étaient
consacrés à certains rites, du temps de l'absent. Ou
bien encore, une certaine mélancolie qui les prenait à
la fin des journées leur donnait l'avertissement, pas
toujours confirmé d'ailleurs, que la mémoire allait leur
revenir. Cette heure du soir, qui pour les croyants est
celle de l'examen de conscience, cette heure est dure
pour le prisonnier ou l'exilé qui n'ont à examiner que
du vide. Elle les tenait suspendus un moment, puis ils
retournaient à l'atonie, ils s'enfermaient dans la peste.

On a déjà compris que cela consistait à renoncer à ce
qu'ils avaient de plus personnel. Alors que dans les
premiers temps de la peste, ils étaient frappés par la
somme de petites choses qui comptaient beaucoup
pour eux, sans avoir aucune existence pour les autres,
et ils faisaient ainsi l'expérience de la vie personnelle,
maintenant, au contraire, ils ne s'intéressaient qu'à ce
qui intéressait les autres, ils n'avaient plus que des idées
générales et leur amour même avait pris pour eux la
figure la plus abstraite. Ils étaient à ce point abandonnés
à la peste qu'il leur arrivait parfois de n'espérer plus
qu'en son sommeil et de se surprendre à penser : « Les
bubons, et qu'on en finisse! » Mais ils dormaient déjà
en vérité, et tout ce temps ne fut qu'un long sommeil.
La ville était peuplée de dormeurs éveillés qui n'échappaient réellement à leur sort que ces rares fois où, dans
la nuit, leur blessure apparemment fermée se rouvrait

brusquement. Et réveillés en sursaut, ils en tâtaient
alors, avec une sorte de distraction, les lèvres irritées,
retrouvant en un éclair leur souffrance, soudain rajeunie,
et, avec elle, le visage bouleversé de leur amour. Au
matin, ils revenaient au fléau, c'est-à-dire à la routine.

Mais de quoi, dira-t-on, ces séparés avaient-ils l'air?
Eh bien, cela est simple, ils n'avaient l'air de rien. Ou,
si on préfère, ils avaient l'air de tout le monde, un air
tout à fait général. Ils partageaient la placidité et les
agitations puériles de la cité. Ils perdaient les apparences du sens critique, tout en gagnant les apparences
du sang-froid. On pouvait voir, par exemple, les plus
intelligents d'entre eux faire mine de chercher comme
tout le monde dans les journaux, ou bien dans les émis-
sions radiophoniques, des raisons de croire à une fin
rapide de la peste, et concevoir apparemment des espoirs
chimériques, ou éprouver des craintes sans fondement,
à la lecture de considérations qu'un journaliste avait
écrites un peu au hasard, en bâillant d'ennui. Pour le
reste, ils buvaient leur bière ou soignaient leurs malades,
paressaient ou s'épuisaient, classaient des fiches ou faisaient tourner des disques sans se distinguer autrement
les uns des autres. Autrement dit, ils ne choisissaient
plus rien. La peste avait supprimé les jugements de
valeur. Et cela se voyait à la façon dont personne ne
s'occupait plus de la qualité des vêtements ou des ali-
ments qu'on achetait. On acceptait tout en bloc.

On peut dire pour finir que les séparés n'avaient plus
ce curieux privilège qui les préservait au début. Ils avaient
perdu l'égoïsme de l'amour, et le bénéfice qu'ils en
tiraient. Du moins, maintenant, la situation était claire,
le fléau concernait tout le monde. Nous tous, au milieu
des détonations qui claquaient aux portes de la ville,
des coups de tampon qui scandaient notre vie ou nos

décès, au milieu des incendies et des fiches, de la terreur
et des formalités, promis à une mort ignominieuse,
mais enregistrée, parmi les fumées épouvantables et les
timbres tranquilles des ambulances, nous nous nourris-
sions du même pain d'exil, attendant sans le savoir la
même réunion et la même paix bouleversantes. Notre
amour sans doute était toujours là, mais, simplement,
il était inutilisable, lourd à porter, inerte en nous, stérile
comme le crime ou la condamnation. Il n'était plus qu'une
patience sans avenir et une attente butée. Et de ce point
de vue, l'attitude de certains de nos concitoyens faisait
penser à ces longues queues aux quatre coins de la ville,
devant les boutiques d'alimentation. C'était la même
résignation et la même longanimité, à la fois illimitée
et sans illusions. Il faudrait seulement élever ce sentiment à une échelle mille fois plus grande en ce qui concerne la séparation, car il s'agissait alors d'une autre faim
et qui pouvait tout dévorer.

Dans tous les cas, à supposer qu'on veuille avoir une
idée juste de l'état d'esprit où se trouvaient les séparés
de notre ville, il faudrait de nouveau évoquer ces éternels
soirs dorés et poussiéreux, qui tombaient sur la cité
sans arbres, pendant qu'hommes et femmes se déversaient dans toutes les rues. Car, étrangement, ce qui
montait alors vers les terrasses encore ensoleillées, en
l'absence des bruits de véhicules et de machines qui font
d'ordinaire tout le langage des villes, ce n'était qu'une
énorme rumeur de pas et de voix sourdes, le douloureux
glissement de milliers de semelles rythmé par le sifflement du fléau dans le ciel alourdi, un piétinement interminable et étouffant enfin, qui remplissait peu à peu
toute la ville et qui, soir après soir, donnait sa voix la
plus fidèle et la plus morne à l'obstination aveugle qui,
dans nos cœurs, remplaçait alors l'amour.

IV

# I

PENDANT les mois de septembre et d'octobre, la peste garda la ville repliée sous elle. Puisqu'il s'agissait de piétinements, plusieurs centaines de milliers d'hommes piétinèrent encore, pendant des semaines qui n'en finissaient pas. La brume, la chaleur et la pluie se succédèrent dans le ciel. Des bandes silencieuses d'étourneaux et de grives, venant du sud, passèrent très haut, mais contournèrent la ville, comme si le fléau de Paneloux, l'étrange pièce de bois qui tournait en sifflant au-dessus des maisons, les tenait à l'écart. Au début d'octobre, de grandes averses balayèrent les rues. Et pendant tout ce temps, rien de plus important ne se produisit que ce piétinement énorme.

Rieux et ses amis découvrirent alors à quel point ils étaient fatigués. En fait, les hommes des formations sanitaires n'arrivaient plus à digérer cette fatigue. Le docteur Rieux s'en apercevait en observant sur ses amis et sur lui-même les progrès d'une curieuse indifférence. Par exemple, ces hommes qui, jusqu'ici, avaient montré un si vif intérêt pour toutes les nouvelles qui concernaient la peste ne s'en préoccupaient plus du tout. Rambert, qu'on avait chargé provisoirement de diriger une des maisons de quarantaine, installée depuis peu

dans son hôtel, connaissait parfaitement le nombre de
ceux qu'il avait en observation. Il était au courant des
moindres détails du système d'évacuation immédiate
qu'il avait organisé pour ceux qui montraient subitement des signes de la maladie. La statistique des effets
du sérum sur les quarantaines était gravée dans sa
mémoire. Mais il était incapable de dire le chiffre
hebdomadaire des victimes de la peste, il ignorait réellement si elle était en avance ou en recul. Et lui, malgré
tout, gardait l'espoir d'une évasion prochaine.

Quant aux autres, absorbés dans leur travail jour et
nuit, ils ne lisaient les journaux ni n'entendaient la radio.
Et si on leur annonçait un résultat, ils faisaient mine de
s'y intéresser, mais ils l'accueillaient en fait avec cette
indifférence distraite qu'on imagine aux combattants
des grandes guerres, épuisés de travaux, appliqués
seulement à ne pas défaillir dans leur devoir quotidien
et n'espérant plus ni l'opération décisive, ni le jour de
l'armistice.

Grand, qui continuait à effectuer les calculs nécessités
par la peste, eût certainement été incapable d'en indiquer les résultats généraux. Au contraire de Tarrou,
de Rambert et de Rieux, visiblement durs à la fatigue,
sa santé n'avait jamais été bonne. Or, il cumulait ses
fonctions d'auxiliaire à la mairie, son secrétariat chez
Rieux et ses travaux nocturnes. On pouvait le voir ainsi
dans un continuel état d'épuisement, soutenu par deux
ou trois idées fixes, comme celle de s'offrir des vacances
complètes après la peste, pendant une semaine au moins,
et de travailler alors de façon positive, « chapeau bas »,
à ce qu'il avait en train. Il était sujet aussi à de brusques
attendrissements et, dans ces occasions, il parlait volontiers de Jeanne à Rieux, se demandait où elle pouvait
être au moment même, et si, lisant les journaux, elle

pensait à lui. C'est avec lui que Rieux se surprit un jour à parler de sa propre femme sur le ton le plus banal, ce qu'il n'avait jamais fait jusque-là. Incertain du crédit qu'il fallait attacher aux télégrammes toujours rassurants de sa femme, il s'était décidé à câbler au médecin-chef de l'établissement où elle se soignait. En retour, il avait reçu l'annonce d'une aggravation dans l'état de la malade et l'assurance que tout serait fait pour enrayer les progrès du mal. Il avait gardé pour lui la nouvelle et il ne s'expliquait pas, sinon par la fatigue, comment il avait pu la confier à Grand. L'employé, après lui avoir parlé de Jeanne, l'avait questionné sur sa femme et Rieux avait répondu. « Vous savez, avait dit Grand, ça se guérit très bien maintenant. » Et Rieux avait acquiescé, disant simplement que la séparation commençait à être longue et que lui aurait peut-être aidé sa femme à triompher de sa maladie, alors qu'aujourd'hui, elle devait se sentir tout à fait seule. Puis il s'était tu et n'avait plus répondu qu'évasivement aux questions de Grand.

Les autres étaient dans le même état. Tarrou résistait mieux, mais ses carnets montrent que si sa curiosité n'avait pas diminué de profondeur, elle avait perdu de sa diversité. Pendant toute cette période, en effet, il ne s'intéressait apparemment qu'à Cottard. Le soir, chez Rieux, où il avait fini par s'installer depuis que l'hôtel avait été transformé en maison de quarantaine, c'est à peine s'il écoutait Grand ou le docteur énoncer les résultats. Il ramenait tout de suite la conversation sur les petits détails de la vie oranaise qui l'occupaient généralement.

Quant à Castel, le jour où il vint annoncer au docteur que le sérum était prêt, et après qu'ils eurent décidé de faire le premier essai sur le petit garçon de M. Othon qu'on venait d'amener à l'hôpital et dont le cas semblait désespéré à Rieux, celui-ci communiquait à son vieil ami les dernières statistiques, quand il s'aperçut que son interlocuteur s'était endormi profondément au creux de son fauteuil. Et devant ce visage où, d'habitude, un air de douceur et d'ironie mettait une perpétuelle jeunesse et qui, soudain abandonné, un filet de salive rejoignant les lèvres entrouvertes, laissait voir son usure et sa vieillesse, Rieux sentit sa gorge se serrer.

C'est à de telles faiblesses que Rieux pouvait juger de sa fatigue. Sa sensibilité lui échappait. Nouée la plupart du temps, durcie et desséchée, elle crevait de loin en loin et l'abandonnait à des émotions dont il n'avait plus la maîtrise. Sa seule défense était de se réfugier dans ce durcissement et de resserrer le nœud qui s'était formé en lui. Il savait bien que c'était la bonne manière de continuer. Pour le reste, il n'avait pas beaucoup d'illusions et sa fatigue lui ôtait celles qu'il conservait encore. Car il savait que, pour une période dont il n'apercevait pas le terme, son rôle n'était plus de guérir. Son rôle était de diagnostiquer. Découvrir, voir, décrire, enregistrer, puis condamner, c'était sa tâche. Des épouses lui prenaient le poignet et hurlaient : « Docteur, donnez-lui la vie ! » Mais il n'était pas là pour donner la vie, il était là pour ordonner l'isolement. A quoi servait la haine qu'il lisait alors sur les visages ? « Vous n'avez pas de cœur », lui avait-on dit un jour. Mais si, il en avait un. Il lui servait à supporter les vingt heures par jour où il voyait mourir des hommes qui étaient faits pour vivre. Il lui servait à recommencer tous les jours. Désormais, il avait juste assez de cœur pour ça. Comment ce cœur aurait-il suffi à donner la vie ?

Non, ce n'étaient pas des secours qu'il distribuait à longueur de journée, mais des renseignements. Cela ne pouvait pas s'appeler un métier d'homme, bien entendu.

Mais, après tout, à qui donc, parmi cette foule terrorisée et décimée, avait-on laissé le loisir d'exercer son métier d'homme? C'était encore heureux qu'il y eût la fatigue. Si Rieux avait été plus frais, cette odeur de mort partout répandue eût pu le rendre sentimental. Mais quand on n'a dormi que quatre heures, on n'est pas sentimental. On voit les choses comme elles sont, c'est-à-dire qu'on les voit selon la justice, la hideuse et dérisoire justice. Et les autres, les condamnés, le sentaient bien, eux aussi. Avant la peste, on le recevait comme un sauveur. Il allait tout arranger avec trois pilules et une seringue, et on lui serrait le bras en le conduisant le long des couloirs. C'était flatteur, mais dangereux. Maintenant, au contraire, il se présentait avec des soldats, et il fallait des coups de crosse pour que la famille se décidât à ouvrir. Ils auraient voulu l'entraîner et entraîner l'humanité entière avec eux dans la mort. Ah! Il était bien vrai que les hommes ne pouvaient pas se passer des hommes, qu'il était aussi démuni que ces malheureux et qu'il méritait ce même tremblement de pitié qu'il laissait grandir en lui lorsqu'il les avait quittés.

C'était, du moins, pendant ces interminables semaines, les pensées que le docteur Rieux agitait avec celles qui concernaient son état de séparé. Et c'était aussi celles dont il lisait les reflets sur le visage de ses amis. Mais le plus dangereux effet de l'épuisement qui gagnait, peu à peu, tous ceux qui continuaient cette lutte contre le fléau, n'était pas dans cette indifférence aux événements extérieurs et aux émotions des autres, mais dans la négligence où ils se laissaient aller. Car ils avaient tendance alors à éviter tous les gestes qui n'étaient pas absolument indispensables et qui leur paraissaient toujours au-dessus de leurs forces. C'est ainsi que ces hommes en vinrent à négliger de plus en plus souvent les règles

d'hygiène qu'ils avaient codifiées, à oublier quelques-
unes des nombreuses désinfections qu'ils devaient
pratiquer sur eux-mêmes, à courir quelquefois, sans
être prémunis contre la contagion, auprès des malades
atteints de peste pulmonaire, parce que, prévenus au
dernier moment qu'il fallait se rendre dans les maisons
infectées, il leur avait paru d'avance épuisant de retourner dans quelque local pour se faire les instillations
nécessaires. Là était le vrai danger, car c'était la lutte
elle-même contre la peste qui les rendait alors le plus
vulnérables à la peste. Ils pariaient en somme sur le
hasard et le hasard n'est à personne.

Il y avait pourtant dans la ville un homme qui ne paraissait ni épuisé ni découragé, et qui restait l'image vivante
de la satisfaction. C'était Cottard. Il continuait à se tenir
à l'écart, tout en maintenant ses rapports avec les autres.
Mais il avait choisi de voir Tarrou aussi souvent que le
travail de celui-ci le permettait, d'une part, parce que
Tarrou était bien renseigné sur son cas et, d'autre part,
parce qu'il savait accueillir le petit rentier avec une cor-
dialité inaltérable. C'était un miracle perpétuel, mais
Tarrou, malgré le labeur qu'il fournissait, restait toujours bienveillant et attentif. Même lorsque la fatigue
l'écrasait certains soirs, il retrouvait le lendemain une
nouvelle énergie. « Avec celui-là, avait dit Cottard à
Rambert, on peut causer, parce que c'est un homme.
On est toujours compris. »

C'est pourquoi les notes de Tarrou, à cette époque,
convergent peu à peu sur le personnage de Cottard.
Tarrou a essayé de donner un tableau des réactions et
des réflexions de Cottard, telles qu'elles lui étaient con-
fiées par ce dernier ou telles qu'il les interprétait. Sous
la rubrique « Rapports de Cottard et de la peste », ce
tableau occupe quelques pages du carnet et le narrateur

croit utile d'en donner ici un aperçu. L'opinion générale de Tarrou sur le petit rentier se résumait dans ce
jugement : « C'est un personnage qui grandit. » Apparemment du reste, il grandissait dans la bonne humeur.
Il n'était pas mécontent de la tournure que prenaient
les événements. Il exprimait quelquefois le fond de sa
pensée, devant Tarrou, par des remarques de ce genre :
« Bien sûr, ça ne va pas mieux. Mais, du moins, tout le
monde est dans le bain. »

« Bien entendu, ajoutait Tarrou, il est menacé comme
les autres, mais justement, il l'est avec les autres. Et
ensuite, il ne pense pas sérieusement, j'en suis sûr, qu'il
puisse être atteint par la peste. Il a l'air de vivre sur cette
idée, pas si bête d'ailleurs, qu'un homme en proie
à une grande maladie, ou à une angoisse profonde, est
dispensé du même coup de toutes les autres maladies
ou angoisses. « Avez-vous remarqué, m'a-t-il dit, qu'on
« ne peut pas cumuler les maladies ? Supposez que vous
« ayez une maladie grave ou incurable, un cancer sérieux
« ou une bonne tuberculose, vous n'attraperez jamais
« la peste ou le typhus, c'est impossible. Du reste, ça
« va encore plus loin, parce que vous n'avez jamais vu
« un cancéreux mourir d'un accident d'automobile. »
Vraie ou fausse, cette idée met Cottard en bonne humeur.
La seule chose qu'il ne veuille pas, c'est être séparé des
autres. Il préfère être assiégé avec tous que prisonnier
tout seul. Avec la peste, plus question d'enquêtes secrètes,
de dossiers, de fiches, d'instructions mystérieuses et
d'arrestation imminente. A proprement parler, il n'y
a plus de police, plus de crimes anciens ou nouveaux,
plus de coupables, il n'y a que des condamnés qui
attendent la plus arbitraire des grâces, et, parmi eux,
les policiers eux-mêmes. » Ainsi Cottard, et toujours
selon l'interprétation de Tarrou, était fondé à considérer

les symptômes d'angoisse et de désarroi que présentaient
nos concitoyens avec cette satisfaction indulgente et
compréhensive qui pouvait s'exprimer par un : « Parlez
toujours, je l'aie eue avant vous. »

« J'ai eu beau lui dire que la seule façon de ne pas être
séparé des autres, c'était après tout d'avoir une bonne
conscience, il m'a regardé méchamment et il m'a dit :
« Alors, à ce compte, personne n'est jamais avec per-
« sonne. » Et puis : « Vous pouvez y aller, c'est moi
« qui vous le dis. La seule façon de mettre les gens
« ensemble, c'est encore de leur envoyer la peste.
« Regardez donc autour de vous. » Et en vérité, je
comprends bien ce qu'il veut dire et combien la vie d'aujourd'hui doit lui paraître confortable. Comment ne
reconnaîtrait-il pas au passage les réactions qui ont été
les siennes; la tentative que chacun fait d'avoir tout le
monde avec soi; l'obligeance qu'on déploie pour ren-
seigner parfois un passant égaré et la mauvaise humeur
qu'on lui témoigne d'autres fois; la précipitation des
gens vers les restaurants de luxe, leur satisfaction de
s'y trouver et de s'y attarder; l'affluence désordonnée
qui fait queue, chaque jour, au cinéma, qui remplit
toutes les salles de spectacles et les dancings eux-mêmes,
qui se répand comme une marée déchaînée dans tous les
lieux publics; le recul devant tout contact, l'appétit
de chaleur humaine qui pousse cependant les hommes
les uns vers les autres, les coudes vers les coudes et les
sexes vers les sexes? Cottard a connu tout cela avant
eux, c'est évident. Sauf les femmes, parce qu'avec sa
tête... Et je suppose que lorsqu'il s'est senti près d'aller
chez les filles, il s'y est refusé, pour ne pas se donner un
mauvais genre qui, par la suite, eût pu le desservir.

« En somme, la peste lui réussit. D'un homme solitaire et qui ne voulait pas l'être, elle fait un complice.

Car visiblement c'est un complice et un complice qui
se délecte. Il est complice de tout ce qu'il voit, des
superstitions, des frayeurs illégitimes, des susceptibilités
de ces âmes en alerte; de leur manie de vouloir parler
le moins possible de la peste et de ne pas cesser cependant
d'en parler; de leur affolement et de leurs pâleurs au
moindre mal de tête depuis qu'ils savent que la maladie
commence par des céphalées; et de leur sensibilité
irritée, susceptible, instable enfin, qui transforme en
offense des oublis et qui s'afflige de la perte d'un bouton
de culotte. »

Il arrivait souvent à Tarrou de sortir le soir avec Cottard. Il racontait ensuite, dans ses carnets, comment ils
plongeaient dans la foule sombre des crépuscules ou
des nuits, épaule contre épaule, s'immergeant dans une
masse blanche et noire où, de loin en loin, une lampe
mettait de rares éclats, et accompagnant le troupeau
humain vers les plaisirs chaleureux qui le défendaient
contre le froid de la peste. Ce que Cottard, quelques
mois auparavant, cherchait dans les lieux publics, le
luxe et la vie ample, ce dont il rêvait sans pouvoir se
satisfaire, c'est-à-dire la jouissance effrénée, un peuple
entier s'y portait maintenant. Alors que le prix de
toutes choses montait irrésistiblement, on n'avait jamais
tant gaspillé d'argent, et quand le nécessaire manquait
à la plupart, on n'avait jamais mieux dissipé le superflu.
On voyait se multiplier tous les jeux d'une oisiveté
qui n'était pourtant que du chômage. Tarrou et Cottard
suivaient parfois, pendant de longues minutes, un de
ces couples qui, auparavant, s'appliquaient à cacher ce
qui les liait et qui, à présent, serrés l'un contre l'autre,
marchaient obstinément à travers la ville, sans voir la
foule qui les entourait, avec la distraction un peu fixe
des grandes passions. Cottard s'attendrissait : « Ah!

les gaillards! », disait-il. Et il parlait haut, s'épanouissait
au milieu de la fièvre collective, des pourboires royaux
qui sonnaient autour d'eux et des intrigues qui se nouaient
devant leurs yeux.

Cependant, Tarrou estimait qu'il entrait peu de
méchanceté dans l'attitude de Cottard. Son « J'ai connu
ça avant eux» marquait plus de malheur que de triomphe.
« Je crois, disait Tarrou, qu'il commence à aimer ces
hommes emprisonnés entre le ciel et les murs de leur
ville. Par exemple, il leur expliquerait volontiers, s'il le
pouvait, que ce n'est pas si terrible que ça : « Vous les
« entendez, m'a-t-il affirmé : après la peste je ferai ceci,
« après la peste je ferai cela... Ils s'empoisonnent l'exis-
« tence au lieu de rester tranquilles. Et ils ne se rendent
« même pas compte de leurs avantages. Est-ce que je
« pouvais dire, moi : après mon arrestation, je ferai
« ceci? L'arrestation est un commencement, ce n'est
« pas une fin. Tandis que la peste... Vous voulez mon
« avis? Ils sont malheureux parce qu'ils ne se laissent
« pas aller. Et je sais ce que je dis. »

« Il sait en effet ce qu'il dit, ajoutait Tarrou. Il juge
à leur vrai prix les contradictions des habitants d'Oran
qui, dans le même temps où ils ressentent profondément le besoin de chaleur qui les rapproche, ne peuvent
s'y abandonner cependant à cause de la méfiance qui
les éloigne les uns des autres. On sait trop bien qu'on ne
peut pas avoir confiance en son voisin, qu'il est capable
de vous donner la peste à votre insu et de profiter de
votre abandon pour vous infecter. Quand on a passé
son temps, comme Cottard, à voir des indicateurs possibles dans tous ceux de qui, pourtant, on recherchait
la compagnie, on peut comprendre ce sentiment. On
compatit très bien avec des gens qui vivent dans l'idée
que la peste peut, du jour au lendemain, leur mettre

la main sur l'épaule et qu'elle se prépare peut-être à le faire, au moment où l'on se réjouit d'être encore sain et sauf. Autant que cela est possible, il est à l'aise dans la terreur. Mais parce qu'il a ressenti tout cela avant eux, je crois qu'il ne peut pas éprouver tout à fait avec eux la cruauté de cette incertitude. En somme, avec nous tous qui ne sommes pas encore morts de la peste, il sent bien que sa liberté et sa vie sont tous les jours à la veille d'être détruites. Mais puisque lui-même a vécu dans la terreur, il trouve normal que les autres la connaissent à leur tour. Plus exactement, la terreur lui paraît alors moins lourde à porter que s'il y était tout seul. C'est en cela qu'il a tort et qu'il est plus difficile à comprendre que d'autres. Mais, après tout, c'est en cela qu'il mérite plus que d'autres qu'on essaie de le comprendre. »

Enfin, les pages de Tarrou se terminent sur un récit qui illustre cette conscience singulière qui venait en même temps à Cottard et aux pestiférés. Ce récit restitue à peu près l'atmosphère difficile de cette époque et c'est pourquoi le narrateur y attache de l'importance.

Ils étaient allés à l'Opéra Municipal où l'on jouait *Orphée et Eurydice*. Cottard avait invité Tarrou. Il s'agissait d'une troupe qui était venue, au printemps de la peste, donner des représentations dans notre ville. Bloquée par la maladie, cette troupe s'était vue contrainte, après accord avec notre Opéra, de rejouer son spectacle, une fois par semaine. Ainsi, depuis des mois, chaque vendredi, notre théâtre municipal retentissait des plaintes mélodieuses d'Orphée et des appels impuissants d'Eurydice. Cependant, ce spectacle continuait de connaître la faveur du public et faisait toujours de grosses recettes. Installés aux places les plus

chères, Cottard et Tarrou dominaient un parterre gonflé
à craquer par les plus élégants de nos concitoyens.
Ceux qui arrivaient s'appliquaient visiblement à ne pas
manquer leur entrée. Sous la lumière éblouissante
de l'avant-rideau, pendant que les musiciens accordaient
discrètement leurs instruments, les silhouettes se déta-
chaient avec précision, passaient d'un rang à l'autre,
s'inclinaient avec grâce. Dans le léger brouhaha d'une
conversation de bon ton, les hommes reprenaient
l'assurance qui leur manquait quelques heures auparavant, parmi les rues noires de la ville. L'habit chassait
la peste.

Pendant tout le premier acte, Orphée se plaignit
avec facilité, quelques femmes en tuniques commen-
tèrent avec grâce son malheur, et l'amour fut chanté
en ariettes. La salle réagit avec une chaleur discrète.
C'est à peine si on remarqua qu'Orphée introduisait,
dans son air du deuxième acte, des tremblements
qui n'y figuraient pas, et demandait avec un léger excès
de pathétique, au maître des Enfers, de se laisser
toucher par ses pleurs. Certains gestes saccadés qui lui
échappèrent apparurent aux plus avisés comme un
effet de stylisation qui ajoutait encore à l'interprétation du chanteur.

Il fallut le grand duo d'Orphée et d'Eurydice au troisième acte (c'était le moment où Eurydice échappait à
son amant) pour qu'une certaine surprise courût dans
la salle. Et comme si le chanteur n'avait attendu que ce
mouvement du public, ou, plus certainement encore,
comme si la rumeur venue du parterre l'avait confirmé
dans ce qu'il ressentait, il choisit ce moment pour
avancer vers la rampe d'une façon grotesque, bras et
jambes écartés dans son costume à l'antique, et pour
s'écrouler au milieu des bergeries du décor qui n'avaient

jamais cessé d'être anachroniques mais qui, aux yeux des spectateurs, le devinrent pour la première fois, et de terrible façon. Car, dans le même temps, l'orchestre se tut, les gens du parterre se levèrent et commencèrent lentement à évacuer la salle, d'abord en silence comme on sort d'une église, le service fini, ou d'une chambre mortuaire après une visite, les femmes rassemblant leurs jupes et sortant tête baissée, les hommes guidant leurs compagnes par le coude et leur évitant le heurt des strapontins. Mais, peu à peu, le mouvement se précipita, le chuchotement devint exclamation et la foule afflua vers les sorties et s'y pressa, pour finir par s'y bousculer en criant. Cottard et Tarrou, qui s'étaient seulement levés, restaient seuls en face d'une des images de ce qui était leur vie d'alors : la peste sur la scène sous l'aspect d'un histrion désarticulé et, dans la salle, tout un luxe devenu inutile, sous la forme d'éventails oubliés et de dentelles traînant sur le rouge des fauteuils.

## II

RAMBERT, pendant les premiers jours du mois de septembre, avait sérieusement travaillé aux côtés de Rieux. Il avait simplement demandé une journée de congé le jour où il devait rencontrer Gonzalès et les deux jeunes gens devant le lycée de garçons.

Ce jour-là, à midi, Gonzalès et le journaliste virent arriver les deux petits qui riaient. Ils dirent qu'on n'avait pas eu de chance l'autre fois, mais qu'il fallait s'y attendre. En tout cas, ce n'était plus leur semaine de garde. Il fallait patienter jusqu'à la semaine prochaine. On recommencerait alors. Rambert dit que c'était bien le mot. Gonzalès proposa donc un rendez-vous pour le lundi suivant. Mais cette fois-ci, on installerait Rambert chez Marcel et Louis. « Nous prendrons un rendez-vous, toi et moi. Si je n'y suis pas, tu iras directement chez eux. On va t'expliquer où ils habitent. » Mais Marcel, ou Louis, dit à ce moment que le plus simple était de conduire tout de suite le camarade. S'il n'était pas difficile, il y avait à manger pour eux quatre. Et de cette façon, il se rendrait compte. Gonzalès dit que c'était une très bonne idée et ils descendirent vers le port.

Marcel et Louis habitaient à l'extrémité du quartier de la Marine, près des portes qui ouvraient sur la corniche. C'était une petite maison espagnole, épaisse de

murs, aux contrevents de bois peint, aux pièces nues et
ombreuses. Il y avait du riz que servit la mère des jeunes
gens, une vieille Espagnole souriante et pleine de rides.
Gonzalès s'étonna, car le riz manquait déjà en ville.
« On s'arrange aux portes », dit Marcel. Rambert mangeait et buvait, et Gonzalès dit que c'était un vrai copain,
pendant que le journaliste pensait seulement à la semaine
qu'il devait passer.

En fait, il eut deux semaines à attendre, car les tours
de garde furent portés à quinze jours, pour réduire le
nombre des équipes. Et, pendant ces quinze jours,
Rambert travailla sans s'épargner, de façon ininterrompue, les yeux fermés en quelque sorte, depuis l'aube
jusqu'à la nuit. Tard dans la nuit, il se couchait et dormait d'un sommeil épais. Le passage brusque de l'oisiveté à ce labeur épuisant le laissait à peu près sans rêves
et sans forces. Il parlait peu de son évasion prochaine.
Un seul fait notable : au bout d'une semaine, il confia
au docteur que pour la première fois, la nuit précédente, il s'était enivré. Sorti du bar, il eut tout à coup
l'impression que ses aines grossissaient et que ses bras
se mouvaient difficilement autour de l'aisselle. Il pensa
que c'était la peste. Et la seule réaction qu'il put avoir
alors et dont il convint avec Rieux qu'elle n'était pas
raisonnable, fut de courir vers le haut de la ville, et là,
d'une petite place, d'où l'on ne découvrait toujours pas
la mer, mais d'où l'on voyait un peu plus de ciel,
il appela sa femme avec un grand cri, par-dessus
les murs de la ville. Rentré chez lui et ne découvrant sur son corps aucun signe d'infection, il n'avait
pas été très fier de cette crise soudaine. Rieux dit
qu'il comprenait très bien qu'on puisse agir ainsi : « En
tout cas, dit-il, il peut arriver qu'on en ait envie. »

— M. Othon m'a parlé de vous ce matin, ajouta

soudain Rieux, au moment où Rambert le quittait. Il m'a demandé si je vous connaissais : « Conseillez-lui donc, m'a-t-il dit, de ne pas fréquenter les milieux de contrebande. Il s'y fait remarquer. »

— Qu'est-ce que cela veut dire?

— Cela veut dire qu'il faut vous dépêcher.

— Merci, dit Rambert, en serrant la main du docteur.

Sur la porte, il se retourna tout d'un coup. Rieux remarqua que, pour la première fois depuis le début de la peste, il souriait.

— Pourquoi donc ne m'empêchez-vous pas de partir? Vous en avez les moyens.

Rieux secoua la tête avec son mouvement habituel, et dit que c'était l'affaire de Rambert, que ce dernier avait choisi le bonheur et que lui, Rieux, n'avait pas d'arguments à lui opposer. Il se sentait incapable de juger de ce qui était bien ou de ce qui était mal en cette affaire.

— Pourquoi me dire de faire vite, dans ces conditions?

Rieux sourit à son tour.

— C'est peut-être que j'ai envie, moi aussi, de faire quelque chose pour le bonheur.

Le lendemain, ils ne parlèrent plus de rien, mais travaillèrent ensemble. La semaine suivante, Rambert était enfin installé dans la petite maison espagnole. On lui avait fait un lit dans la pièce commune. Comme les jeunes gens ne rentraient pas pour les repas, et comme on l'avait prié de sortir le moins possible, il y vivait seul, la plupart du temps, ou faisait la conversation avec la vieille mère. Elle était sèche et active, habillée de noir, le visage brun et ridé, sous des cheveux blancs très propres. Silencieuse, elle souriait seulement de tous ses yeux quand elle regardait Rambert.

D'autres fois, elle lui demandait s'il ne craignait pas

d'apporter la peste à sa femme. Lui pensait que c'était une chance à courir, mais qu'en somme, elle était minime, tandis qu'en restant dans la ville, ils risquaient d'être séparés pour toujours.

— Elle est gentille? disait la vieille en souriant.

— Très gentille.

— Jolie?

— Je crois.

— Ah! disait-elle, c'est pour cela.

Rambert réfléchissait. C'était sans doute pour cela, mais il était impossible que ce fût seulement pour cela.

— Vous ne croyez pas au Bon Dieu? disait la vieille qui allait à la messe tous les matins.

Rambert reconnut que non et la vieille dit encore que c'était pour cela.

— Il faut la rejoindre, vous avez raison. Sinon, qu'est-ce qui vous resterait?

Le reste du temps, Rambert tournait en rond autour des murs nus et crépis, caressant les éventails cloués aux parois, ou bien comptait les boules de laine qui frangeaient le tapis de table. Le soir, les jeunes gens rentraient. Ils ne parlaient pas beaucoup, sinon pour dire que ce n'était pas encore le moment. Après le dîner, Marcel jouait de la guitare et ils buvaient une liqueur anisée. Rambert avait l'air de réfléchir.

Le mercredi, Marcel rentra en disant : « C'est pour demain soir, à minuit. Tiens-toi prêt. » Des deux hommes qui tenaient le poste avec eux, l'un était atteint de la peste et l'autre, qui partageait ordinairement la chambre du premier, était en observation. Ainsi, pendant deux ou trois jours, Marcel et Louis seraient seuls. Au cours de la nuit, ils allaient arranger les derniers détails. Le lendemain, ce serait possible. Rambert remercia. « Vous êtes content ? » demanda la vieille. Il dit que oui, mais il pensait à autre chose.

Le lendemain, sous un ciel lourd, la chaleur était humide et étouffante. Les nouvelles de la peste étaient mauvaises. La vieille Espagnole gardait cependant sa sérénité. « Il y a du péché dans le monde, disait-elle. Alors, forcément ! » Comme Marcel et Louis, Rambert était torse nu. Mais quoi qu'il fît, la sueur lui coulait entre les épaules et sur la poitrine. Dans la demi-pénombre de la maison aux volets clos, cela leur faisait des torses bruns et vernis. Rambert tournait en rond sans parler. Brusquement, à quatre heures de l'après-midi, il s'habilla et annonça qu'il sortait.

— Attention, dit Marcel, c'est pour minuit. Tout est en place.

Rambert se rendit chez le docteur. La mère de Rieux dit à Rambert qu'il le trouverait à l'hôpital de la haute ville. Devant le poste de garde, la même foule tournait toujours sur elle-même. « Circulez ! » disait un sergent aux yeux globuleux. Les autres circulaient, mais en rond. « Il n'y a rien à attendre », disait le sergent dont la sueur perçait la veste. C'était aussi l'avis des autres, mais ils restaient quand même, malgré la chaleur meurtrière. Rambert montra son laissez-passer au sergent qui lui indiqua le bureau de Tarrou. La porte en donnait sur la cour. Il croisa le Père Paneloux, qui sortait du bureau.

Dans une sale petite pièce blanche qui sentait la pharmacie et le drap humide, Tarrou, assis derrière un bureau de bois noir, les manches de chemise retroussées, tamponnait avec un mouchoir la sueur qui coulait dans la saignée de son bras.

— Encore là ? dit-il.

— Oui, je voudrais parler à Rieux.

— Il est dans la salle. Mais si cela peut s'arranger sans lui, il vaudrait mieux.

— Pourquoi?

— Il est surmené. Je lui évite ce que je peux.

Rambert regardait Tarrou. Celui-ci avait maigri. La fatigue lui brouillait les yeux et les traits. Ses fortes épaules étaient ramassées en boule. On frappa à la porte, et un infirmier entra, masqué de blanc. Il déposa sur le bureau de Tarrou un paquet de fiches et, d'une voix que le linge étouffait, dit seulement : « Six », puis sortit. Tarrou regarda le journaliste et lui montra les fiches qu'il déploya en éventail.

— De belles fiches, hein? Eh bien! non, ce sont des morts. Les morts de la nuit.

Son front s'était creusé. Il replia le paquet de fiches.

— La seule chose qui nous reste, c'est la comptabilité.

Tarrou se leva, prenant appui sur la table.

— Allez-vous bientôt partir?

— Ce soir, à minuit.

Tarrou dit que cela lui faisait plaisir et que Rambert devait veiller sur lui.

— Dites-vous cela sincèrement?

Tarrou haussa les épaules :

— A mon âge, on est forcément sincère. Mentir est trop fatigant.

— Tarrou, dit le journaliste, je voudrais voir le docteur. Excusez-moi.

— Je sais. Il est plus humain que moi. Allons-y.

— Ce n'est pas cela, dit Rambert avec difficulté. Et il s'arrêta.

Tarrou le regarda et, tout d'un coup, lui sourit.

Ils suivirent un petit couloir dont les murs étaient peints en vert clair et où flottait une lumière d'aquarium.

Juste avant d'arriver à une double porte vitrée, derrière laquelle on voyait un curieux mouvement d'ombres, Tarrou fit entrer Rambert dans une très petite salle, entièrement tapissée de placards. Il ouvrit l'un d'eux, tira d'un stérilisateur deux masques de gaze hydrophile, en tendit un à Rambert et l'invita à s'en couvrir. Le journaliste demanda si cela servait à quelque chose et Tarrou répondit que non, mais que cela donnait confiance aux autres.

Ils poussèrent la porte vitrée. C'était une immense salle, aux fenêtres hermétiquement closes, malgré la saison. Dans le haut des murs ronronnaient des appareils qui renouvelaient l'air, et leurs hélices courbes brassaient l'air crémeux et surchauffé, au-dessus de deux rangées de lits gris. De tous les côtés, montaient des gémissements sourds ou aigus qui ne faisaient qu'une plainte monotone. Des hommes, habillés de blanc, se déplaçaient avec lenteur, dans la lumière cruelle que déversaient les hautes baies garnies de barreaux. Rambert se sentit mal à l'aise dans la terrible chaleur de cette salle et il eut de la peine à reconnaître Rieux, penché au-dessus d'une forme gémissante. Le docteur incisait les aines du malade que deux infirmières, de chaque côté du lit, tenaient écartelé. Quand il se releva, il laissa tomber ses instruments dans le plateau qu'un aide lui tendait et resta un moment immobile, à regarder l'homme qu'on était en train de panser.

— Quoi de nouveau? dit-il à Tarrou qui s'approchait.

— Paneloux accepte de remplacer Rambert à la maison de quarantaine. Il a déjà beaucoup fait. Il restera la troisième équipe de prospection à regrouper sans Rambert.

Rieux approuva de la tête.

— Castel a achevé ses premières préparations. Il propose un essai.

— Ah! dit Rieux, cela est bien.

— Enfin, il y a ici Rambert.

Rieux se retourna. Par-dessus le masque, ses yeux se plissèrent en apercevant le journaliste.

— Que faites-vous ici? dit-il. Vous devriez être ailleurs.

Tarrou dit que c'était pour ce soir à minuit et Rambert ajouta : « En principe. »

Chaque fois que l'un d'eux parlait, le masque de gaze se gonflait et s'humidifiait à l'endroit de la bouche. Cela faisait une conversation un peu irréelle, comme un dialogue de statues.

— Je voudrais vous parler, dit Rambert.

— Nous sortirons ensemble, si vous le voulez bien. Attendez-moi dans le bureau de Tarrou.

Un moment après, Rambert et Rieux s'installaient à l'arrière de la voiture du docteur. Tarrou conduisait.

— Plus d'essence, dit celui-ci en démarrant. Demain, nous irons à pied.

— Docteur, dit Rambert, je ne pars pas et je veux rester avec vous.

Tarrou ne broncha pas. Il continuait de conduire. Rieux semblait incapable d'émerger de sa fatigue.

— Et elle? dit-il d'une voix sourde.

Rambert dit qu'il avait encore réfléchi, qu'il continuait à croire ce qu'il croyait, mais que s'il partait, il aurait honte. Cela le gênerait pour aimer celle qu'il avait laissée. Mais Rieux se redressa et dit d'une voix ferme que cela était stupide et qu'il n'y avait pas de honte a préférer le bonheur.

— Oui, dit Rambert, mais il peut y avoir de la honte à être heureux tout seul.

Tarrou, qui s'était tu jusque-là, sans tourner la tête vers eux, fit remarquer que si Rambert voulait partager le malheur des hommes, il n'aurait plus jamais de temps pour le bonheur. Il fallait choisir.

— Ce n'est pas cela, dit Rambert. J'ai toujours pensé que j'étais étranger à cette ville et que je n'avais rien à faire avec vous. Mais maintenant que j'ai vu ce que j'ai vu, je sais que je suis d'ici, que je le veuille ou non. Cette histoire nous concerne tous.

Personne ne répondit et Rambert parut s'impatienter.

— Vous le savez bien d'ailleurs! Ou sinon que feriezvous dans cet hôpital? Avez-vous donc choisi, vous, et renoncé au bonheur?

Ni Tarrou ni Rieux ne répondirent encore. Le silence dura longtemps, jusqu'à ce qu'on approchât de la maison du docteur. Et Rambert, de nouveau, posa sa dernière question, avec plus de force encore. Et, seul, Rieux se tourna vers lui. Il se souleva avec effort :

— Pardonnez-moi, Rambert, dit-il, mais je ne le sais pas. Restez avec nous puisque vous le désirez.

Une embardée de l'auto le fit taire. Puis il reprit en regardant devant lui :

— Rien au monde ne vaut qu'on se détourne de ce qu'on aime. Et pourtant je m'en détourne, moi aussi, sans que je puisse savoir pourquoi.

Il se laissa retomber sur son coussin.

— C'est un fait, voilà tout, dit-il avec lassitude. Enregistrons-le et tirons-en les conséquences.

— Quelles conséquences? demanda Rambert.

— Ah! dit Rieux, on ne peut pas en même temps guérir et savoir. Alors guérissons le plus vite possible. C'est le plus pressé.

A minuit, Tarrou et Rieux faisaient à Rambert le plan du quartier qu'il était chargé de prospecter, quand

Tarrou regarda sa montre. Relevant la tête, il rencontra le regard de Rambert.

— Avez-vous prévenu?

Le journaliste détourna les yeux :

— J'avais envoyé un mot, dit-il avec effort, avant d'aller vous voir.

CE fut dans les derniers jours d'octobre que le sérum de Castel fut essayé. Pratiquement, il était le dernier espoir de Rieux. Dans le cas d'un nouvel échec, le docteur était persuadé que la ville serait livrée aux caprices de la maladie, soit que l'épidémie prolongeât ses effets pendant de longs mois encore, soit qu'elle décidât de s'arrêter sans raison.

La veille même du jour où Castel vint visiter Rieux, le fils de M. Othon était tombé malade et toute la famille avait dû gagner la quarantaine. La mère, qui en était sortie peu auparavant, se vit donc isolée pour la seconde fois. Respectueux des consignes données, le juge avait fait appeler le docteur Rieux, dès qu'il reconnut, sur le corps de l'enfant, les signes de la maladie. Quand Rieux arriva, le père et la mère étaient debout au pied du lit. La petite fille avait été éloignée. L'enfant était dans la période d'abattement et se laissa examiner sans se plaindre. Quand le docteur releva la tête, il rencontra le regard du juge et, derrière lui, le visage pâle de la mère qui avait mis un mouchoir sur sa bouche et suivait les gestes du docteur avec des yeux élargis.

— C'est cela, n'est-ce pas? dit le juge d'une voix froide.

— Oui, répondit Rieux, en regardant de nouveau l'enfant.

Les yeux de la mère s'agrandirent, mais elle ne parlait toujours pas. Le juge se taisait aussi, puis il dit, sur un ton plus bas :

— Eh bien! docteur, nous devons faire ce qui est prescrit.

Rieux évitait de regarder la mère qui tenait toujours son mouchoir sur la bouche.

— Ce sera vite fait, dit-il en hésitant, si je puis téléphoner.

M. Othon dit qu'il allait le conduire. Mais le docteur se retourna vers la femme :

— Je suis désolé. Vous devriez préparer quelques affaires. Vous savez ce que c'est.

M^me Othon parut interdite. Elle regardait à terre.

— Oui, dit-elle en hochant la tête, c'est ce que je vais faire.

Avant de les quitter, Rieux ne put s'empêcher de leur demander s'ils n'avaient besoin de rien. La femme le regardait toujours en silence. Mais le juge détourna cette fois les yeux.

— Non, dit-il, puis il avala sa salive, mais sauvez mon enfant.

La quarantaine, qui au début n'était qu'une simple formalité, avait été organisée par Rieux et Rambert, de façon très stricte. En particulier, ils avaient exigé que les membres d'une même famille fussent toujours isolés les uns des autres. Si l'un des membres de la famille avait été infecté sans le savoir, il ne fallait pas multiplier les chances de la maladie. Rieux expliqua ces raisons au juge qui les trouva bonnes. Cependant, sa femme et lui se regardèrent de telle façon que le docteur sentit à quel point cette séparation les laissait désemparés. M^me Othon et sa petite fille purent être logées dans l'hôtel de quarantaine dirigé par Rambert. Mais pour le juge d'instruction, il n'y avait plus de place, sinon dans le camp d'isolement que la préfecture était en train d'organiser, sur le stade municipal, à l'aide de tentes prêtées par le service de voirie. Rieux s'en excusa, mais M. Othon dit qu'il n'y avait qu'une règle pour tous et qu'il était juste d'obéir.

Quant à l'enfant, il fut transporté à l'hôpital auxiliaire, dans une ancienne salle de classe où dix lits avaient été installés. Au bout d'une vingtaine d'heures, Rieux jugea son cas désespéré. Le petit corps se laissait dévorer par l'infection, sans une réaction. De tout petits bubons, douloureux, mais à peine formés, bloquaient les articulations de ses membres grêles. Il était vaincu d'avance. C'est pourquoi Rieux eut l'idée d'essayer sur lui le sérum de Castel. Le soir même, après le dîner, ils pratiquèrent la longue inoculation, sans obtenir une seule réaction de l'enfant. A l'aube, le lendemain, tous se rendirent auprès du petit garçon pour juger de cette expérience décisive.

L'enfant, sorti de sa torpeur, se tournait convulsivement dans les draps. Le docteur, Castel et Tarrou, depuis quatre heures du matin, se tenaient près de lui, suivant pas à pas les progrès ou les haltes de la maladie. A la tête du lit, le corps massif de Tarrou était un peu voûté. Au pied du lit, assis près de Rieux debout, Castel lisait avec toutes les apparences de la tranquillité, un vieil ouvrage. Peu à peu, à mesure que le jour s'élargissait dans l'ancienne salle d'école, les autres arrivaient. Paneloux d'abord, qui se plaça de l'autre côté du lit, par rapport à Tarrou, et adossé au mur. Une expression douloureuse se lisait sur son visage, et la fatigue de tous ces jours où il avait payé de sa personne avait tracé des rides sur son front congestionné. A son tour, Joseph Grand arriva. Il était sept heures et l'employé s'excusa d'être essoufflé.

Il n'allait rester qu'un moment, peut-être savait-on déjà quelque chose de précis. Sans mot dire, Rieux lui montra l'enfant qui, les yeux fermés dans une face décomposée, les dents serrées à la limite de ses forces, le corps immobile, tournait et retournait sa tête de droite à gauche, sur le traversin sans draps. Lorsqu'il fit assez jour, enfin, pour qu'au fond de la salle, sur le tableau noir demeuré en place, on pût distinguer les traces d'anciennes formules d'équation, Rambert arriva. Il s'adossa au pied du lit voisin et sortit un paquet de cigarettes. Mais après un regard à l'enfant, il remit le paquet dans sa poche.

Castel, toujours assis, regardait Rieux par-dessus ses lunettes :

— Avez-vous des nouvelles du père?

— Non, dit Rieux, il est au camp d'isolement.

Le docteur serrait avec force la barre du lit où gémissait l'enfant. Il ne quittait pas des yeux le petit malade qui se raidit brusquement et, les dents de nouveau serrées, se creusa un peu au niveau de la taille, écartant lentement les bras et les jambes. Du petit corps, nu sous la couverture militaire, montait une odeur de laine et d'aigre sueur. L'enfant se détendit peu à peu, ramena bras et jambes vers le centre du lit et, toujours aveugle et muet, parut respirer plus vite. Rieux rencontra le regard de Tarrou qui détourna les yeux.

Ils avaient déjà vu mourir des enfants puisque la terreur, depuis des mois, ne choisissait pas, mais ils n'avaient jamais encore suivi leurs souffrances minute après minute, comme ils le faisaient depuis le matin. Et, bien entendu, la douleur infligée à ces innocents n'avait jamais cessé de leur paraître ce qu'elle était en vérité, c'est-à-dire un scandale. Mais jusque-là du moins, ils se scandalisaient abstraitement, en quelque sorte, parce qu'ils n'avaient jamais regardé en face, si longuement, l'agonie d'un innocent.

Justement l'enfant, comme mordu à l'estomac, se pliait à nouveau, avec un gémissement grêle. Il resta creusé ainsi pendant de longues secondes, secoué de frissons et de tremblements convulsifs, comme si sa frêle carcasse pliait sous le vent furieux de la peste et craquait sous les souffles répétés de la fièvre. La bourrasque passée, il se détendit un peu, la fièvre sembla se retirer et l'abandonner, haletant, sur une grève humide et empoisonnée où le repos ressemblait déjà à la mort. Quand le flot brûlant l'atteignit à nouveau pour la troisième fois et le souleva un peu, l'enfant se recroquevilla, recula au fond du lit dans l'épouvante de la flamme qui le brûlait et agita follement la tête, en rejetant sa couverture. De grosses larmes, jaillissant sous les paupières enflammées, se mirent à couler sur son visage plombé, et, au bout de la crise, épuisé, crispant ses jambes osseuses et ses bras dont la chair avait fondu en quarante-huit heures, l'enfant prit dans le lit dévasté une pose de crucifié grotesque.

Tarrou se pencha et, de sa lourde main, essuya le petit visage trempé de larmes et de sueur. Depuis un moment, Castel avait fermé son livre et regardait le malade. Il commença une phrase, mais fut obligé de tousser pour pouvoir la terminer, parce que sa voix détonait brusquement :

— Il n'y a pas eu de rémission matinale, n'est-ce pas, Rieux ?

Rieux dit que non, mais que l'enfant résistait depuis plus longtemps qu'il n'était normal. Paneloux, qui semblait un peu affaissé contre le mur, dit alors sourdement :

— S'il doit mourir, il aura souffert plus longtemps.

Rieux se retourna brusquement vers lui et ouvrit

la bouche pour parler, mais il se tut, fit un effort visible
pour se dominer, et ramena son regard sur l'enfant.

La lumière s'enflait dans la salle. Sur les cinq autres
lits, des formes remuaient et gémissaient, mais avec une
discrétion qui semblait concertée. Le seul qui criât,
à l'autre bout de la salle, poussait à intervalles réguliers
de petites exclamations qui paraissaient traduire plus
d'étonnement que de douleur. Il semblait que, même
pour les malades, ce ne fût pas l'effroi du début. Il
y avait, maintenant, une sorte de consentement dans
leur manière de prendre la maladie. Seul, l'enfant se
débattait de toutes ses forces. Rieux qui, de temps en
temps, lui prenait le pouls, sans nécessité d'ailleurs
et plutôt pour sortir de l'immobilité impuissante où il
était, sentait, en fermant les yeux, cette agitation se mêler
au tumulte de son propre sang. Il se confondait alors
avec l'enfant supplicié et tentait de le soutenir de toute
sa force encore intacte. Mais une minute réunies, les
pulsations de leurs deux cœurs se désaccordaient, l'enfant lui échappait, et son effort sombrait dans le vide.
Il lâchait alors le mince poignet et retournait à sa place.

Le long des murs peints à la chaux, la lumière passait
du rose au jaune. Derrière la vitre, une matinée de
chaleur commençait à crépiter. C'est à peine si on entendit Grand partir en disant qu'il reviendrait. Tous attendaient. L'enfant, les yeux toujours fermés, semblait se
calmer un peu. Les mains, devenues comme des griffes,
labouraient doucement les flancs du lit. Elles remon-
tèrent, grattèrent la couverture près des genoux, et,
soudain, l'enfant plia ses jambes, ramena ses cuisses
près du ventre et s'immobilisa. Il ouvrit alors les
yeux pour la première fois et regarda Rieux qui se
trouvait devant lui. Au creux de son visage maintenant figé dans une argile grise, la bouche s'ouvrit et,

presque aussitôt, il en sortit un seul cri continu, que la respiration nuançait à peine, et qui emplit soudain la salle d'une protestation monotone, discorde, et si peu humaine qu'elle semblait venir de tous les hommes à la fois. Rieux serrait les dents et Tarrou se détourna. Rambert s'approcha du lit près de Castel qui ferma le livre, resté ouvert sur ses genoux. Paneloux regarda cette bouche enfantine, souillée par la maladie, pleine de ce cri de tous les âges. Et il se laissa glisser à genoux et tout le monde trouva naturel de l'entendre dire d'une voix un peu étouffée, mais distincte derrière la plainte anonyme qui n'arrêtait pas : « Mon Dieu, sauvez cet enfant. »

Mais l'enfant continuait de crier et, tout autour de lui, les malades s'agitèrent. Celui dont les exclamations n'avaient pas cessé, à l'autre bout de la pièce, précipita le rythme de sa plainte jusqu'à en faire, lui aussi, un vrai cri, pendant que les autres gémissaient de plus en plus fort. Une marée de sanglots déferla dans la salle, couvrant la prière de Paneloux, et Rieux, accroché à sa barre de lit, ferma les yeux, ivre de fatigue et de dégoût.

Quand il les rouvrit, il trouva Tarrou près de lui.

— Il faut que je m'en aille, dit Rieux. Je ne peux plus les supporter.

Mais brusquement, les autres malades se turent. Le docteur reconnut alors que le cri de l'enfant avait faibli, qu'il faiblissait encore et qu'il venait de s'arrêter. Autour de lui, les plaintes reprenaient, mais sourdement, et comme un écho lointain de cette lutte qui venait de s'achever. Car elle s'était achevée. Castel était passé de l'autre côté du lit et dit que c'était fini. La bouche ouverte, mais muette, l'enfant reposait au creux des couvertures en désordre, rapetissé tout d'un coup, avec des restes de larmes sur son visage.

Paneloux s'approcha du lit et fit les gestes de la bénédiction. Puis il ramassa ses robes et sortit par l'allée centrale.

— Faudra-t-il tout recommencer? demanda Tarrou à Castel.

Le vieux docteur secouait la tête.

— Peut-être, dit-il avec un sourire crispé. Après tout, il a longtemps résisté.

Mais Rieux quittait déjà la salle, d'un pas si précipité, et avec un tel air, que lorsqu'il dépassa Paneloux, celui-ci tendit le bras pour le retenir.

— Allons Docteur, lui dit-il.

Dans le même mouvement emporté, Rieux se retourna et lui jeta avec violence :

— Ah! celui-là, au moins, était innocent, vous le savez bien!

Puis il se détourna et, franchissant les portes de la salle avant Paneloux, il gagna le fond de la cour d'école. Il s'assit sur un banc, entre les petits arbres poudreux, et essuya la sueur qui lui coulait déjà dans les yeux. Il avait envie de crier encore pour dénouer enfin le nœud violent qui lui broyait le cœur. La chaleur tombait lentement entre les branches des ficus. Le ciel bleu du matin se couvrait rapidement d'une taie blanchâtre qui rendait l'air plus étouffant. Rieux se laissa aller sur son banc. Il regardait les branches, le ciel, retrouvant lentement sa respiration, ravalant peu à peu sa fatigue.

— Pourquoi m'avoir parlé avec cette colère? dit une voix derrière lui. Pour moi aussi, ce spectacle était insupportable.

Rieux se retourna vers Paneloux :

— C'est vrai, dit-il. Pardonnez-moi. Mais la fatigue est une folie. Et il y a des heures dans cette ville où je ne sens plus que ma révolte.

— Je comprends, murmura Paneloux. Cela est révoltant parce que cela passe notre mesure. Mais peut-être devons-nous aimer ce que nous ne pouvons pas comprendre.

Rieux se redressa d'un seul coup. Il regardait Paneloux, avec toute la force et la passion dont il était capable, et secouait la tête.

— Non, mon père, dit-il. Je me fais une autre idée de l'amour. Et je refuserai jusqu'à la mort d'aimer cette création où des enfants sont torturés.

Sur le visage de Paneloux, une ombre bouleversée passa.

— Ah! docteur, fit-il avec tristesse, je viens de comprendre ce qu'on appelle la grâce.

Mais Rieux s'était laissé aller de nouveau sur son banc. Du fond de sa fatigue revenue, il répondit avec plus de douceur :

— C'est ce que je n'ai pas, je le sais. Mais je ne veux pas discuter cela avec vous. Nous travaillons ensemble pour quelque chose qui nous réunit au delà des blasphèmes et des prières. Cela seul est important.

Paneloux s'assit près de Rieux. Il avait l'air ému.

— Oui, dit-il, oui, vous aussi vous travaillez pour le salut de l'homme.

Rieux essayait de sourire.

— Le salut de l'homme est un trop grand mot pour moi. Je ne vais pas si loin. C'est sa santé qui m'intéresse, sa santé d'abord.

Paneloux hésita.

— Docteur, dit-il.

Mais il s'arrêta. Sur son front aussi la sueur commençait à ruisseler. Il murmura : « Au revoir » et ses yeux brillaient quand il se leva. Il allait partir quand Rieux, qui réfléchissait, se leva aussi et fit un pas vers lui.

— Pardonnez-moi encore, dit-il. Cet éclat ne se renou-
vellera plus.

Paneloux tendit sa main et dit avec tristesse :

— Et pourtant je ne vous ai pas convaincu!

— Qu'est-ce que cela fait? dit Rieux. Ce que je hais,
c'est la mort et le mal, vous le savez bien. Et que vous
le vouliez ou non, nous sommes ensemble pour les souffrir et les combattre.

Rieux retenait la main de Paneloux.

— Vous voyez, dit-il en évitant de le regarder, Dieu
lui-même ne peut maintenant nous séparer.

# IV

Depuis qu'il était entré dans les formations sanitaires, Paneloux n'avait pas quitté les hôpitaux
et les lieux où se rencontrait la peste. Il s'était placé,
parmi les sauveteurs, au rang qui lui paraissait devoir
être le sien, c'est-à-dire le premier. Les spectacles de
la mort ne lui avaient pas manqué. Et bien qu'en principe, il fût protégé par le sérum, le souci de sa propre
mort non plus ne lui était pas resté étranger. Apparemment, il avait toujours gardé son calme. Mais à partir
de ce jour où il avait longtemps regardé un enfant
mourir, il parut changé. Une tension croissante se lisait
sur son visage. Et le jour où il dit à Rieux, en souriant,
qu'il préparait en ce moment un court traité sur le sujet :
« Un prêtre peut-il consulter un médecin ? », le docteur
eut l'impression qu'il s'agissait de quelque chose de plus
sérieux que ne semblait le dire Paneloux. Comme
le docteur exprimait le désir de prendre connaissance
de ce travail, Paneloux lui annonça qu'il devait faire un
prêche à la messe des hommes, et qu'à cette occasion, il
exposerait quelques-uns, au moins, de ses points de vues :

— Je voudrais que vous veniez, docteur, le sujet vous
intéressera.

Le Père prononça son second prêche par un jour de

grand vent. A vrai dire, les rangs de l'assistance étaient plus clairsemés que lors du premier prêche. C'est que ce genre de spectacle n'avait plus l'attrait de la nouveauté pour nos concitoyens. Dans les circonstances difficiles que la ville traversait, le mot même de « nouveauté » avait perdu son sens. D'ailleurs, la plupart des gens, quand ils n'avaient pas entièrement déserté leurs devoirs religieux, ou quand ils ne les faisaient pas coïncider avec une vie personnelle profondément immorale, avaient remplacé les pratiques ordinaires par des superstitions peu raisonnables. Ils portaient plus volontiers des médailles protectrices ou des amulettes de saint Roch qu'ils n'allaient à la messe.

On peut en donner comme exemple l'usage immodéré que nos concitoyens faisaient des prophéties. Au printemps, en effet, on avait attendu, d'un moment à l'autre, la fin de la maladie, et personne ne s'avisait de demander à autrui des précisions sur la durée de l'épidémie, puisque tout le monde se persuadait qu'elle n'en aurait pas. Mais à mesure que les jours passaient, on se mit à craindre que ce malheur n'eût véritablement pas de fin et, du même coup, la cessation de l'épidémie devint l'objet de toutes les espérances. On se passait ainsi, de la main à la main, diverses prophéties dues à des mages ou à des saints de l'Église catholique. Des imprimeurs de la ville virent très vite le parti qu'ils pouvaient tirer de cet engouement et diffusèrent à de nombreux exemplaires les textes qui circulaient. S'apercevant que la curiosité du public était insatiable, ils firent entreprendre des recherches, dans les bibliothèques municipales, sur tous les témoignages de ce genre que la petite histoire pouvait fournir et ils les répandirent dans la ville. Lorsque l'histoire elle-même fut à court de prophéties, on en commanda à des journalistes qui, sur ce point

au moins, se montrèrent aussi compétents que leurs
modèles des siècles passés.

Certaines de ces prophéties paraissaient même en
feuilleton dans les journaux et n'étaient pas lues avec
moins d'avidité que les histoires sentimentales qu'on
pouvait y trouver, au temps de la santé. Quelques-unes
de ces prévisions s'appuyaient sur des calculs bizarres
où intervenaient le millésime de l'année, le nombre des
morts et le compte des mois déjà passés sous le régime
de la peste. D'autres établissaient des comparaisons
avec les grandes pestes de l'histoire, en dégageaient les
similitudes (que les prophéties appelaient constantes)
et, au moyen de calculs non moins bizarres, prétendaient
en tirer des enseignements relatifs à l'épreuve présente.
Mais les plus appréciés du public étaient sans conteste
celles qui, dans un langage apocalyptique, annonçaient
des séries d'événements dont chacun pouvait être celui
qui éprouvait la ville et dont la complexité permettait
toutes les interprétations. Nostradamus et sainte Odile
furent ainsi consultés quotidiennement, et toujours
avec fruit. Ce qui d'ailleurs restait commun à toutes les
prophéties est qu'elles étaient finalement rassurantes.
Seule, la peste ne l'était pas.

Ces superstitions tenaient donc lieu de religion à
nos concitoyens et c'est pourquoi le prêche de Paneloux
eut lieu dans une église qui n'était pleine qu'aux trois
quarts. Le soir du prêche, lorsque Rieux arriva, le vent,
qui s'infiltrait en filets d'air par les portes battantes de
l'entrée, circulait librement parmi les auditeurs. Et c'est
dans une église froide et silencieuse, au milieu d'une
assistance exclusivement composée d'hommes, qu'il
prit place et qu'il vit le Père monter en chaire. Ce
dernier parla d'un ton plus doux et plus réfléchi que
la première fois et, à plusieurs reprises, les assistants

remarquèrent une certaine hésitation dans son débit. Chose curieuse encore, il ne disait plus « vous », mais « nous ».

Cependant, sa voix s'affermit peu à peu. Il commença par rappeler que, depuis de longs mois, la peste était parmi nous et que maintenant que nous la connaissions mieux pour l'avoir vue tant de fois s'asseoir à notre table ou au chevet de ceux que nous aimions, marcher près de nous et attendre notre venue aux lieux de travail, maintenant donc, nous pourrions peut-être mieux recevoir ce qu'elle nous disait sans relâche et que, dans la première surprise, il était possible que nous n'eussions pas bien écouté. Ce que le Père Paneloux avait déjà prêché au même endroit restait vrai — ou du moins c'était sa conviction. Mais, peut-être encore, comme il nous arrivait à tous, et il s'en frappait la poitrine, l'avait-il pensé et dit sans charité. Ce qui restait vrai, cependant, était qu'en toute chose, toujours, il y avait à retenir. L'épreuve la plus cruelle était encore bénéfice pour le chrétien. Et, justement, ce que le chrétien, en l'espèce, devait chercher, c'était son bénéfice, et de quoi le bénéfice était fait, et comment on pouvait le trouver.

A ce moment, autour de Rieux, les gens parurent se carrer entre les accoudoirs de leur banc et s'installer aussi confortablement qu'ils le pouvaient. Une des portes capitonnées de l'entrée battit doucement. Quelqu'un se dérangea pour la maintenir. Et Rieux, distrait par cette agitation, entendit à peine Paneloux qui reprenait son prêche. Il disait à peu près qu'il ne fallait pas essayer de s'expliquer le spectacle de la peste, mais tenter d'apprendre ce qu'on pouvait en apprendre Rieux comprit confusément que, selon le Père, il n'y avait rien à expliquer. Son intérêt se fixa quand Paneloux dit fortement qu'il y avait des choses qu'on pou-

vait expliquer au regard de Dieu et d'autres qu'on ne
pouvait pas. Il y avait certes le bien et le mal, et, généralement, on s'expliquait aisément ce qui les séparait.
Mais à l'intérieur du mal, la difficulté commençait.
Il y avait par exemple le mal apparemment nécessaire
et le mal apparemment inutile. Il y avait don Juan
plongé aux Enfers et la mort d'un enfant. Car s'il est
juste que le libertin soit foudroyé, on ne comprend pas
la souffrance de l'enfant. Et, en vérité, il n'y avait rien
sur la terre de plus important que la souffrance d'un
enfant et l'horreur que cette souffrance traîne avec elle
et les raisons qu'il faut lui trouver. Dans le reste de
la vie, Dieu nous facilitait tout et, jusque-là, la religion était sans mérites. Ici, au contraire, il nous mettait
au pied du mur. Nous étions ainsi sous les murailles de
la peste et c'est à leur ombre mortelle qu'il nous fallait
trouver notre bénéfice. Le Père Paneloux refusait même
de se donner des avantages faciles qui lui permissent
d'escalader le mur. Il lui aurait été aisé de dire que l'éternité des délices qui attendaient l'enfant pouvait compenser sa souffrance, mais, en vérité, il n'en savait rien.
Qui pouvait affirmer en effet que l'éternité d'une joie
pouvait compenser un instant de la douleur humaine?
Ce ne serait pas un chrétien, assurément, dont le Maître
a connu la douleur dans ses membres et dans son âme.
Non, le Père resterait au pied du mur, fidèle à cet écar-
tèlement dont la croix est le symbole, face à face avec la
souffrance d'un enfant. Et il dirait sans crainte à ceux qui
l'écoutaient ce jour-là : « Mes frères, l'instant est venu.
Il faut tout croire ou tout nier. Et qui donc, parmi vous,
oserait tout nier? »

Rieux eut à peine le temps de penser que le Père
côtoyait l'hérésie que l'autre reprenait déjà, avec force,
pour affirmer que cette injonction, cette pure exigence,

était le bénéfice du chrétien. C'était aussi sa vertu. Le père savait que ce qu'il y avait d'excessif dans la vertu dont il allait parler choquerait beaucoup d'esprits, habitués à une morale plus indulgente et plus classique. Mais la religion du temps de peste ne pouvait être la religion de tous les jours et si Dieu pouvait admettre, et même désirer, que l'âme se repose et se réjouisse dans les temps de bonheur, il la voulait excessive dans les excès du malheur. Dieu faisait aujourd'hui à ses créatures la faveur de les mettre dans un malheur tel qu'il leur fallait retrouver et assumer la plus grande vertu qui est celle du Tout ou Rien.

Un auteur profane, dans le dernier siècle, avait prétendu révéler le secret de l'Église en affirmant qu'il n'y avait pas de Purgatoire. Il sous-entendait par là qu'il n'y avait pas de demi-mesures, qu'il n'y avait que le Paradis et l'Enfer, et qu'on ne pouvait être que sauvé ou damné, selon ce qu'on avait choisi. C'était, à en croire Paneloux, une hérésie comme il n'en pouvait naître qu'au sein d'une âme libertine. Car il y avait un Purgatoire. Mais il était sans doute des époques où ce Purgatoire ne devait pas être trop espéré, il était des époques où l'on ne pouvait parler de péché véniel. Tout péché était mortel et toute indifférence criminelle. C'était tout ou ce n'était rien.

Paneloux s'arrêta, et Rieux entendit mieux à ce moment, sous les portes, les plaintes du vent qui semblait redoubler au-dehors. Le Père disait au même instant que la vertu d'acceptation totale dont il parlait ne pouvait être comprise au sens restreint qu'on lui donnait d'ordinaire, qu'il ne s'agissait pas de la banale résignation, ni même de la difficile humilité. Il s'agissait d'humiliation, mais d'une humiliation où l'humilié était consentant. Certes, la souffrance d'un enfant était humiliante

pour l'esprit et le cœur. Mais c'est pourquoi il fallait y
entrer. Mais c'est pourquoi, et Paneloux assura son auditoire que ce qu'il allait dire n'était pas facile à dire,
il fallait la vouloir parce que Dieu la voulait. Ainsi
seulement le chrétien n'épargnerait rien et, toutes issues
fermées, irait au fond du choix essentiel. Il choisirait
de tout croire pour ne pas être réduit à tout nier. Et
comme les braves femmes qui, dans les églises en ce
moment, ayant appris que les bubons qui se formaient
étaient la voie naturelle par où le corps rejetait son
infection, disaient : « Mon Dieu, donnez-lui des bubons »,
le chrétien saurait s'abandonner à la volonté divine,
même incompréhensible. On ne pouvait dire : « Cela
je le comprends; mais ceci est inacceptable », il fallait
sauter au cœur de cet inacceptable qui nous était offert,
justement pour que nous fissions notre choix. La souffrance des enfants était notre pain amer, mais sans ce
pain, notre âme périrait de sa faim spirituelle.

   Ici le remue-ménage assourdi qui accompagnait
généralement les pauses du Père Paneloux commençait
à se faire entendre quand, inopinément, le prédicateur
reprit avec force en faisant mine de demander à la place
de ses auditeurs quelle était, en somme, la conduite à
tenir. Il s'en doutait bien, on allait prononcer le mot
effrayant de fatalisme. Eh bien, il ne reculerait pas
devant le terme si on lui permettait seulement d'y
joindre l'adjectif « actif ». Certes, et encore une fois, il
ne fallait pas imiter les chrétiens d'Abyssinie dont il
avait parlé. Il ne fallait même pas penser à rejoindre ces
pestiférés perses qui lançaient leurs hardes sur les
piquets sanitaires chrétiens en invoquant le ciel à haute
voix pour le prier de donner la peste à ces infidèles
qui voulaient combattre le mal envoyé par Dieu. Mais
à l'inverse, il ne fallait pas imiter non plus les moines

du Caire qui, dans les épidémies du siècle passé, donnaient la communion en prenant l'hostie avec des pin-
cettes pour éviter le contact de ces bouches humides
et chaudes où l'infection pouvait dormir. Les pestiférés perses et les moines péchaient également. Car,
pour les premiers, la souffrance d'un enfant ne comptait
pas et, pour les seconds, au contraire, la crainte bien
humaine de la douleur avait tout envahi. Dans les deux
cas, le problème était escamoté. Tous restaient sourds
à la voix de Dieu. Mais il était d'autres exemples que
Paneloux voulait rappeler. Si on en croyait le chroniqueur de la grande peste de Marseille, sur les quatre-
vingt-un religieux du couvent de la Mercy, quatre
seulement survécurent à la fièvre. Et sur ces quatre,
trois s'enfuirent. Ainsi parlaient les chroniqueurs, et
ce n'était pas leur métier d'en dire plus. Mais en lisant
ceci, toute la pensée du Père Paneloux allait à celui qui
était resté seul, malgré soixante-dix-sept cadavres, et
malgré surtout l'exemple de ses trois frères. Et le Père,
frappant du poing sur le rebord de la chaire, s'écria :
« Mes frères, il faut être celui qui reste ! »

Il ne s'agissait pas de refuser les précautions, l'ordre
intelligent qu'une société introduisait dans le désordre
d'un fléau. Il ne fallait pas écouter ces moralistes qui
disaient qu'il fallait se mettre à genoux et tout abandonner. Il fallait seulement commencer de marcher en
avant, dans la ténèbre, un peu à l'aveuglette, et essayer
de faire du bien. Mais pour le reste, il fallait demeurer,
et accepter de s'en remettre à Dieu, même pour la mort
des enfants, et sans chercher de recours personnel.

Ici, le Père Paneloux évoqua la haute figure de l'évêque
Belzunce pendant la peste de Marseille. Il rappela que,
vers la fin de l'épidémie, l'évêque ayant fait tout ce qu'il
devait faire, croyant qu'il n'était plus de remède, s'en-

ferma avec des vivres dans sa maison qu'il fit murer;
que les habitants dont il était l'idole, par un retour
de sentiment tel qu'on en trouve dans l'excès des douleurs, se fâchèrent contre lui, entourèrent sa maison de
cadavres pour l'infecter et jetèrent même des corps
par-dessus les murs, pour le faire périr plus sûrement.
Ainsi l'évêque, dans une dernière faiblesse, avait cru
s'isoler dans le monde de la mort et les morts lui tombaient du ciel sur la tête. Ainsi encore de nous, qui
devions nous persuader qu'il n'est pas d'île dans la peste.
Non, il n'y avait pas de milieu. Il fallait admettre le
scandale parce qu'il nous fallait choisir de haïr Dieu ou
de l'aimer. Et qui oserait choisir la haine de Dieu?

« Mes frères, dit enfin Paneloux en annonçant qu'il
concluait, l'amour de Dieu est un amour difficile. Il
suppose l'abandon total de soi-même et le dédain de sa
personne. Mais lui seul peut effacer la souffrance et la
mort des enfants, lui seul en tout cas la rendre nécessaire,
parce qu'il est impossible de la comprendre et qu'on ne
peut que la vouloir. Voilà la difficile leçon que je voulais
partager avec vous. Voilà la foi, cruelle aux yeux des
hommes, décisive aux yeux de Dieu, dont il faut se rapprocher. A cette image terrible, il faut que nous nous
égalions. Sur ce sommet, tout se confondra et s'égalisera,
la vérité jaillira de l'apparente injustice. C'est ainsi que,
dans beaucoup d'églises du Midi de la France, des pestiférés dorment depuis des siècles sous les dalles du chœur,
et des prêtres parlent au-dessus de leurs tombeaux,
et l'esprit qu'ils propagent jaillit de cette cendre où des
enfants ont pourtant mis leur part. »

Quand Rieux sortit, un vent violent s'engouffra par la
porte entrouverte et assaillit en pleine face les fidèles.
Il apportait dans l'église une odeur de pluie, un parfum
de trottoir mouillé qui leur laissait deviner l'aspect de

la ville avant qu'ils fussent sortis. Devant le docteur Rieux, un vieux prêtre et un jeune diacre qui sortaient à ce moment eurent du mal à retenir leur coiffure. Le plus âgé ne cessa pas pour autant de commenter le prêche. Il rendait hommage à l'éloquence de Paneloux, mais il s'inquiétait des hardiesses de pensée que le Père avait montrées. Il estimait que ce prêche montrait plus d'inquiétude que de force, et, à l'âge de Paneloux, un prêtre n'avait pas le droit d'être inquiet. Le jeune diacre, la tête baissée pour se protéger du vent, assura qu'il fréquentait beaucoup le Père, qu'il était au courant de son évolution et que son traité serait beaucoup plus hardi encore et n'aurait sans doute pas l'imprimatur.

— Quelle est donc son idée? dit le vieux prêtre.

Ils étaient arrivés sur le parvis et le vent les entourait en hurlant, coupant la parole au plus jeune. Quand il put parler, il dit seulement :

— Si un prêtre consulte un médecin, il y a contradiction.

A Rieux qui lui rapportait les paroles de Paneloux, Tarrou dit qu'il connaissait un prêtre qui avait perdu la foi pendant la guerre en découvrant un visage de jeune homme aux yeux crevés.

— Paneloux a raison, dit Tarrou. Quand l'innocence a les yeux crevés, un chrétien doit perdre la foi ou accepter d'avoir les yeux crevés. Paneloux ne veut pas perdre la foi, il ira jusqu'au bout. C'est ce qu'il a voulu dire.

Cette observation de Tarrou permet-elle d'éclairer un peu les événements malheureux qui suivirent et où la conduite de Paneloux parut incompréhensible à ceux qui l'entourèrent? On en jugera.

Quelques jours après le prêche, Paneloux, en effet,

s'occupa de déménager. C'était le moment où l'évolution
de la maladie provoquait des déménagements constants
dans la ville. Et, de même que Tarrou avait dû quitter
son hôtel pour loger chez Rieux, de même le Père dut
laisser l'appartement où son ordre l'avait placé, pour
venir loger chez une vieille personne, habituée des
églises et encore indemne de la peste. Pendant le démé-
nagement, le Père avait senti croître sa fatigue et son
angoisse. Et c'est ainsi qu'il perdit l'estime de sa logeuse.
Car celle-ci lui ayant chaleureusement vanté les mérites
de la prophétie de sainte Odile, le prêtre lui avait marqué
une très légère impatience, due sans doute à sa lassitude.
Quelque effort qu'il fît ensuite pour obtenir de la vieille
dame au moins une bienveillante neutralité, il n'y parvint pas. Il avait fait mauvaise impression. Et, tous les
soirs avant de regagner sa chambre remplie par des
flots de dentelles au crochet, il devait contempler le dos
de son hôtesse, assise dans son salon, en même temps
qu'il emportait le souvenir du « Bonsoir, mon Père »
qu'elle lui adressait sèchement et sans se retourner.
C'est par un soir pareil qu'au moment de se coucher,
la tête battante, il sentit se libérer à ses poignets et à ses
tempes les flots déchaînés d'une fièvre qui couvait
depuis plusieurs jours.

Ce qui suivit ne fut ensuite connu que par les récits
de son hôtesse. Le matin, elle s'était levée tôt, suivant
son habitude. Au bout d'un certain temps, étonnée de ne
pas voir le Père sortir de sa chambre, elle s'était décidée,
avec beaucoup d'hésitations, à frapper à sa porte. Elle
l'avait trouvé encore couché, après une nuit d'insomnie.
Il souffrait d'oppression et paraissait plus congestionné
que d'habitude. Selon ses propres termes, elle lui avait
proposé avec courtoisie de faire appeler un médecin,
mais sa proposition avait été rejetée avec une violence

qu'elle considérait comme regrettable. Elle n'avait pu que se retirer. Un peu plus tard, le Père avait sonné et l'avait fait demander. Il s'était excusé de son mouvement d'humeur et lui avait déclaré qu'il ne pouvait être question de peste, qu'il n'en présentait aucun des symptômes et qu'il s'agissait d'une fatigue passagère. La vieille dame lui avait répondu avec dignité que sa proposition n'était pas née d'une inquiétude de cet ordre, qu'elle n'avait pas en vue sa propre sécurité qui était aux mains de Dieu, mais qu'elle avait seulement pensé à la santé du Père dont elle s'estimait en partie responsable. Mais comme il n'ajoutait rien, son hôtesse, désireuse, à l'en croire, de faire tout son devoir, lui avait encore proposé de faire appeler son médecin. Le Père, de nouveau, avait refusé, mais en ajoutant des explications que la vieille dame avait jugées très confuses. Elle croyait seulement avoir compris, et cela justement lui paraissait incompréhensible, que le Père refusait cette consultation parce qu'elle n'était pas en accord avec ses principes. Elle en avait conclu que la fièvre troublait les idées de son locataire, et elle s'était bornée à lui apporter de la tisane.

Toujours décidée à remplir très exactement les obligations que la situation lui créait, elle avait régulièrement visité le malade toutes les deux heures. Ce qui l'avait frappée le plus était l'agitation incessante dans laquelle le Père avait passé la journée. Il rejetait ses draps et les ramenait vers lui, passant sans cesse ses mains sur son front moite, et se redressant souvent pour essayer de tousser d'une toux étranglée, rauque et humide, semblable à un arrachement. Il semblait alors dans l'impossibilité d'extirper du fond de sa gorge des tampons d'ouate qui l'eussent étouffé. Au bout de ces crises, il se laissait tomber en arrière, avec tous les signes de l'épuisement. Pour finir, il se redressait encore à demi et, pendant un court moment, regardait devant lui, avec une fixité plus véhémente que toute l'agitation précédente. Mais la vieille dame hésitait encore à appeler un médecin et à contrarier son malade. Ce pouvait être un simple accès de fièvre, si spectaculaire qu'il parût.

Dans l'après-midi, cependant, elle essaya de parler au prêtre et ne reçut en réponse que quelques paroles confuses. Elle renouvela sa proposition. Mais, alors, le Père se releva et, étouffant à demi, il lui répondit distinctement qu'il ne voulait pas de médecin. A ce moment, l'hôtesse décida qu'elle attendrait jusqu'au lendemain matin et que, si l'état du Père n'était pas amélioré, elle téléphonerait au numéro que l'agence Ransdoc répétait une dizaine de fois tous les jours à la radio. Toujours attentive à ses devoirs, elle pensait visiter son locataire pendant la nuit et veiller sur lui. Mais le soir, après lui avoir donné de la tisane fraîche, elle voulut s'étendre un peu et ne se réveilla que le lendemain, au petit jour. Elle courut à la chambre.

Le Père était étendu, sans un mouvement. A l'extrême congestion de la veille avait succédé une sorte de lividité d'autant plus sensible que les formes du visage étaient encore pleines. Le Père fixait le petit lustre de perles multicolores qui pendait au-dessus du lit. A l'entrée de la vieille dame, il tourna la tête vers elle. Selon les dires de son hôtesse, il semblait à ce moment avoir été battu pendant toute la nuit et avoir perdu toute force pour réagir. Elle lui demanda comment il allait. Et d'une voix dont elle nota le son étrangement indifférent, il dit qu'il allait mal, qu'il n'avait pas besoin de médecin et qu'il suffirait qu'on le transportât à l'hôpital pour que tout fût dans les règles. Épouvantée, la vieille dame courut au téléphone.

Rieux arriva à midi. Au récit de l'hôtesse, il répondit

seulement que Paneloux avait raison et que ce devait être trop tard. Le Père l'accueillit avec le même air indifférent. Rieux l'examina et fut surpris de ne découvrir aucun des symptômes principaux de la peste bubonique ou pulmonaire, sinon l'engorgement et l'oppression des poumons. De toute façon, le pouls était si bas et l'état général si alarmant qu'il y avait peu d'espoir :

— Vous n'avez aucun des symptômes principaux de la maladie, dit-il à Paneloux. Mais, en réalité, il y a doute, et je dois vous isoler.

Le Père sourit bizarrement, comme avec politesse, mais se tut. Rieux sortit pour téléphoner et revint. Il regardait le Père.

— Je resterai près de vous, lui dit-il doucement.

L'autre parut se ranimer et tourna vers le docteur des yeux où une sorte de chaleur semblait revenir. Puis il articula difficilement, de manière qu'il était impossible de savoir s'il le disait avec tristesse ou non :

— Merci, dit-il. Mais les religieux n'ont pas d'amis. Ils ont tout placé en Dieu.

Il demanda le crucifix qui était placé à la tête du lit et, quand il l'eut, se détourna pour le regarder.

A l'hôpital, Paneloux ne desserra pas les dents. Il s'abandonna comme une chose à tous les traitements qu'on lui imposa, mais il ne lâcha plus le crucifix. Cependant, le cas du prêtre continuait d'être ambigu. Le doute persistait dans l'esprit de Rieux. C'était la peste et ce n'était pas elle. Depuis quelque temps d'ailleurs, elle semblait prendre plaisir à dérouter les diagnostics. Mais, dans le cas de Paneloux, la suite devait montrer que cette incertitude était sans importance.

La fièvre monta. La toux se fit de plus en plus rauque et tortura le malade toute la journée. Le soir enfin, le Père expectora cette ouate qui l'étouffait. Elle était rouge. Au milieu du tumulte de la fièvre, Paneloux gardait son regard indifférent et quand, le lendemain matin, on le trouva mort, à demi versé hors du lit, son regard n'exprimait rien. On inscrivit sur sa fiche : « Cas douteux. »

## V

LA Toussaint de cette année-là ne fut pas ce qu'elle
était d'ordinaire. Certes, le temps était de circons-
tance. Il avait brusquement changé et les chaleurs tardives avaient tout d'un coup fait place aux fraîcheurs.
Comme les autres années, un vent froid soufflait maintenant de façon continue. De gros nuages couraient d'un
horizon à l'autre, couvraient d'ombre les maisons sur
lesquelles retombait, après leur passage, la lumière
froide et dorée du ciel de novembre. Les premiers im-
perméables avaient fait leur apparition. Mais on remarquait un nombre surprenant d'étoffes caoutchoutées et
brillantes. Les journaux en effet avaient rapporté que
deux cents ans auparavant, pendant les grandes pestes
du Midi, les médecins revêtaient des étoffes huilées
pour leur propre préservation. Les magasins en avaient
profité pour écouler un stock de vêtements démodés
grâce auxquels chacun espérait une immunité.

Mais tous ces signes de saisons ne pouvaient faire
oublier que les cimetières étaient désertés. Les autres
années, les tramways étaient pleins de l'odeur fade des
chrysanthèmes et des théories de femmes se rendaient
aux lieux où leurs proches se trouvaient enterrés, afin
de fleurir leurs tombes. C'était le jour où l'on essayait
de compenser auprès du défunt l'isolement et l'oubli

où il avait été tenu pendant de longs mois. Mais cette année-là, personne ne voulait plus penser aux morts. On y pensait déjà trop, précisément. Et il ne s'agissait plus de revenir à eux avec un peu de regret et beaucoup de mélancolie. Ils n'étaient plus les délaissés auprès desquels on vient se justifier un jour par an. Ils étaient les intrus qu'on veut oublier. Voilà pourquoi la Fête des Morts, cette année-là, fut en quelque sorte escamotée. Selon Cottard, à qui Tarrou reconnaissait un langage de plus en plus ironique, c'était tous les jours la Fête des Morts.

Et réellement, les feux de joie de la peste brûlaient avec une allégresse toujours plus grande dans le four crématoire. D'un jour à l'autre, le nombre de morts, il est vrai, n'augmentait pas. Mais il semblait que la peste se fût confortablement installée dans son paroxysme et qu'elle apportât à ses meurtres quotidiens la précision et la régularité d'un bon fonctionnaire. En principe, et de l'avis des personnalités compétentes, c'était un bon signe. Le graphique des progrès de la peste, avec sa montée incessante, puis le long plateau qui lui succédait, paraissait tout à fait réconfortant au docteur Richard, par exemple. « C'est un bon, c'est un excellent graphique », disait-il. Il estimait que la maladie avait atteint ce qu'il appelait un palier. Désormais, elle ne pourrait que décroître. Il en attribuait le mérite au nouveau sérum de Castel qui venait de connaître, en effet, quelques succès inattendus. Le vieux Castel n'y contredisait pas, mais estimait qu'en fait, on ne pouvait rien prévoir, l'histoire des épidémies comportant des rebondissements imprévus. La préfecture qui, depuis longtemps, désirait apporter un apaisement à l'esprit public, et à qui la peste n'en donnait pas les moyens, se proposait de réunir les médecins pour

leur demander un rapport à ce sujet, lorsque le docteur
Richard fut enlevé par la peste, lui aussi, et précisément
sur le palier de la maladie.

L'administration, devant cet exemple, impressionnant
sans doute, mais qui, après tout, ne prouvait rien,
retourna au pessimisme avec autant d'inconséquence
qu'elle avait d'abord accueilli l'optimisme. Castel, lui,
se bornait à préparer son sérum aussi soigneusement
qu'il le pouvait. Il n'y avait plus, en tout cas, un seul lieu
public qui ne fût transformé en hôpital ou en lazaret,
et si l'on respectait encore la préfecture, c'est qu'il fallait bien garder un endroit où se réunir. Mais, en général, et du fait de la stabilité relative de la peste à cette
époque, l'organisation prévue par Rieux ne fut nulle-
ment dépassée. Les médecins et les aides, qui fournissaient un effort épuisant, n'étaient pas obligés d'imaginer
des efforts plus grands encore. Ils devaient seulement
continuer avec régularité, si l'on peut dire, ce travail
surhumain. Les formes pulmonaires de l'infection qui
s'étaient déjà manifestées se multipliaient maintenant
aux quatre coins de la ville, comme si le vent allumait
et activait des incendies dans les poitrines. Au milieu
de vomissements de sang, les malades étaient enlevés
beaucoup plus rapidement. La contagiosité risquait
maintenant d'être plus grande, avec cette nouvelle
forme de l'épidémie. Au vrai, les avis des spécialistes
avaient toujours été contradictoires sur ce point. Pour
plus de sûreté cependant, le personnel sanitaire continuait de respirer sous des masques de gaze désin-
fectée. A première vue, en tout cas, la maladie aurait dû
s'étendre. Mais, comme les cas de peste bubonique
diminuaient, la balance était en équilibre.

On pouvait cependant avoir d'autres sujets d'inquiétude par suite des difficultés du ravitaillement qui crois-

saient avec le temps. La spéculation s'en était mêlée et
on offrait à des prix fabuleux des denrées de première
nécessité qui manquaient sur le marché ordinaire. Les
familles pauvres se trouvaient ainsi dans une situation
très pénible, tandis que les familles riches ne manquaient
à peu près de rien. Alors que la peste, par l'impartialité
efficace qu'elle apportait dans son ministère, aurait dû
renforcer l'égalité chez nos concitoyens, par le jeu normal
des égoïsmes, au contraire, elle rendait plus aigu dans le
cœur des hommes le sentiment de l'injustice. Il restait,
bien entendu, l'égalité irréprochable de la mort, mais
de celle-là, personne ne voulait. Les pauvres qui souffraient ainsi de la faim pensaient, avec plus de nostalgie
encore, aux villes et aux campagnes voisines, où la vie
était libre et où le pain n'était pas cher. Puisqu'on ne
pouvait les nourrir suffisamment, ils avaient le sentiment,
d'ailleurs peu raisonnable, qu'on aurait dû leur permettre
de partir. Si bien qu'un mot d'ordre avait fini par courir
qu'on lisait, parfois, sur les murs ou qui était crié,
d'autres fois, sur le passage du préfet : « Du pain ou de
l'air. » Cette formule ironique donnait le signal de certaines manifestations vite réprimées, mais dont le caractère de gravité n'échappait à personne.

   Les journaux, naturellement, obéissaient à la consigne
d'optimisme à tout prix qu'ils avaient reçues. A les lire,
ce qui caractérisait la situation, c'était « l'exemple émou-
vant de calme et de sang-froid » que donnait la population. Mais dans une ville refermée sur elle-même, où
rien ne pouvait demeurer secret, personne ne se trompait
sur « l'exemple » donné par la communauté. Et pour
avoir une juste idée du calme et du sang-froid dont il
était question, il suffisait d'entrer dans un lieu de quarantaine ou dans un des camps d'isolement qui avaient
été organisés par l'administration. Il se trouve que le nar-

rateur, appelé ailleurs, ne les a pas connus. Et c'est pourquoi il ne peut citer ici que le témoignage de Tarrou.

Tarrou rapporte, en effet, dans ses carnets, le récit
d'une visite qu'il fit avec Rambert au camp installé sur
le stade municipal. Le stade est situé presque aux portes
de la ville, et donne d'un côté sur la rue où passent
les tramways, de l'autre sur des terrains vagues qui
s'étendent jusqu'au bord du plateau où la ville est construite. Il est entouré ordinairement de hauts murs de
ciment et il avait suffi de placer des sentinelles aux quatre
portes d'entrée pour rendre l'évasion difficile. De même,
les murs empêchaient les gens de l'extérieur d'impor-
tuner de leur curiosité les malheureux qui étaient placés
en quarantaine. En revanche, ceux-ci, à longueur de
journée, entendaient, sans les voir, les tramways qui passaient, et devinaient, à la rumeur plus grande que ces
derniers traînaient avec eux, les heures de rentrée et de
sortie des bureaux. Ils savaient ainsi que la vie dont
ils étaient exclus continuait à quelques mètres d'eux,
et que les murs de ciment séparaient deux univers plus
étrangers l'un à l'autre que s'ils avaient été dans des
planètes différentes.

C'est un dimanche après-midi que Tarrou et Rambert
choisirent pour se diriger vers le stade. Ils étaient accom-
pagnés de Gonzalès, le joueur de football, que Rambert
avait retrouvé et qui avait fini par accepter de diriger
par roulement la surveillance du stade. Rambert devait
le présenter à l'administrateur du camp. Gonzalès avait
dit aux deux hommes, au moment où ils s'étaient re-
trouvés, que c'était l'heure où, avant la peste, il se mettait
en tenue pour commencer son match. Maintenant que
les stades étaient réquisitionnés, ce n'était plus possible et Gonzalès se sentait, et avait l'air, tout à fait
désœuvré. C'était une des raisons pour lesquelles il avait

accepté cette surveillance, à condition qu'il n'eût à
l'exercer que pendant les fins de semaine. Le ciel était
à moitié couvert et Gonzalès, le nez levé, remarqua
avec regret que ce temps, ni pluvieux, ni chaud, était le
plus favorable à une bonne partie. Il évoquait comme il
pouvait l'odeur d'embrocation dans les vestiaires, les
tribunes croulantes, les maillots de couleur vive sur le
terrain fauve, les citrons de la mi-temps ou la limo-
nade qui pique les gorges desséchées de mille aiguilles
rafraîchissantes. Tarrou note d'ailleurs que, pendant
tout le trajet, à travers les rues défoncées du faubourg,
le joueur ne cessait de donner des coups de pied dans les
cailloux qu'il rencontrait. Il essayait de les envoyer droit
dans les bouches d'égout, et quand il réussissait, « un à
zéro », disait-il. Quand il avait fini sa cigarette, il crachait
son mégot devant lui et tentait, à la volée, de le rattraper
du pied. Près du stade, des enfants qui jouaient en-
voyèrent une balle vers le groupe qui passait et Gonzalès
se dérangea pour la leur retourner avec précision.

Ils entrèrent enfin dans le stade. Les tribunes étaient
pleines de monde. Mais le terrain était couvert par
plusieurs centaines de tentes rouges, à l'intérieur desquelles on apercevait, de loin, des literies et des ballots.
On avait gardé les tribunes pour que les internés pussent
s'abriter par les temps de chaleur ou de pluie. Simplement, ils devaient réintégrer les tentes au coucher du
soleil. Sous les tribunes, se trouvaient les douches qu'on
avait aménagées et les anciens vestiaires de joueurs qu'on
avait transformés en bureaux et en infirmeries. La plupart des internés garnissaient les tribunes. D'autres
erraient sur les touches. Quelques-uns étaient accroupis
à l'entrée de leur tente et promenaient sur toutes choses
un regard vague. Dans les tribunes, beaucoup étaient
affalés et semblaient attendre.

— Que font-ils dans la journée? demanda Tarrou
à Rambert.

— Rien.

Presque tous, en effet, avaient les bras ballants et les
mains vides. Cette immense assemblée d'hommes était
curieusement silencieuse.

— Les premiers jours, on ne s'entendait pas, ici, dit
Rambert. Mais à mesure que les jours passaient, ils ont
parlé de moins en moins.

Si l'on en croit ses notes, Tarrou les comprenait,
et il les voyait au début, entassés dans leurs tentes,
occupés à écouter les mouches ou à se gratter, hurlant
leur colère ou leur peur quand ils trouvaient une oreille
complaisante. Mais à partir du moment où le camp
avait été surpeuplé, il y avait eu de moins en moins
d'oreilles complaisantes. Il ne restait donc plus qu'à se
taire et à se méfier. Il y avait en effet une sorte de méfiance
qui tombait du ciel gris, et pourtant lumineux, sur le
camp rouge.

Oui, ils avaient tous l'air de la méfiance. Puisqu'on les
avait séparés des autres, ce n'était pas sans raison, et
ils montraient le visage de ceux qui cherchent leurs
raisons, et qui craignent. Chacun de ceux que Tarrou
regardait avait l'œil inoccupé, tous avaient l'air de
souffrir d'une séparation très générale d'avec ce qui
faisait leur vie. Et comme ils ne pouvaient pas toujours penser à la mort, ils ne pensaient à rien. Ils
étaient en vacances. « Mais le pire, écrivait Tarrou, est
qu'ils soient des oubliés et qu'ils le sachent. Ceux qui
les connaissaient les ont oubliés parce qu'ils pensent à
autre chose et c'est bien compréhensible. Quant à ceux
qui les aiment, ils les ont oubliés aussi parce qu'ils
doivent s'épuiser en démarches et en projets pour les
faire sortir. A force de penser à cette sortie, ils ne pensent

plus à ceux qu'il s'agit de faire sortir. Cela aussi est normal. Et à la fin de tout, on s'aperçoit que personne n'est capable réellement de penser à personne, fût-ce dans le pire des malheurs. Car penser réellement à quelqu'un, c'est y penser minute après minute, sans être distrait par rien, ni les soins du ménage, ni la mouche qui vole, ni les repas, ni une démangeaison. Mais il y a toujours des mouches et des démangeaisons. C'est pourquoi la vie est difficile à vivre. Et ceux-ci le savent bien. »

L'administrateur, qui revenait vers eux, leur dit qu'un M. Othon demandait à les voir. Il conduisit Gonzalès dans son bureau, puis les mena vers un coin des tribunes d'où M. Othon, qui s'était assis à l'écart, se leva pour les recevoir. Il était toujours habillé de la même façon et portait le même col dur. Tarrou remarqua seulement que ses touffes, sur les tempes, étaient beaucoup plus hérissées et qu'un de ses lacets était dénoué. Le juge avait l'air fatigué, et, pas une seule fois, il ne regarda ses interlocuteurs en face. Il dit qu'il était heureux de les voir et qu'il les chargeait de remercier le docteur Rieux pour ce qu'il avait fait.

Les autres se turent.

— J'espère, dit le juge après un certain temps, que Philippe n'aura pas trop souffert.

C'était la première fois que Tarrou lui entendait prononcer le nom de son fils et il comprit que quelque chose était changé. Le soleil baissait à l'horizon et, entre deux nuages, ses rayons entraient latéralement dans les tribunes, dorant leurs trois visages.

— Non, dit Tarrou, non, il n'a vraiment pas souffert.

Quand ils se retirèrent, le juge continuait de regarder du côté d'où venait le soleil.

Ils allèrent dire au revoir à Gonzalès, qui étudiait

un tableau de surveillance par roulement. Le joueur rit en leur serrant les mains.

— J'ai retrouvé au moins les vestiaires, disait-il, c'est toujours ça.

Peu après, l'administrateur reconduisait Tarrou et Rambert, quand un énorme grésillement se fit entendre dans les tribunes. Puis les haut-parleurs qui, dans des temps meilleurs, servaient à annoncer le résultat des matches ou à présenter les équipes, déclarèrent en nasillant que les internés devaient regagner leurs tentes pour que le repas du soir pût être distribué. Lentement, les hommes quittèrent les tribunes et se rendirent dans les tentes en traînant le pas. Quand ils furent tous installés, deux petites voitures électriques, comme on en voit dans les gares, passèrent entre les tentes, transportant de grosses marmites. Les hommes tendaient leurs bras, deux louches plongeaient dans deux marmites et en sortaient pour atterrir dans deux gamelles. La voiture se remettait en marche. On recommençait à la tente suivante.

— C'est scientifique, dit Tarrou à l'administrateur.

— Oui, dit celui-ci avec satisfaction, en leur serrant la main, c'est scientifique.

Le crépuscule était là, et le ciel s'était découvert. Une lumière douce et fraîche baignait le camp. Dans la paix du soir, des bruits de cuillers et d'assiettes montèrent de toutes parts. Des chauves-souris voletèrent au-dessus des tentes et disparurent subitement. Un tramway criait sur un aiguillage, de l'autre côté des murs.

— Pauvre juge, murmura Tarrou en franchissant les portes. Il faudrait faire quelque chose pour lui. Mais comment aider un juge?

# VI

IL y avait ainsi, dans la ville, plusieurs autres camps
dont le narrateur, par scrupule et par manque d'in-
formation directe, ne peut dire plus. Mais ce qu'il peut
dire, c'est que l'existence de ces camps, l'odeur d'hommes
qui en venait, les énormes voix des haut-parleurs dans le
crépuscule, le mystère des murs et la crainte de ces
lieux réprouvés, pesaient lourdement sur le moral de
nos concitoyens et ajoutaient encore au désarroi et au
malaise de tous. Les incidents et les conflits avec l'administration se multiplièrent.

A la fin de novembre, cependant, les matins devinrent
très froids. Des pluies de déluge lavèrent le pavé à grande
eau, nettoyèrent le ciel et le laissèrent pur de nuages au-
dessus des rues luisantes. Un soleil sans force répandit
tous les matins, sur la ville, une lumière étincelante et
glacée. Vers le soir, au contraire, l'air devenait tiède
à nouveau. Ce fut le moment que choisit Tarrou pour
se découvrir un peu auprès du docteur Rieux.

Un jour, vers dix heures, après une longue et épui-
sante journée, Tarrou accompagna Rieux, qui allait
faire au vieil asthmatique sa visite du soir. Le ciel
luisait doucement au-dessus des maisons du vieux quartier. Un léger vent soufflait sans bruit à travers les car-

refours obscurs. Venus des rues calmes, les deux hommes tombèrent sur le bavardage du vieux. Celui-ci leur apprit qu'il y en avait qui n'étaient pas d'accord, que l'assiette au beurre était toujours pour les mêmes, que tant va la cruche à l'eau qu'à la fin elle se casse et que, probablement, et là il se frotta les mains, il y aurait du grabuge. Le docteur le soigna sans qu'il cessât de commenter les événements.

Ils entendaient marcher au-dessus d'eux. La vieille femme, remarquant l'air intéressé de Tarrou, leur expliqua que des voisines se tenaient sur la terrasse. Ils apprirent en même temps qu'on avait une belle vue, de là-haut, et que les terrasses des maisons se rejoignant souvent par un côté, il était possible aux femmes du quartier de se rendre visite sans sortir de chez elles.

— Oui, dit le vieux, montez donc. Là-haut, c'est le bon air.

Ils trouvèrent la terrasse vide, et garnie de trois chaises. D'un côté, aussi loin que la vue pouvait s'étendre, on n'apercevait que des terrasses qui finissaient par s'adosser à une masse obscure et pierreuse où ils reconnurent la première colline. De l'autre côté, par-dessus quelques rues et le port invisible, le regard plongeait sur un horizon où le ciel et la mer se mêlaient dans une palpitation indistincte. Au delà de ce qu'ils savaient être les falaises, une lueur dont ils n'apercevaient pas la source reparaissait régulièrement : le phare de la passe, depuis le printemps, continuait à tourner pour des navires qui se détournaient vers d'autres ports. Dans le ciel balayé et lustré par le vent, des étoiles pures brillaient et la lueur lointaine du phare y mêlait, de moment en moment, une cendre passagère. La brise apportait des odeurs d'épices et de pierre. Le silence était absolu.

— Il fait bon, dit Rieux, en s'asseyant. C'est comme si la peste n'était jamais montée là.

Tarrou lui tournait le dos et regardait la mer.

— Oui, dit-il après un moment, il fait bon.

Il vint s'asseoir auprès du docteur et le regarda attentivement. Trois fois, la lueur reparut dans le ciel. Un bruit de vaisselle choquée monta jusqu'à eux des profondeurs de la rue. Une porte claqua dans la maison.

— Rieux, dit Tarrou sur un ton très naturel, vous n'avez jamais cherché à savoir qui j'étais? Avez-vous de l'amitié pour moi?

— Oui, répondit le docteur, j'ai de l'amitié pour vous. Mais jusqu'ici le temps nous a manqué.

— Bon, cela me rassure. Voulez-vous que cette heure soit celle de l'amitié?

Pour toute réponse, Rieux lui sourit.

— Eh bien, voilà...

Quelques rues plus loin, une auto sembla glisser longuement sur le pavé mouillé. Elle s'éloigna et, après elle, des exclamations confuses, venues de loin, rompirent encore le silence. Puis il retomba sur les deux hommes avec tout son poids de ciel et d'étoiles. Tarrou s'était levé pour se percher sur le parapet de la terrasse, face à Rieux, toujours tassé au creux de sa chaise. On ne voyait de lui qu'une forme massive, découpée dans le ciel. Il parla longtemps et voici à peu près son discours reconstitué :

« Disons pour simplifier, Rieux, que je souffrais déjà de la peste bien avant de connaître cette ville et cette épidémie. C'est assez dire que je suis comme tout le monde. Mais il y a des gens qui ne le savent pas, ou qui se trouvent bien dans cet état, et des gens qui le savent et qui voudraient en sortir. Moi, j'ai toujours voulu en sortir.

« Quand j'étais jeune, je vivais avec l'idée de mon innocence, c'est-à-dire avec pas d'idée du tout. Je n'ai pas le genre tourmenté, j'ai débuté comme il convenait. Tout me réussissait, j'étais à l'aise dans l'intelligence, au mieux avec les femmes, et si j'avais quelques inquiétudes, elles passaient comme elles étaient venues. Un jour, j'ai commencé à réfléchir. Maintenant...

« Il faut vous dire que je n'étais pas pauvre comme vous. Mon père était avocat général, ce qui est une situation. Pourtant, il n'en portait pas l'air, étant de naturel bonhomme. Ma mère était simple et effacée, je n'ai jamais cessé de l'aimer, mais je préfère ne pas en parler. Lui s'occupait de moi avec affection et je crois même qu'il essayait de me comprendre. Il avait des aventures au-dehors, j'en suis sûr maintenant, et, aussi bien, je suis loin de m'en indigner. Il se conduisait en tout cela comme il fallait attendre qu'il se conduisît, sans choquer personne. Pour parler bref, il n'était pas très original et, aujourd'hui qu'il est mort, je me rends compte que s'il n'a pas vécu comme un saint, il n'a pas été non plus un mauvais homme. Il tenait le milieu, voilà tout, et c'est le type d'homme pour lequel on se sent une affection raisonnable, celle qui fait qu'on continue.

« Il avait cependant une particularité : le grand indicateur Chaix était son livre de chevet. Ce n'était pas qu'il voyageât, sauf aux vacances, pour aller en Bretagne où il avait une petite propriété. Mais il était à même de vous dire exactement les heures de départ et d'arrivée du Paris-Berlin, les combinaisons d'horaires qu'il fallait faire pour aller de Lyon à Varsovie, le kilométrage exact entre les capitales de votre choix. Êtes-vous capable de dire comment on va de Briançon à Chamonix? Même un chef de gare s'y perdrait. Mon père ne s'y perdait pas.

Il s'exerçait à peu près tous les soirs à enrichir ses connaissances sur ce point, et il en était plutôt fier. Cela m'amusait beaucoup, et je le questionnais souvent, ravi de vérifier ses réponses dans le Chaix et de reconnaître qu'il ne s'était pas trompé. Ces petits exercices nous ont beaucoup liés l'un à l'autre, car je lui fournissais un auditoire dont il appréciait la bonne volonté. Quant à moi, je trouvais que cette supériorité qui avait trait aux chemins de fer en valait bien une autre.

« Mais je me laisse aller et je risque de donner trop d'importance à cet honnête homme. Car, pour finir, il n'a eu qu'une influence indirecte sur ma détermination. Tout au plus m'a-t-il fourni une occasion. Quand j'ai eu dix-sept ans, en effet, mon père m'a invité à aller l'écouter. Il s'agissait d'une affaire importante, en cour d'assises, et, certainement, il avait pensé qu'il apparaîtrait sous son meilleur jour. Je crois aussi qu'il comptait sur cette cérémonie, propre à frapper les jeunes imaginations, pour me pousser à entrer dans la carrière que lui-même avait choisie. J'avais accepté, parce que cela faisait plaisir à mon père et parce que, aussi bien, j'étais curieux de le voir et de l'entendre dans un autre rôle que celui qu'il jouait parmi nous. Je ne pensais à rien de plus. Ce qui se passait dans un tribunal m'avait toujours paru aussi naturel et inévitable qu'une revue de 14 juillet ou une distribution de prix. J'en avais une idée fort abstraite et qui ne me gênait pas.

« Je n'ai pourtant gardé de cette journée qu'une seule image, celle du coupable. Je crois qu'il était coupable en effet, il importe peu de quoi. Mais ce petit homme au poil roux et pauvre, d'une trentaine d'années, paraissait si décidé à tout reconnaître, si sincèrement effrayé par ce qu'il avait fait et ce qu'on allait lui faire, qu'au bout de quelques minutes, je n'eus plus d'yeux que pour lui. Il avait l'air d'un hibou effarouché par une lumière trop vive. Le nœud de sa cravate ne s'ajustait pas exactement à l'angle du col. Il se rongeait les ongles d'une seule main, la droite... Bref, je n'insiste pas, vous avez compris qu'il était vivant.

« Mais moi, je m'en apercevais brusquement, alors que, jusqu'ici, je n'avais pensé à lui qu'à travers la catégorie commode d' « inculpé ». Je ne puis dire que j'oubliais alors mon père, mais quelque chose me serrait le ventre qui m'enlevait toute autre attention que celle que je portais au prévenu. Je n'écoutais presque rien, je sentais qu'on voulait tuer cet homme vivant et un instinct formidable comme une vague me portait à ses côtés avec une sorte d'aveuglement entêté. Je ne me réveillais vraiment qu'avec le réquisitoire de mon père.

« Transformé par sa robe rouge, ni bonhomme ni affectueux, sa bouche grouillait de phrases immenses, qui, sans arrêt, en sortaient comme des serpents. Et je compris qu'il demandait la mort de cet homme au nom de la société et qu'il demandait même qu'on lui coupât le cou. Il disait seulement, il est vrai : « Cette tête doit tomber. » Mais, à la fin, la différence n'était pas grande. Et cela revint au même, en effet, puisqu'il obtint cette tête. Simplement, ce n'est pas lui qui fit alors le travail. Et moi qui suivis l'affaire ensuite jusqu'à sa conclusion, exclusivement, j'eus avec ce malheureux une intimité bien plus vertigineuse que ne l'eut jamais mon père. Celui-ci devait pourtant, selon la coutume, assister à ce qu'on appelait poliment les derniers moments et qu'il faut bien nommer le plus abject des assassinats.

« A partir de ce jour, je ne pus regarder l'indicateur Chaix qu'avec un dégoût abominable. A partir de ce jour, je m'intéressai avec horreur à la justice, aux condamnations à mort, aux exécutions et je constatai

avec un vertige que mon père avait dû assister plusieurs
fois à l'assassinat et que c'était les jours où, justement,
il se levait très tôt. Oui, il remontait son réveil dans ces
cas-là. Je n'osai pas en parler à ma mère, mais je l'ob-
servai mieux alors et je compris qu'il n'y avait plus rien
entre eux et qu'elle menait une vie de renoncement.
Cela m'aida à lui pardonner, comme je disais alors.
Plus tard, je sus qu'il n'y avait rien à lui pardonner,
parce qu'elle avait été pauvre toute sa vie jusqu'à son
mariage et que la pauvreté lui avait appris la résignation.

« Vous attendez sans doute que je vous dise que je
suis parti aussitôt. Non, je suis resté plusieurs mois,
presque une année. Mais j'avais le cœur malade. Un soir,
mon père demanda son réveil parce qu'il devait se lever
tôt. Je ne dormis pas de la nuit. Le lendemain, quand il
revint, j'étais parti. Disons tout de suite que mon père
me fit rechercher, que j'allai le voir, que sans rien
expliquer, je lui dis calmement que je me tuerais s'il me
forçait à revenir. Il finit par accepter, car il était de naturel plutôt doux, me fit un discours sur la stupidité qu'il
y avait à vouloir vivre sa vie (c'est ainsi qu'il s'expliquait
mon geste et je ne le dissuadai point), mille recommandations, et réprima les larmes sincères qui lui venaient.
Par la suite, assez longtemps après cependant, je revins
régulièrement voir ma mère et je le rencontrai alors.
Ces rapports lui suffirent, je crois. Pour moi, je n'avais
pas d'animosité contre lui, seulement un peu de tristesse
au cœur. Quand il mourut, je pris ma mère avec moi et
elle y serait encore si elle n'était pas morte à son tour.

« J'ai longuement insisté sur ce début parce qu'il
fut en effet au début de tout. J'irai plus vite maintenant. J'ai connu la pauvreté à dix-huit ans, au sortir de
l'aisance. J'ai fait mille métiers pour gagner ma vie. Ça
ne m'a pas trop mal réussi. Mais ce qui m'intéressait,

c'était la condamnation à mort. Je voulais régler un
compte avec le hibou roux. En conséquence, j'ai fait de
la politique comme on dit. Je ne voulais pas être un
pestiféré, voilà tout. J'ai cru que la société où je vivais
était celle qui reposait sur la condamnation à mort et
qu'en la combattant, je combattrais l'assassinat. Je l'ai
cru, d'autres me l'ont dit et, pour finir, c'était vrai en
grande partie. Je me suis donc mis avec les autres que
j'aimais et que je n'ai pas cessé d'aimer. J'y suis resté
longtemps et il n'est pas de pays en Europe dont je
n'aie partagé les luttes. Passons.

« Bien entendu, je savais que, nous aussi, nous pro-
noncions, à l'occasion, des condamnations. Mais on
me disait que ces quelques morts étaient nécessaires
pour amener un monde où l'on ne tuerait plus personne.
C'était vrai d'une certaine manière et, après tout, peut-
être ne suis-je pas capable de me maintenir dans ce
genre de vérités. Ce qu'il y a de sûr, c'est que j'hési-
tais. Mais je pensais au hibou et cela pouvait continuer. Jusqu'au jour où j'ai vu une exécution (c'était en
Hongrie) et le même vertige qui avait saisi l'enfant que
j'étais a obscurci mes yeux d'homme.

« Vous n'avez jamais vu fusiller un homme? Non, bien
sûr, cela se fait généralement sur invitation et le public
est choisi d'avance. Le résultat est que vous en êtes resté
aux estampes et aux livres. Un bandeau, un poteau,
et au loin quelques soldats. Eh bien, non! Savez-
vous que le peloton des fusilleurs se place au contraire
à un mètre cinquante du condamné? Savez-vous que si
le condamné faisait deux pas en avant, il heurterait les
fusils avec sa poitrine? Savez-vous qu'à cette courte
distance, les fusilleurs concentrent leur tir sur la région
du cœur et qu'à eux tous, avec leurs grosses balles, ils y
font un trou où l'on pourrait mettre le poing? Non,

vous ne le savez pas parce que ce sont là des détails dont on ne parle pas. Le sommeil des hommes est plus sacré que la vie pour les pestiférés. On ne doit pas empêcher les braves gens de dormir. Il y faudrait du mauvais goût, et le goût consiste à ne pas insister, tout le monde sait ça. Mais moi, je n'ai pas bien dormi depuis ce temps-là. Le mauvais goût m'est resté dans la bouche et je n'ai pas cessé d'insister, c'est-à-dire d'y penser.

« J'ai compris alors que moi, du moins, je n'avais pas cessé d'être un pestiféré pendant toutes ces longues années où pourtant, de toute mon âme, je croyais lutter justement contre la peste. J'ai appris que j'avais indirectement souscrit à la mort de milliers d'hommes, que j'avais même provoqué cette mort en trouvant bons les actions et les principes qui l'avaient fatalement entraînée. Les autres ne semblaient pas gênés par cela ou du moins ils n'en parlaient jamais spontanément. Moi, j'avais la gorge nouée. J'étais avec eux et j'étais pourtant seul. Quand il m'arrivait d'exprimer mes scrupules, ils me disaient qu'il fallait réfléchir à ce qui était en jeu et ils me donnaient des raisons souvent impressionnantes, pour me faire avaler ce que je n'arrivais pas à déglutir. Mais je répondais que les grands pestiférés, ceux qui mettent des robes rouges, ont aussi d'excellentes raisons dans ces cas-là, et que si j'admettais les raisons de force majeure et les nécessités invoquées par les petits pestiférés, je ne pourrais pas rejeter celles des grands. Ils me faisaient remarquer que la bonne manière de donner raison aux robes rouges était de leur laisser l'exclusivité de la condamnation. Mais je me disais alors que, si l'on cédait une fois, il n'y avait pas de raison de s'arrêter. Il me semble que l'histoire m'a donné raison, aujourd'hui c'est à qui tuera le plus. Ils sont tous dans la fureur du meurtre, et ils ne peuvent pas faire autrement.

« Mon affaire à moi, en tout cas, ce n'était pas le raisonnement. C'était le hibou roux, cette sale aventure
où de sales bouches empestées annonçaient à un homme
dans les chaînes qu'il allait mourir et réglaient toutes
choses pour qu'il meure, en effet, après des nuits et des
nuits d'agonie pendant lesquelles il attendait d'être
assassiné les yeux ouverts. Mon affaire, c'était le trou
dans la poitrine. Et je me disais qu'en attendant, et
pour ma part au moins, je refuserais de jamais donner
une seule raison, une seule, vous entendez, à cette
dégoûtante boucherie. Oui, j'ai choisi cet aveuglement
obstiné en attendant d'y voir plus clair.

« Depuis, je n'ai pas changé. Cela fait longtemps que
j'ai honte, honte à mourir d'avoir été, fût-ce de loin,
fût-ce dans la bonne volonté, un meurtrier à mon tour.
Avec le temps, j'ai simplement aperçu que même ceux
qui étaient meilleurs que d'autres ne pouvaient s'empêcher aujourd'hui de tuer ou de laisser tuer parce que
c'était dans la logique où ils vivaient, et que nous ne
pouvions pas faire un geste en ce monde sans risquer
de faire mourir. Oui, j'ai continué d'avoir honte, j'ai
appris cela, que nous étions tous dans la peste, et j'ai
perdu la paix. Je la cherche encore aujourd'hui, essayant
de les comprendre tous et de n'être l'ennemi mortel de
personne. Je sais seulement qu'il faut faire ce qu'il faut
pour ne plus être un pestiféré et que c'est là ce qui
peut, seul, nous faire espérer la paix, ou une bonne mort
à son défaut. C'est cela qui peut soulager les hommes
et, sinon les sauver, du moins leur faire le moins de
mal possible et même parfois un peu de bien. Et c'est
pourquoi j'ai décidé de refuser tout ce qui, de près ou
de loin, pour de bonnes ou de mauvaises raisons, fait
mourir ou justifie qu'on fasse mourir.

« C'est pourquoi encore cette épidémie ne m'apprend rien, sinon qu'il faut la combattre à vos côtés. Je sais de science certaine (oui, Rieux, je sais tout de la vie, vous le voyez bien) que chacun la porte en soi, la peste, parce que personne, non, personne au monde n'en est indemne. Et qu'il faut se surveiller sans arrêt pour ne pas être amené, dans une minute de distraction, à respirer dans la figure d'un autre et à lui coller l'infection. Ce qui est naturel, c'est le microbe. Le reste, la santé, l'intégrité, la pureté, si vous voulez, c'est un effet de la volonté et d'une volonté qui ne doit jamais s'arrêter. L'honnête homme, celui qui n'infecte presque personne, c'est celui qui a le moins de distractions possible. Et il en faut de la volonté et de la tension pour ne jamais être distrait! Oui, Rieux, c'est bien fatigant d'être un pestiféré. Mais c'est encore plus fatigant de ne pas vouloir l'être. C'est pour cela que tout le monde se montre fatigué, puisque tout le monde, aujourd'hui, se trouve un peu pestiféré. Mais c'est pour cela que quelques-uns, qui veulent cesser de l'être, connaissent une extrémité de fatigue dont rien ne les délivrera plus que la mort.

« D'ici là, je sais que je ne vaux plus rien pour ce monde lui-même et qu'à partir du moment où j'ai renoncé à tuer, je me suis condamné à un exil définitif. Ce sont les autres qui feront l'histoire. Je sais aussi que je ne puis apparemment juger ces autres. Il y a une qualité qui me manque pour faire un meurtrier raisonnable. Ce n'est donc pas une supériorité. Mais maintenant, je consens à être ce que je suis, j'ai appris la modestie. Je dis seulement qu'il y a sur cette terre des fléaux et des victimes et qu'il faut, autant qu'il est possible, refuser d'être avec le fléau. Cela vous paraîtra peut-être un peu simple, et je ne sais si cela est simple, mais je sais que cela est vrai. J'ai entendu tant de raison-

nements qui ont failli me tourner la tête, et qui ont
tourné suffisamment d'autres têtes pour les faire consentir à l'assassinat, que j'ai compris que tout le malheur
des hommes venait de ce qu'ils ne tenaient pas un langage clair. J'ai pris le parti alors de parler et d'agir
clairement, pour me mettre sur le bon chemin. Par
conséquent, je dis qu'il y a les fléaux et les victimes, et
rien de plus. Si, disant cela, je deviens fléau moi-même,
du moins, je n'y suis pas consentant. J'essaie d'être un
meurtrier innocent. Vous voyez que ce n'est pas une
grande ambition.

« Il faudrait, bien sûr, qu'il y eut une troisième catégorie, celle des vrais médecins, mais c'est un fait qu'on
n'en rencontre pas beaucoup et que ce doit être difficile. C'est pourquoi j'ai décidé de me mettre du côté
des victimes, en toute occasion, pour limiter les dégâts.
Au milieu d'elles, je peux du moins chercher comment
on arrive à la troisième catégorie, c'est-à-dire à la paix. »

En terminant, Tarrou balançait sa jambe et frappait
doucement du pied contre la terrasse. Après un silence,
le docteur se souleva un peu et demanda si Tarrou avait
une idée du chemin qu'il fallait prendre pour arriver à la
paix.

— Oui, la sympathie.

Deux timbres d'ambulance résonnèrent dans le lointain. Les exclamations, tout à l'heure confuses, se ras-
semblèrent aux confins de la ville, près de la colline
pierreuse. On entendit en même temps quelque chose
qui ressemblait à une détonation. Puis le silence revint.
Rieux compta deux clignements de phare. La brise
sembla prendre plus de force, et du même coup, un souffle
venu de la mer apporta une odeur de sel. On entendait

maintenant de façon distincte la sourde respiration des vagues contre la falaise.

— En somme, dit Tarrou avec simplicité, ce qui m'intéresse, c'est de savoir comment on devient un saint.

— Mais vous ne croyez pas en Dieu.

— Justement. Peut-on être un saint sans Dieu, c'est le seul problème concret que je connaisse aujourd'hui.

Brusquement, une grande lueur jaillit du côté d'où étaient venus les cris et, remontant le fleuve du vent, une clameur obscure parvint jusqu'aux deux hommes. La lueur s'assombrit aussitôt et loin, au bord des terrasses, il ne resta qu'un rougeoiement. Dans une panne de vent, on entendit distinctement des cris d'hommes, puis le bruit d'une décharge et la clameur d'une foule. Tarrou s'était levé et écoutait. On n'entendait plus rien.

— On s'est encore battu aux portes.

— C'est fini maintenant, dit Rieux.

Tarrou murmura que ce n'était jamais fini et qu'il y aurait encore des victimes, parce que c'était dans l'ordre.

— Peut-être, répondit le docteur, mais vous savez, je me sens plus de solidarité avec les vaincus qu'avec les saints. Je n'ai pas de goût, je crois, pour l'héroïsme et la sainteté. Ce qui m'intéresse, c'est d'être un homme.

— Oui, nous cherchons la même chose, mais je suis moins ambitieux.

Rieux pensa que Tarrou plaisantait et il le regarda. Mais dans la vague lueur qui venait du ciel, il vit un visage triste et sérieux. Le vent se levait à nouveau et Rieux sentit qu'il était tiède sur sa peau. Tarrou se secoua :

— Savez-vous, dit-il, ce que nous devrions faire pour l'amitié?

— Ce que vous voulez, dit Rieux.

— Prendre un bain de mer. Même pour un futur saint, c'est un plaisir digne.

Rieux souriait.

— Avec nos laissez-passer, nous pouvons aller sur la jetée. A la fin, c'est trop bête de ne vivre que dans la peste. Bien entendu, un homme doit se battre pour les victimes. Mais s'il cesse de rien aimer par ailleurs, à quoi sert qu'il se batte?

— Oui, dit Rieux, allons-y.

Un moment après, l'auto s'arrêtait près des grilles du port. La lune s'était levée. Un ciel laiteux projetait partout des ombres pâles. Derrière eux s'étageait la ville et il en venait un souffle chaud et malade qui les poussait vers la mer. Ils montrèrent leurs papiers à un garde qui les examina assez longuement. Ils passèrent et à travers les terre-pleins couverts de tonneaux, parmi les senteurs de vin et de poisson, ils prirent la direction de la jetée. Peu avant d'y arriver, l'odeur de l'iode et des algues leur annonça la mer. Puis, ils l'entendirent.

Elle sifflait doucement aux pieds des grands blocs de la jetée et, comme ils les gravissaient, elle leur apparut, épaisse comme du velours, souple et lisse comme une bête. Ils s'installèrent sur les rochers tournés vers le large. Les eaux se gonflaient et redescendaient lentement. Cette respiration calme de la mer faisait naître et disparaître des reflets huileux à la surface des eaux. Devant eux, la nuit était sans limites. Rieux, qui sentait sous ses doigts le visage grêlé des rochers, était plein d'un étrange bonheur. Tourné vers Tarrou, il devina, sur le visage calme et grave de son ami, ce même bonheur qui n'oubliait rien, pas même l'assassinat.

Ils se déshabillèrent. Rieux plongea le premier. Froides d'abord, les eaux lui parurent tièdes quand il remonta. Au bout de quelques brasses, il savait que la mer, ce soir-là, était tiède, de la tiédeur des mers d'automne

qui reprennent à la terre la chaleur emmagasinée pendant
de longs mois. Il nageait régulièrement. Le battement de
ses pieds laissait derrière lui un bouillonnement d'écume,
l'eau fuyait le long de ses bras pour se coller à ses jambes.
Un lourd clapotement lui apprit que Tarrou avait plongé.
Rieux se mit sur le dos et se tint immobile, face au
ciel renversé, plein de lune et d'étoiles. Il respira longuement. Puis il perçut de plus en plus distinctement
un bruit d'eau battue, étrangement clair dans le silence
et la solitude de la nuit. Tarrou se rapprochait, on entendit bientôt sa respiration. Rieux se retourna, se mit
au niveau de son ami, et nagea dans le même rythme.
Tarrou avançait avec plus de puissance que lui et il dut
précipiter son allure. Pendant quelques minutes, ils
avancèrent avec la même cadence et la même vigueur,
solitaires, loin du monde, libérés enfin de la ville et de
la peste. Rieux s'arrêta le premier et ils revinrent lentement, sauf à un moment où ils entrèrent dans un courant glacé. Sans rien dire, ils précipitèrent tous deux
leur mouvement, fouettés par cette surprise de la mer.

Habillés de nouveau, ils repartirent sans avoir prononcé un mot. Mais ils avaient le même cœur et le souvenir de cette nuit leur était doux. Quand ils aperçurent
de loin la sentinelle de la peste, Rieux savait que Tarrou
se disait, comme lui, que la maladie venait de les oublier,
que cela était bien, et qu'il fallait maintenant recommencer.

## VII

OUI, il fallait recommencer et la peste n'oubliait personne trop longtemps. Pendant le mois de décembre, elle flamba dans les poitrines de nos concitoyens, elle illumina le four, elle peupla les camps d'ombres aux mains vides, elle ne cessa enfin d'avancer de son allure patiente et saccadée. Les autorités avaient compté sur les jours froids pour stopper cette avance, et pourtant elle passait à travers les premières rigueurs de la saison sans désemparer. Il fallait encore attendre. Mais on n'attend plus à force d'attendre, et notre ville entière vivait sans avenir.

Quant au docteur, le fugitif instant de paix et d'amitié qui lui avait été donné n'eut pas de lendemain. On avait ouvert encore un hôpital et Rieux n'avait plus de tête-à-tête qu'avec les malades. Il remarqua cependant qu'à ce stade de l'épidémie, alors que la peste prenait, de plus en plus, la forme pulmonaire, les malades semblaient en quelque sorte aider le médecin. Au lieu de s'abandonner à la prostration ou aux folies du début, ils paraissaient se faire une idée plus juste de leurs intérêts et ils réclamaient d'eux-mêmes ce qui pouvait leur être le plus favorable. Ils demandaient sans cesse à boire, et tous voulaient de la chaleur. Quoique la fatigue fût la même pour le docteur, il se sentait cependant moins seul, dans ces occasions.

Vers la fin de décembre, Rieux reçut de M. Othon, le juge d'instruction, qui se trouvait encore dans son camp, une lettre disant que son temps de quarantaine était passé, que l'administration ne retrouvait pas la date de son entrée et qu'assurément, on le maintenait encore au camp d'internement par erreur. Sa femme, sortie depuis quelque temps, avait protesté à la préfecture, où elle avait été mal reçue, et où on lui avait dit qu'il n'y avait jamais d'erreur. Rieux fit intervenir Rambert et, quelques jours après, vit arriver M. Othon. Il y avait eu en effet une erreur et Rieux s'en indigna un peu. Mais M. Othon, qui avait maigri, leva une main molle et dit, pesant ses mots, que tout le monde pouvait se tromper. Le docteur pensa seulement qu'il y avait quelque chose de changé.

— Qu'allez-vous faire, monsieur le juge? Vos dossiers vous attendent, dit Rieux.

— Eh bien, non, dit le juge. Je voudrais prendre un congé.

— En effet, il faut vous reposer.

— Ce n'est pas cela, je voudrais retourner au camp.

Rieux s'étonna :

— Mais vous en sortez!

— Je me suis mal fait comprendre. On m'a dit qu'il y avait des volontaires de l'administration, dans ce camp.

Le juge roulait un peu ses yeux ronds et essayait d'aplatir une de ses touffes...

— Vous comprenez, j'aurais une occupation. Et puis, c'est stupide à dire, je me sentirais moins séparé de mon petit garçon.

Rieux le regardait. Il n'était pas possible que dans ces yeux durs et plats une douceur s'installât soudain. Mais ils étaient devenus plus brumeux, ils avaient perdu leur pureté de métal.

— Bien sûr, dit Rieux, je vais m'en occuper, puisque vous le désirez.

Le docteur s'en occupa, en effet, et la vie de la cité empestée reprit son train, jusqu'à la Noël. Tarrou continuait de promener partout sa tranquillité efficace. Rambert confiait au docteur qu'il avait établi, grâce aux deux petits gardes, un système de correspondance clandestine avec sa femme. Il recevait une lettre de loin en loin. Il offrit à Rieux de le faire profiter de son système et celui-ci accepta. Il écrivit, pour la première fois depuis de longs mois, mais avec les plus grandes difficultés. Il y avait un langage qu'il avait perdu. La lettre partit. La réponse tardait à venir. De son côté, Cottard prospérait et ses petites spéculations l'enrichissaient. Quant à Grand, la période des fêtes ne devait pas lui réussir.

Le Noël de cette année-là fut plutôt la fête de l'Enfer que celle de l'Évangile. Les boutiques vides et privées de lumière, les chocolats factices ou les boîtes vides dans les vitrines, les tramways chargés de figures sombres, rien ne rappelait les Noëls passés. Dans cette fête où tout le monde, riche ou pauvre, se rejoignait jadis, il n'y avait plus de place que pour les quelques réjouissances solitaires et honteuses que des privilégiés se procuraient à prix d'or, au fond d'une arrière-boutique crasseuse. Les églises étaient emplies de plaintes plutôt que d'actions de grâces. Dans la ville morne et gelée, quelques enfants couraient, encore ignorants de ce qui les menaçait. Mais personne n'osait leur annoncer le dieu d'autrefois, chargé d'offrandes, vieux comme la peine humaine, mais nouveau comme le jeune espoir. Il n'y avait plus de place dans le cœur de tous que pour

un très vieil et très morne espoir, celui-là même qui
empêche les hommes de se laisser aller à la mort et qui
n'est qu'une simple obstination à vivre.

La veille, Grand avait manqué son rendez-vous.
Rieux, inquiet, était passé chez lui de grand matin sans
le trouver. Tout le monde avait été alerté. Vers onze
heures, Rambert vint à l'hôpital avertir le docteur qu'il
avait aperçu Grand de loin, errant dans les rues, la figure
décomposée. Puis il l'avait perdu de vue. Le docteur
et Tarrou partirent en voiture à sa recherche.

A midi, heure glacée, Rieux, sorti de la voiture,
regardait de loin Grand, presque collé contre une vitrine,
pleine de jouets grossièrement sculptés dans le bois.
Sur le visage du vieux fonctionnaire, des larmes coulaient
sans interruption. Et ces larmes bouleversèrent Rieux
parce qu'il les comprenait et qu'il les sentait aussi au
creux de sa gorge. Il se souvenait lui aussi des fiançailles
du malheureux, devant une boutique de Noël, et de
Jeanne renversée vers lui pour dire qu'elle était contente. Du fond d'années lointaines, au cœur même de
cette folie, la voix fraîche de Jeanne revenait vers Grand,
cela était sûr. Rieux savait ce que pensait à cette minute
le vieil homme qui pleurait, et il le pensait comme lui,
que ce monde sans amour était comme un monde mort
et qu'il vient toujours une heure où on se lasse des prisons, du travail et du courage pour réclamer le visage
d'un être et le cœur émerveillé de la tendresse.

Mais l'autre l'aperçut dans la glace. Sans cesser de
pleurer, il se retourna et s'adossa à la vitrine pour le
regarder venir.

— Ah! docteur, ah! docteur, faisait-il.

Rieux hochait la tête pour l'approuver, incapable de
parler. Cette détresse était la sienne et ce qui lui tordait
le cœur à ce moment était l'immense colère qui vient à

l'homme devant la douleur que tous les hommes partagent.

— Oui, Grand, dit-il.

— Je voudrais avoir le temps de lui écrire une lettre. Pour qu'elle sache... et pour qu'elle puisse être heureuse sans remords...

Avec une sorte de violence, Rieux fit avancer Grand. L'autre continuait, se laissant presque traîner, balbutiant des bouts de phrase.

— Il y a trop longtemps que ça dure. On a envie de se laisser aller, c'est forcé. Ah! docteur! j'ai l'air tranquille comme ça. Mais il m'a toujours fallu un énorme effort pour être seulement normal. Alors maintenant, c'est encore trop.

Il s'arrêta, tremblant de tous ses membres et les yeux fous. Rieux lui prit la main. Elle brûlait.

— Il faut rentrer.

Mais Grand lui échappa et courut quelques pas, puis il s'arrêta, écarta les bras et se mit à osciller d'avant en arrière. Il tourna sur lui-même et tomba sur le trottoir glacé, le visage sali par des larmes qui continuaient de couler. Les passants regardaient de loin, arrêtés brusquement, n'osant plus avancer. Il fallut que Rieux prît le vieil homme dans ses bras.

Dans son lit maintenant, Grand étouffait : les poumons étaient pris. Rieux réfléchissait. L'employé n'avait pas de famille. A quoi bon le transporter? Il serait seul, avec Tarrou, à le soigner...

Grand était enfoncé au creux de son oreiller, la peau verdie et l'œil éteint. Il regardait fixement un maigre feu que Tarrou allumait dans la cheminée avec les débris d'une caisse. « Ça va mal », disait-il. Et du fond de ses poumons en flammes sortait un bizarre crépitement qui accompagnait tout ce qu'il disait. Rieux lui recommanda de se taire et dit qu'il allait revenir. Un bizarre sourire vint au malade et, avec lui, une sorte de tendresse lui monta au visage. Il cligna de l'œil avec effort. « Si j'en sors, chapeau bas, docteur! » Mais tout de suite après, il tomba dans la prostration.

Quelques heures après, Rieux et Tarrou retrouvèrent le malade, à demi dressé dans son lit, et Rieux fut effrayé de lire sur son visage les progrès du mal qui le brûlait. Mais il semblait plus lucide et, tout de suite, d'une voix étrangement creuse, il les pria de lui apporter le manuscrit qu'il avait mis dans un tiroir. Tarrou lui donna les feuilles qu'il serra contre lui, sans les regarder, pour les tendre ensuite au docteur, l'invitant du geste à les lire. C'était un court manuscrit d'une cinquantaine de pages. Le docteur le feuilleta et comprit que toutes ces feuilles ne portaient que la même phrase indéfiniment recopiée, remaniée, enrichie ou appauvrie. Sans arrêt, le mois de mai, l'amazone et les allées du Bois, se confrontaient et se disposaient de façons diverses. L'ouvrage comportait aussi des explications, parfois démesurément longues, et des variantes. Mais à la fin de la dernière page, une main appliquée avait seulement écrit, d'une encre encore fraîche : « Ma bien chère Jeanne, c'est aujourd'hui Noël... » Au-dessus, soigneusement calligraphiée, figurait la dernière version de la phrase. « Lisez », disait Grand. Et Rieux lut.

« Par une belle matinée de mai, une svelte amazone, montée sur une somptueuse jument alezane, parcourait, au milieu des fleurs, les allées du Bois... »

— Est-ce cela? dit le vieux d'une voix de fièvre.

Rieux ne leva pas les yeux sur lui.

— Ah! dit l'autre en s'agitant, je sais bien. Belle, belle, ce n'est pas le mot juste.

Rieux lui prit la main sur la couverture.

— Laissez, Docteur. Je n'aurai pas le temps...

Sa poitrine se soulevait avec peine et il cria tout d'un coup :

— Brûlez-le!

Le docteur hésita, mais Grand répéta son ordre avec un accent si terrible et une telle souffrance dans la voix, que Rieux jeta les feuilles dans le feu presque éteint. La pièce s'illumina rapidement et une chaleur brève la réchauffa. Quand le docteur revint vers le malade, celui-ci avait le dos tourné et sa face touchait presque au mur. Tarrou regardait par la fenêtre, comme étranger à la scène. Après avoir injecté le sérum, Rieux dit à son ami que Grand ne passerait pas la nuit, et Tarrou se proposa pour rester. Le docteur accepta.

Toute la nuit, l'idée que Grand allait mourir le poursuivit. Mais le lendemain matin, Rieux trouva Grand assis sur son lit, parlant avec Tarrou. La fièvre avait disparu. Il ne restait que les signes d'un épuisement général.

— Ah! docteur, disait l'employé, j'ai eu tort. Mais je recommencerai. Je me souviens de tout, vous verrez.

— Attendons, dit Rieux à Tarrou.

Mais à midi, rien n'était changé. Le soir, Grand pouvait être considéré comme sauvé. Rieux ne comprenait rien à cette résurrection.

A peu près à la même époque pourtant, on amena à Rieux une malade dont il jugea l'état désespéré et qu'il fit isoler dès son arrivée à l'hôpital. La jeune fille était en plein délire et présentait tous les symptômes de la peste pulmonaire. Mais, le lendemain matin, la fièvre avait baissé. Le docteur crut reconnaître encore, comme dans le cas de Grand, la rémission matinale que l'expérience l'habituait à considérer comme un mauvais signe. A midi, cependant, la fièvre n'était pas remontée. Le soir, elle augmenta de quelques dixièmes seulement et, le lendemain matin, elle avait disparu. La jeune fille, quoique faible, respirait librement dans son lit. Rieux dit à Tarrou qu'elle était sauvée contre toutes les règles. Mais dans la semaine, quatre cas semblables se présentèrent dans le service du docteur.

A la fin de la même semaine, le vieil asthmatique accueillit le docteur et Tarrou avec tous les signes d'une grande agitation.

— Ça y est, disait-il, ils sortent encore.

— Qui?

— Eh bien! les rats!

Depuis le mois d'avril, aucun rat mort n'avait été découvert.

— Est-ce que ça va recommencer? dit Tarrou à Rieux.

Le vieux se frottait les mains.

— Il faut les voir courir! C'est un plaisir.

Il avait vu deux rats vivants rentrer chez lui, par la porte de la rue. Des voisins lui avaient rapporté que, chez eux aussi, les bêtes avaient fait leur réapparition. Dans certaines charpentes, on entendait de nouveau le remue-ménage oublié depuis des mois. Rieux attendit la publication des statistiques générales qui avaient lieu au début de chaque semaine. Elles révélaient un recul de la maladie.

V

# I

QUOIQUE cette brusque retraite de la maladie fût
inespérée, nos concitoyens ne se hâtèrent pas de se
réjouir. Les mois qui venaient de passer, tout en aug-
mentant leur désir de libération, leur avaient appris
la prudence et les avaient habitués à compter de moins
en moins sur une fin prochaine de l'épidémie. Cependant,
ce fait nouveau était sur toutes les bouches, et, au fond
des cœurs, s'agitait un grand espoir inavoué. Tout le
reste passait au second plan. Les nouvelles victimes de
la peste pesaient bien peu auprès de ce fait exorbitant :
les statistiques avaient baissé. Un des signes que l'ère
de la santé, sans être ouvertement espérée, était cependant attendue en secret, c'est que nos concitoyens parlèrent volontiers dès ce moment, quoique avec les airs
de l'indifférence, de la façon dont la vie se réorgani-
serait après la peste.

Tout le monde était d'accord pour penser que les
commodités de la vie passée ne se retrouveraient pas
d'un coup et qu'il était plus facile de détruire que de
reconstruire. On estimait simplement que le ravitaillement lui-même pourrait être un peu amélioré, et que,
de cette façon, on serait débarrassé du souci le plus pres-
sant. Mais, en fait, sous ces remarques anodines, un

espoir insensé se débridait du même coup et à tel point
que nos concitoyens en prenaient parfois conscience
et affirmaient alors, avec précipitation, qu'en tout état
de cause, la délivrance n'était pas pour le lendemain.

Et, en effet, la peste ne s'arrêta pas le lendemain,
mais, en apparence, elle s'affaiblissait plus vite qu'on
n'eût pu raisonnablement l'espérer. Pendant les premiers jours de janvier, le froid s'installa avec une per-
sistance inusitée et sembla cristalliser au-dessus de la
ville. Et pourtant, jamais le ciel n'avait été si bleu. Pendant des jours entiers, sa splendeur immuable et glacée
inonda notre ville d'une lumière ininterrompue. Dans
cet air purifié, la peste, en trois semaines et par des
chutes successives, parut s'épuiser dans les cadavres de
moins en moins nombreux qu'elle alignait. Elle perdit,
en un court espace de temps, la presque totalité des
forces qu'elle avait mis des mois à accumuler. A la voir
manquer des proies toutes désignées, comme Grand ou
la jeune fille de Rieux, s'exacerber dans certains quartiers
durant deux ou trois jours alors qu'elle disparaissait
totalement de certains autres, multiplier les victimes le
lundi et, le mercredi, les laisser échapper presque toutes,
à la voir ainsi s'essouffler ou se précipiter, on eût dit
qu'elle se désorganisait par énervement et lassitude,
qu'elle perdait, en même temps que son empire sur
elle-même, l'efficacité mathématique et souveraine qui
avait été sa force. Le sérum de Castel connaissait, tout
d'un coup, des séries de réussites qui lui avaient été re-
fusées jusque-là. Chacune des mesures prises par les
médecins et qui, auparavant, ne donnaient aucun résultat, paraissait soudain porter à coup sûr. Il semblait
que la peste à son tour fût traquée et que sa faiblesse
soudaine fît la force des armes émoussées qu'on lui
avait, jusqu'alors, opposées. De temps en temps seule-

ment, la maladie se raidissait et, dans une sorte d'aveugle sursaut, emportait trois ou quatre malades dont on espérait la guérison. Ils étaient les malchanceux de la peste, ceux qu'elle tuait en plein espoir. Ce fut le cas du juge Othon qu'on dut évacuer du camp de quarantaine, et Tarrou dit de lui en effet qu'il n'avait pas eu de chance, sans qu'on pût savoir cependant s'il pensait à la mort ou à la vie du juge.

Mais dans l'ensemble, l'infection reculait sur toute la ligne et les communiqués de la préfecture, qui avaient d'abord fait naître une timide et secrète espérance, finirent par confirmer, dans l'esprit du public, la conviction que la victoire était acquise et que la maladie abandonnait ses positions. A la vérité, il était difficile de décider qu'il s'agissait d'une victoire. On était obligé seulement de constater que la maladie semblait partir comme elle était venue. La stratégie qu'on lui opposait n'avait pas changé, inefficace hier et, aujourd'hui, apparemment heureuse. On avait seulement l'impression que la maladie s'était épuisée elle-même ou peut-être qu'elle se retirait après avoir atteint tous ses objectifs. En quelque sorte, son rôle était fini.

On eût dit néanmoins que rien n'était changé en ville. Toujours silencieuses dans la journée, les rues étaient envahies, le soir, par la même foule où dominaient seulement les pardessus et les écharpes. Les cinémas et les cafés faisaient les mêmes affaires. Mais, à regarder de plus près, on pouvait remarquer que les visages étaient plus détendus et qu'ils souriaient parfois. Et c'était alors l'occasion de constater que, jusqu'ici, personne ne souriait dans les rues. En réalité, dans le voile opaque qui, depuis des mois, entourait la ville, une déchirure venait de se faire et, tous les lundis, chacun pouvait constater, par les nouvelles de la radio,

que la déchirure s'agrandissait et qu'enfin il allait être
permis de respirer. C'était encore un soulagement tout
négatif et qui ne prenait pas d'expression franche. Mais
alors qu'auparavant on n'eût pas appris sans quelque
incrédulité qu'un train était parti ou un bateau arrivé,
ou encore que les autos allaient de nouveau être autorisées
à circuler, l'annonce de ces événements à la mi-janvier
n'eût provoqué au contraire aucune surprise. C'était
peu sans doute. Mais cette nuance légère traduisait,
en fait, les énormes progrès accomplis par nos concitoyens dans la voie de l'espérance. On peut dire d'ailleurs qu'à partir du moment où le plus infime espoir
devint possible pour la population, le règne effectif de
la peste fut terminé.

Il n'en reste pas moins que, pendant tout le mois de
janvier, nos concitoyens réagirent de façon contradic-
toire. Exactement, ils passèrent par des alternances
d'excitation et de dépression. C'est ainsi qu'on eut à
enregistrer de nouvelles tentatives d'évasion, au moment
même où les statistiques étaient les plus favorables. Cela
surprit beaucoup les autorités, et les postes de garde
eux-mêmes, puisque la plupart des évasions réussirent.
Mais, en réalité, les gens qui s'évadaient à ces moments-
là obéissaient à des sentiments naturels. Chez les uns,
la peste avait enraciné un scepticisme profond dont ils
ne pouvaient pas se débarrasser. L'espoir n'avait plus
de prise sur eux. Alors même que le temps de la peste
était révolu, ils continuaient à vivre selon ses normes.
Ils étaient en retard sur les événements. Chez les autres,
au contraire, et ils se recrutaient spécialement chez ceux
qui avaient vécu jusque-là séparés des êtres qu'ils
aimaient, après ce long temps de claustration et d'abattement, le vent d'espoir qui se levait avait allumé une
fièvre et une impatience qui leur enlevaient toute maî-

trise d'eux-mêmes. Une sorte de panique les prenait à la pensée qu'ils pouvaient, si près du but, mourir peut-être, qu'ils ne reverraient pas l'être qu'ils chérissaient et que ces longues souffrances ne leur seraient pas payées. Alors que pendant des mois, avec une obscure ténacité, malgré la prison et l'exil, ils avaient persévéré dans l'attente, la première espérance suffit à détruire ce que la peur et le désespoir n'avaient pu entamer. Ils se précipitèrent comme des fous pour devancer la peste, incapables de suivre son allure jusqu'au dernier moment.

Dans le même temps, d'ailleurs, des signes spontanés d'optimisme se manifestèrent. C'est ainsi qu'on enregistra une baisse sensible des prix. Du point de vue de l'économie pure, ce mouvement ne s'expliquait pas. Les difficultés restaient les mêmes, les formalités de quarantaine avaient été maintenues aux portes, et le ravitaillement était loin d'être amélioré. On assistait donc à un phénomène purement moral, comme si le recul de la peste se répercutait partout. En même temps, l'optimisme gagnait ceux qui vivaient auparavant en groupes et que la maladie avait obligés à la séparation. Les deux couvents de la ville commencèrent à se reconstituer et la vie commune put reprendre. Il en fut de même pour les militaires, qu'on rassembla de nouveau dans les casernes restées libres : ils reprirent une vie normale de garnison. Ces petits faits étaient de grands signes.

La population vécut dans cette agitation secrète jusqu'au 25 janvier. Cette semaine-là, les statistiques tombèrent si bas qu'après consultation de la commission médicale, la préfecture annonça que l'épidémie pouvait être considérée comme enrayée. Le communiqué ajoutait, il est vrai, que, dans un esprit de prudence qui ne pouvait manquer d'être approuvé par la population, les portes de la ville resteraient fermées pendant deux

semaines encore et les mesures prophylactiques maintenues pendant un mois. Durant cette période, au moindre
signe que le péril pouvait reprendre, « le *statu quo* devait
être maintenu et les mesures reconduites au delà ».
Tout le monde, cependant, fut d'accord pour considérer
ces additions comme des clauses de style et, le soir du
25 janvier, une joyeuse agitation emplit la ville. Pour
s'associer à l'allégresse générale, le préfet donna l'ordre
de restituer l'éclairage du temps de la santé. Dans les
rues illuminées, sous un ciel froid et pur, nos concitoyens se déversèrent alors en groupes bruyants et rieurs.

Certes, dans beaucoup de maisons, les volets restèrent
clos et des familles passèrent en silence cette veillée
que d'autres remplissaient de cris. Cependant, pour
beaucoup de ces êtres endeuillés, le soulagement aussi
était profond, soit que la peur de voir d'autres parents
emportés fût enfin calmée, soit que le sentiment de leur
conservation personnelle ne fût plus en alerte. Mais les
familles qui devaient rester le plus étrangères à la joie
générale furent, sans contredit, celles qui, à ce moment
même, avaient un malade aux prises avec la peste dans
un hôpital et qui, dans les maisons de quarantaine ou
chez elles, attendaient que le fléau en eût vraiment fini
avec elles, comme il en avait fini avec les autres. Celles-là
concevaient certes de l'espoir, mais elles en faisaient une
provision qu'elles tenaient en réserve, et dans laquelle
elles se défendaient de puiser avant d'en avoir vraiment
le droit. Et cette attente, cette veillée silencieuse, à mi-
distance de l'agonie et de la joie, leur paraissait plus
cruelle encore, au milieu de la jubilation générale.

Mais ces exceptions n'enlevaient rien à la satisfaction des autres. Sans doute, la peste n'était pas encore
finie et elle devait le prouver. Pourtant, dans tous les
esprits déjà, avec des semaines d'avance, les trains

partaient en sifflant sur des voies sans fin et les navires sillonnaient des mers lumineuses. Le lendemain, les esprits seraient plus calmes et les doutes renaîtraient. Mais pour le moment, la ville entière s'ébranlait, quittait ces lieux clos, sombres et immobiles, où elle avait jeté ses racines de pierre, et se mettait enfin en marche avec son chargement de survivants. Ce soir-là, Tarrou et Rieux, Rambert et les autres marchaient au milieu de la foule et sentaient eux aussi le sol manquer sous leurs pas. Longtemps après avoir quitté les boulevards, Tarrou et Rieux entendaient encore cette joie les poursuivre, à l'heure même où, dans des ruelles désertes, ils longeaient des fenêtres aux volets clos. Et à cause même de leur fatigue, ils ne pouvaient séparer cette souffrance, qui se prolongeait derrière les volets, de la joie qui emplissait les rues un peu plus loin. La délivrance qui approchait avait un visage mêlé de rires et de larmes.

A un moment où la rumeur se fit plus forte et plus joyeuse, Tarrou s'arrêta. Sur le pavé sombre, une forme courait légèrement. C'était un chat, le premier qu'on eût revu depuis le printemps. Il s'immobilisa un moment au milieu de la chaussée, hésita, lécha sa patte, la passa rapidement sur son oreille droite, reprit sa course silencieuse et disparut dans la nuit. Tarrou sourit. Le petit vieux aussi serait content.

## II

MAIS au moment où la peste semblait s'éloigner pour regagner la tanière inconnue d'où elle était sortie en silence, il y avait au moins quelqu'un dans la ville que ce départ jetait dans la consternation, et c'était Cottard, si l'on en croit les carnets de Tarrou.

A vrai dire, ces carnets deviennent assez bizarres à partir du moment où les statistiques commencent à baisser. Est-ce la fatigue, mais l'écriture en devient difficilement lisible et l'on passe trop souvent d'un sujet à l'autre. De plus, et pour la première fois, ces carnets manquent à l'objectivité et font place à des considérations personnelles. On trouve ainsi, au milieu d'assez longs passages concernant le cas de Cottard, un petit rapport sur le vieux aux chats. A en croire Tarrou, la peste n'avait jamais rien enlevé à sa considération pour ce personnage qui l'intéressait après l'épidémie, comme il l'avait intéressé avant et comme, malheureusement, il ne pourrait plus l'intéresser, quoique sa propre bienveillance, à lui, Tarrou, ne fût pas en cause. Car il avait cherché à le revoir. Quelques jours après cette soirée du 25 janvier, il s'était posté au coin de la petite rue. Les chats étaient là, se réchauffant dans les flaques de soleil, fidèles au rendez-vous. Mais à l'heure habituelle, les volets restèrent obstinément fermés. Au cours des jours suivants, Tarrou ne les vit plus jamais ouverts. Il en avait conclu curieusement que le petit vieux était vexé ou mort, que s'il était vexé, c'est qu'il pensait avoir raison et que la peste lui avait fait tort, mais que s'il était mort, il fallait se demander à son propos, comme pour le vieil asthmatique, s'il avait été un saint. Tarrou ne le pensait pas, mais estimait qu'il y avait dans le cas du vieillard une « indication ». « Peut-être, observaient les carnets, ne peut-on aboutir qu'à des approximations de sainteté. Dans ce cas, il faudrait se contenter d'un satanisme modeste et charitable. »

Toujours entremêlées avec les observations concernant Cottard, on trouve aussi dans les carnets de nombreuses remarques, souvent dispersées, dont les unes concernent Grand, maintenant convalescent et qui s'était remis au travail comme si rien n'était arrivé, et dont les autres évoquent la mère du docteur Rieux. Les quelques conversations que la cohabitation autorisait entre celle-ci et Tarrou, des attitudes de la vieille femme, son sourire, ses observations sur la peste, sont notées scrupuleusement. Tarrou insistait surtout sur l'effacement de Mᵐᵉ Rieux; sur la façon qu'elle avait de tout exprimer en phrases simples; sur le goût particulier qu'elle montrait pour une certaine fenêtre, donnant sur la rue calme, et derrière laquelle elle s'asseyait le soir, un peu droite, les mains tranquilles et le regard attentif jusqu'à ce que le crépuscule eût envahi la pièce, faisant d'elle une ombre noire dans la lumière grise qui fonçait peu à peu et dissolvait alors la silhouette immobile; sur la légèreté avec laquelle elle se déplaçait d'une pièce à l'autre; sur la bonté dont elle n'avait jamais donné de preuves précises devant Tarrou, mais dont il reconnaissait la lueur dans tout ce qu'elle faisait ou disait; sur le fait enfin que, selon lui, elle connaissait tout sans jamais réfléchir, et qu'avec tant de silence et d'ombre, elle pouvait rester à la hauteur de n'importe quelle lumière, fût-ce celle de la peste. Ici du reste, l'écriture de Tarrou donnait des signes bizarres de fléchissement. Les lignes qui suivaient étaient difficilement lisibles et, comme pour donner une nouvelle preuve de ce fléchissement, les derniers mots étaient les premiers qui fussent personnels : « Ma mère était ainsi, j'aimais en elle le même effacement et c'est elle que j'ai toujours voulu rejoindre. Il y a huit ans, je ne peux pas dire qu'elle soit morte. Elle s'est seulement effacée un peu plus que d'habitude et, quand je me suis retourné, elle n'était plus là. »

Mais il faut en venir à Cottard. Depuis que les statistiques étaient en baisse, celui-ci avait fait plusieurs visites à Rieux, en invoquant divers prétextes. Mais en réalité, chaque fois, il demandait à Rieux des pronostics sur la marche de l'épidémie. « Croyez-vous qu'elle puisse cesser comme ça, d'un coup, sans prévenir ? » Il était sceptique sur ce point ou, du moins, il le déclarait. Mais les questions renouvelées qu'il posait semblaient indiquer une conviction moins ferme. A la mi-janvier, Rieux avait répondu de façon assez optimiste. Et chaque fois, ces réponses, au lieu de réjouir Cottard, en avaient tiré des réactions, variables selon les jours, mais qui allaient de la mauvaise humeur à l'abattement. Par la suite, le docteur avait été amené à lui dire que, malgré les indications favorables données par les statistiques, il valait mieux ne pas encore crier victoire.

— Autrement dit, avait observé Cottard, on ne sait rien, ça peut reprendre d'un jour à l'autre ?

— Oui, comme il est possible aussi que le mouvement de guérison s'accélère.

Cette incertitude, inquiétante pour tout le monde, avait visiblement soulagé Cottard, et devant Tarrou, il avait engagé avec les commerçants de son quartier des conversations où il essayait de propager l'opinion de Rieux. Il n'avait pas de peine à le faire, il est vrai. Car après la fièvre des premières victoires, dans beaucoup d'esprits un doute était revenu qui devait survivre à l'excitation causée par la déclaration préfectorale. Cottard se rassurait au spectacle de cette inquiétude. Comme d'autres fois aussi, il se décourageait. « Oui, disait-il à Tarrou, on finira par ouvrir les portes. Et vous verrez, ils me laisseront tous tomber ! »

Jusqu'au 25 janvier, tout le monde remarqua l'instabilité de son caractère. Pendant des jours entiers, après avoir si longtemps cherché à se concilier son quartier et ses relations, il rompait en visière avec eux. En apparence, au moins, il se retirait alors du monde et, du jour au lendemain, se mettait à vivre dans la sauvagerie. On ne le voyait plus au restaurant, ni au théâtre ni dans les cafés qu'il aimait. Et cependant, il ne semblait pas retrouver la vie mesurée et obscure qu'il menait avant l'épidémie. Il vivait complètement retiré dans son appartement et faisait monter ses repas d'un restaurant voisin. Le soir seulement, il faisait des sorties furtives, achetant ce dont il avait besoin, sortant des magasins pour se jeter dans des rues solitaires. Si Tarrou le rencontrait alors, il ne pouvait tirer de lui que des monosyllabes. Puis, sans transition, on le retrouvait sociable, parlant de la peste avec abondance, sollicitant l'opinion de chacun et replongeant chaque soir avec complaisance dans le flot de la foule.

Le jour de la déclaration préfectorale, Cottard disparut complètement de la circulation. Deux jours après, Tarrou le rencontra, errant dans les rues. Cottard lui

demanda de le raccompagner jusqu'au faubourg. Tarrou,
qui se sentait particulièrement fatigué de sa journée,
hésita. Mais l'autre insista. Il paraissait très agité, ges-
ticulant de façon désordonnée, parlant vite et haut. Il
demanda à son compagnon s'il pensait que, réellement,
la déclaration préfectorale mettait un terme à la peste.
Bien entendu, Tarrou estimait qu'une déclaration admi-
nistrative ne suffisait pas en elle-même à arrêter un
fléau, mais on pouvait raisonnablement penser que
l'épidémie, sauf imprévu, allait cesser.

— Oui, dit Cottard, sauf imprévu. Et il y a toujours
l'imprévu.

Tarrou lui fit remarquer que, d'ailleurs, la préfecture
avait prévu en quelque sorte l'imprévu, par l'institution
d'un délai de deux semaines avant l'ouverture des portes.

— Et elle a bien fait, dit Cottard, toujours sombre
et agité, parce que de la façon dont vont les choses,
elle pourrait bien avoir parlé pour rien.

Tarrou estimait la chose possible, mais il pensait qu'il
valait mieux cependant envisager la prochaine ouverture
des portes et le retour à une vie normale.

— Admettons, lui dit Cottard, admettons, mais qu'ap-
pelez-vous le retour à une vie normale?

— De nouveaux films au cinéma, dit Tarrou en
souriant.

Mais Cottard ne souriait pas. Il voulait savoir si l'on
pouvait penser que la peste ne changerait rien dans la
ville et que tout recommencerait comme auparavant,
c'est-à-dire comme si rien ne s'était passé. Tarrou
pensait que la peste changerait et ne changerait pas la
ville, que, bien entendu, le plus fort désir de nos concitoyens était et serait de faire comme si rien n'était changé
et que, partant, rien dans un sens ne serait changé,
mais que, dans un autre sens, on ne peut pas tout

oublier, même avec la volonté nécessaire, et la peste laisserait des traces, au moins dans les cœurs. Le petit rentier déclara tout net qu'il ne s'intéressait pas au cœur et que même le cœur était le dernier de ses soucis. Ce qui l'intéressait, c'était de savoir si l'organisation elle-même ne serait pas transformée, si, par exemple, tous les services fonctionneraient comme par le passé. Et Tarrou dut admettre qu'il n'en savait rien. Selon lui, il fallait supposer que tous ces services, perturbés pendant l'épidémie, auraient un peu de mal à démarrer de nouveau. On pourrait croire aussi que des quantités de nouveaux problèmes se poseraient qui rendraient nécessaire, au moins, une réorganisation des anciens services.

— Ah! dit Cottard, c'est possible, en effet, tout le monde devra tout recommencer.

Les deux promeneurs étaient arrivés près de la maison de Cottard. Celui-ci s'était animé, s'efforçait à l'optimisme. Il imaginait la ville se reprenant à vivre de nouveau, effaçant son passé pour repartir à zéro.

— Bon, dit Tarrou. Après tout, les choses s'arrangeront peut-être pour vous aussi. D'une certaine manière, c'est une vie nouvelle qui va commencer.

Ils étaient devant la porte et se serraient la main.

— Vous avez raison, disait Cottard, de plus en plus agité, repartir à zéro, ce serait une bonne chose.

Mais, de l'ombre du couloir, deux hommes avaient surgi. Tarrou eut à peine le temps d'entendre son compagnon demander ce que pouvaient bien vouloir ces oiseaux-là. Les oiseaux, qui avaient un air de fonctionnaires endimanchés, demandaient en effet à Cottard s'il s'appelait bien Cottard et celui-ci, poussant une sorte d'exclamation sourde, tournait sur lui-même et fonçait déjà dans la nuit sans que les autres, ni Tarrou, eussent le temps d'esquisser un geste. La surprise passée, Tarrou demanda aux deux hommes ce qu'ils voulaient. Ils prirent un air réservé et poli pour dire qu'il s'agissait de renseignements et partirent, posément, dans la direction qu'avait prise Cottard.

Rentré chez lui, Tarrou rapportait cette scène et aussitôt (l'écriture le prouvait assez) notait sa fatigue. Il ajoutait qu'il avait encore beaucoup à faire, mais que ce n'était pas une raison pour ne pas se tenir prêt, et se demandait si, justement, il était prêt. Il répondait pour finir, et c'est ici que les carnets de Tarrou se terminent, qu'il y avait toujours une heure de la journée et de la nuit où un homme était lâche et qu'il n'avait peur que de cette heure-là.

## III

L E surlendemain, quelques jours avant l'ouverture des
portes, le docteur Rieux rentrait chez lui à midi, se
demandant s'il allait trouver le télégramme qu'il attendait. Quoique ses journées fussent alors aussi épuisantes
qu'au plus fort de la peste, l'attente de la libération
définitive avait dissipé toute fatigue chez lui. Il espérait
maintenant, et il s'en réjouissait. On ne peut pas toujours tendre sa volonté et toujours se raidir, et c'est un
bonheur que de délier enfin, dans l'effusion, cette gerbe
de forces tressées pour la lutte. Si le télégramme attendu
était, lui aussi, favorable, Rieux pourrait recommencer.
Et il était d'avis que tout le monde recommençât.

Il passait devant la loge. Le nouveau concierge, collé
contre le carreau, lui souriait. Remontant l'escalier,
Rieux revoyait son visage, blêmi par les fatigues et les
privations.

Oui, il recommencerait quand l'abstraction serait
finie, et avec un peu de chance... Mais il ouvrait sa porte
au même moment et sa mère vint à sa rencontre lui
annoncer que M. Tarrou n'allait pas bien. Il s'était levé
le matin, mais n'avait pu sortir et venait de se recou-
cher. Mme Rieux était inquiète.

— Ce n'est peut-être rien de grave, dit son fils.

Tarrou était étendu de tout son long, sa lourde tête creusait le traversin, la poitrine forte se dessinait sous l'épaisseur des couvertures. Il avait de la fièvre, sa tête le faisait souffrir. Il dit à Rieux qu'il s'agissait de symptômes vagues qui pouvaient être aussi bien ceux de la peste.

— Non, rien de précis encore, dit Rieux après l'avoir examiné.

Mais Tarrou était dévoré par la soif. Dans le couloir, le docteur dit à sa mère que ce pouvait être le commencement de la peste.

— Oh  dit-elle, ce n'est pas possible, pas maintenant!

Et tout de suite après :

— Gardons-le, Bernard.

Rieux réfléchissait :

— Je n'en ai pas le droit, dit-il. Mais les portes vont s'ouvrir. Je crois bien que c'est le premier droit que je prendrais pour moi, si tu n'étais pas là.

— Bernard, dit-elle, garde-nous tous les deux. Tu sais bien que je viens d'être de nouveau vaccinée.

Le docteur dit que Tarrou aussi l'était mais que, peut-être, par fatigue, il avait dû laisser passer la dernière injection de sérum et oublier quelques précautions.

Rieux allait déjà dans son cabinet. Quand il revint dans la chambre, Tarrou vit qu'il tenait les énormes ampoules de sérum.

— Ah, c'est cela, dit-il.

— Non, mais c'est une précaution.

Tarrou tendit son bras pour toute réponse et il subit l'interminable injection qu'il avait lui-même pratiquée sur d'autres malades.

— Nous verrons ce soir, dit Rieux, et il regarda Tarrou en face.

— Et l'isolement, Rieux?

— Il n'est pas du tout sûr que vous ayez la peste.

Tarrou sourit avec effort.

— C'est la première fois que je vois injecter un sérum sans ordonner en même temps l'isolement.

Rieux se détourna.

— Ma mère et moi, nous vous soignerons. Vous serez mieux ici.

Tarrou se tut et le docteur, qui rangeait les ampoules, attendit qu'il parlât pour se retourner. A la fin, il se dirigea vers le lit. Le malade le regardait. Son visage était fatigué, mais ses yeux gris étaient calmes. Rieux lui sourit.

— Dormez si vous le pouvez. Je reviendrai tout à l'heure.

Arrivé à la porte, il entendit la voix de Tarrou qui l'appelait. Il retourna vers lui.

Mais Tarrou semblait se débattre contre l'expression même de ce qu'il avait à dire :

— Rieux, articula-t-il enfin, il faudra tout me dire, j'en ai besoin.

— Je vous le promets.

L'autre tordit un peu son visage massif dans un sourire.

— Merci. Je n'ai pas envie de mourir et je lutterai. Mais si la partie est perdue, je veux faire une bonne fin.

Rieux se baissa et lui serra l'épaule.

— Non, dit-il. Pour devenir un saint, il faut vivre. Luttez.

Dans la journée, le froid qui avait été vif diminua un peu, mais pour faire place, l'après-midi, à de violentes averses de pluie et de grêle. Au crépuscule, le ciel se découvrit un peu et le froid se fit plus pénétrant. Rieux revint chez lui dans la soirée. Sans quitter son pardessus, il entra dans la chambre de son ami. Sa mère tricotait. Tarrou semblait n'avoir pas bougé de place, mais ses lèvres, blanchies par la fièvre, disaient la lutte qu'il était en train de soutenir.

— Alors? dit le docteur.

Tarrou haussa un peu, hors du lit, ses épaules épaisses.

— Alors, dit-il, je perds la partie.

Le docteur se pencha sur lui. Des ganglions s'étaient noués sous la peau brûlante, sa poitrine semblait retentir de tous les bruits d'une forge souterraine. Tarrou présentait curieusement les deux séries de symptômes. Rieux dit en se relevant que le sérum n'avait pas encore eu le temps de donner tout son effet. Mais un flot de fièvre qui vint rouler dans sa gorge noya les quelques mots que Tarrou essaya de prononcer.

Après dîner, Rieux et sa mère vinrent s'installer près du malade. La nuit commençait pour lui dans la lutte et Rieux savait que ce dur combat avec l'ange de la peste devait durer jusqu'à l'aube. Les épaules solides et la large poitrine de Tarrou n'étaient pas ses meilleures armes, mais plutôt ce sang que Rieux avait fait jaillir tout à l'heure sous son aiguille, et, dans ce sang, ce qui était plus intérieur que l'âme et qu'aucune science ne pouvait mettre à jour. Et lui devait seulement regarder lutter son ami. Ce qu'il allait faire, les abcès qu'il devait favoriser, les toniques qu'il fallait inoculer, plusieurs mois d'échecs répétés lui avaient appris à en apprécier l'efficacité. Sa seule tâche, en vérité, était de donner des occasions à ce hasard qui trop souvent ne se dérange que provoqué. Et il fallait que le hasard se dérangeât. Car Rieux se trouvait devant un visage de la peste qui le déconcertait. Une fois de plus, elle s'appliquait à dérouter les stratégies dressées contre elle, elle apparaissait aux lieux où on ne l'attendait pas pour disparaître de ceux où elle semblait déjà installée. Une fois de plus, elle s'appliquait à étonner.

Tarrou luttait, immobile. Pas une seule fois, au cours de la nuit, il n'opposa l'agitation aux assauts du mal, combattant seulement de toute son épaisseur et de tout son silence. Mais pas une seule fois, non plus, il ne parla, avouant ainsi, à sa manière, que la distraction ne lui était plus possible. Rieux suivait seulement les phases du combat aux yeux de son ami, tour à tour ouverts ou fermés, les paupières plus serrées contre le globe de l'œil ou, au contraire, distendues, le regard fixé sur un objet ou ramené sur le docteur et sa mère. Chaque fois que le docteur rencontrait ce regard, Tarrou souriait, dans un grand effort.

A un moment, on entendit des pas précipités dans la rue. Ils semblaient s'enfuir devant un grondement lointain qui se rapprocha peu à peu et finit par remplir la rue de son ruissellement : la pluie reprenait, bientôt mêlée d'une grêle qui claquait sur les trottoirs. Les grandes tentures ondulèrent devant les fenêtres. Dans l'ombre de la pièce, Rieux, un instant distrait par la pluie, contemplait à nouveau Tarrou, éclairé par une lampe de chevet. Sa mère tricotait, levant de temps en temps la tête pour regarder attentivement le malade. Le docteur avait fait maintenant tout ce qu'il y avait à faire. Après la pluie, le silence s'épaissit dans la chambre, pleine seulement du tumulte muet d'une guerre invisible. Crispé par l'insomnie, le docteur imaginait entendre, aux limites du silence, le sifflement doux et régulier qui l'avait accompagné pendant toute l'épidémie. Il fit un signe à sa mère pour l'engager à se coucher. Elle refusa de la tête, et ses yeux s'éclairèrent, puis elle examina soigneusement, au bout de ses aiguilles, une maille dont elle n'était pas sûre. Rieux se leva pour faire boire le malade, et revint s'asseoir.

Des passants, profitant de l'accalmie, marchaient rapidement sur le trottoir. Leurs pas décroissaient et s'éloignaient. Le docteur, pour la première fois, reconnut que cette nuit, pleine de promeneurs tardifs et privée des timbres d'ambulances, était semblable à celles d'autrefois. C'était une nuit délivrée de la peste. Et il semblait que la maladie chassée par le froid, les lumières et la foule, se fût échappée des profondeurs obscures de la ville et réfugiée dans cette chambre chaude pour donner son ultime assaut au corps inerte de Tarrou. Le fléau ne brassait plus le ciel de la ville. Mais il sifflait doucement dans l'air lourd de la chambre. C'était lui que Rieux entendait depuis des heures. Il fallait attendre que là aussi il s'arrêtât, que là aussi la peste se déclarât vaincue.

Peu avant l'aube, Rieux se pencha vers sa mère :

— Tu devrais te coucher pour pouvoir me relayer à huit heures. Fais des instillations avant de te coucher.

Mme Rieux se leva, rangea son tricot et s'avança vers le lit. Tarrou, depuis quelque temps déjà, tenait ses yeux fermés. La sueur bouclait ses cheveux sur le front dur. Mme Rieux soupira et le malade ouvrit les yeux. Il vit le visage doux penché vers lui et, sous les ondes mobiles de la fièvre, le sourire tenace reparut encore. Mais les yeux se fermèrent aussitôt. Resté seul, Rieux s'installa dans le fauteuil que venait de quitter sa mère. La rue était muette et le silence maintenant complet. Le froid du matin commençait à se faire sentir dans la pièce.

Le docteur s'assoupit, mais la première voiture de l'aube le tira de sa somnolence. Il frissonna et, regardant Tarrou, il comprit qu'une pause avait eu lieu et que le malade dormait aussi. Les roues de bois et de fer de la voiture à cheval roulaient encore dans l'éloignement. A la fenêtre, le jour était encore noir. Quand le docteur avança vers le lit, Tarrou le regardait de ses yeux sans expression, comme s'il se trouvait encore du côté du sommeil.

— Vous avez dormi, n'est-ce pas? demanda Rieux.

— Oui.

— Respirez-vous mieux?

— Un peu. Cela veut-il dire quelque chose?

Rieux se tut et, au bout d'un moment :

— Non, Tarrou, cela ne veut rien dire. Vous connaissez comme moi la rémission matinale.

Tarrou approuva.

— Merci, dit-il. Répondez-moi toujours exactement.

Rieux s'était assis au pied du lit. Il sentait près de lui les jambes du malade, longues et dures comme des membres de gisant. Tarrou respirait plus fortement.

— La fièvre va reprendre, n'est-ce pas, Rieux? dit-il d'une voix essoufflée.

— Oui, mais à midi, nous serons fixés.

Tarrou ferma les yeux, semblant recueillir ses forces. Une expression de lassitude se lisait sur ses traits. Il attendait la montée de la fièvre qui remuait déjà, quelque part, au fond de lui. Quand il ouvrit les yeux, son regard était terni. Il ne s'éclaircit qu'en apercevant Rieux penché près de lui.

— Buvez, disait celui-ci.

L'autre but et laissa retomber sa tête.

— C'est long, dit-il.

Rieux lui prit le bras, mais Tarrou, le regard détourné, ne réagissait plus. Soudain, la fièvre reflua visiblement jusqu'à son front comme si elle avait crevé quelque digue intérieure. Quand le regard de Tarrou revint vers le docteur, celui-ci l'encourageait de son visage tendu. Le sourire que Tarrou essaya encore de former

ne put passer au delà des maxillaires serrés et des lèvres
cimentées par une écume blanchâtre. Mais, dans la
face durcie, les yeux brillèrent encore de tout l'éclat
du courage.

A sept heures, M^me Rieux entra dans la pièce. Le
docteur regagna son bureau pour téléphoner à l'hôpital
et pourvoir à son remplacement. Il décida aussi de
remettre ses consultations, s'étendit un moment sur le
divan de son cabinet, mais se leva presque aussitôt et
revint dans la chambre. Tarrou avait la tête tournée vers
M^me Rieux. Il regardait la petite ombre tassée près
de lui, sur une chaise, les mains jointes sur les cuisses. Et
il la contemplait avec tant d'intensité que M^me Rieux
mit un doigt sur ses lèvres et se leva pour éteindre la
lampe de chevet. Mais derrière les rideaux, le jour
filtrait rapidement et, peu après, quand les traits du malade émergèrent de l'obscurité, M^me Rieux put voir
qu'il la regardait toujours. Elle se pencha vers lui,
redressa son traversin, et, en se relevant, posa un instant sa main sur les cheveux mouillés et tordus. Elle
entendit alors une voix assourdie, venue de loin, lui
dire merci et que maintenant tout était bien. Quand
elle fut assise à nouveau, Tarrou avait fermé les yeux
et son visage épuisé, malgré la bouche scellée, semblait sourire à nouveau.

A midi, la fièvre était à son sommet. Une sorte de toux
viscérale secouait le corps du malade qui commença
seulement à cracher du sang. Les ganglions avaient
cessé d'enfler. Ils étaient toujours là, durs comme des
écrous, vissés dans le creux des articulations, et Rieux
jugea impossible de les ouvrir. Dans les intervalles de
la fièvre et de la toux, Tarrou de loin en loin regardait
encore ses amis. Mais, bientôt, ses yeux s'ouvrirent
de moins en moins souvent, et la lumière qui venait alors

éclairer sa face dévastée se fit plus pâle à chaque fois.
L'orage qui secouait ce corps de soubresauts convulsifs
l'illuminait d'éclairs de plus en plus rares et Tarrou
dérivait lentement au fond de cette tempête. Rieux
n'avait plus devant lui qu'un masque désormais inerte
où le sourire avait disparu. Cette forme humaine qui
lui avait été si proche, percée maintenant de coups
d'épieu, brûlée par un mal surhumain, tordue par
tous les vents haineux du ciel, s'immergeait à ses
yeux dans les eaux de la peste et il ne pouvait rien
contre ce naufrage. Il devait rester sur le rivage, les
mains vides et le cœur tordu, sans armes et sans
recours, une fois de plus, contre ce désastre. Et à la
fin, ce furent bien les larmes de l'impuissance qui
empêchèrent Rieux de voir Tarrou se tourner brusquement contre le mur, et expirer dans une plainte creuse,
comme si, quelque part en lui, une corde essentielle
s'était rompue.

La nuit qui suivit ne fut pas celle de la lutte, mais
celle du silence. Dans cette chambre retranchée du
monde, au-dessus de ce corps mort maintenant habillé,
Rieux sentit planer le calme surprenant qui, bien des
nuits auparavant, sur les terrasses au-dessus de la peste,
avait suivi l'attaque des portes. Déjà, à cette époque, il
avait pensé à ce silence qui s'élevait des lits où il avait
laissé mourir des hommes. C'était partout la même
pause, le même intervalle solennel, toujours le même
apaisement qui suivait les combats, c'était le silence
de la défaite. Mais pour celui qui enveloppait maintenant son ami, il était si compact, il s'accordait si
étroitement au silence des rues et de la ville libérée
de la peste, que Rieux sentait bien qu'il s'agissait
cette fois de la défaite définitive, celle qui termine les
guerres et fait de la paix elle-même une souffrance

sans guérison. Le docteur ne savait pas si, pour finir, Tarrou avait retrouvé la paix, mais dans ce moment tout au moins, il croyait savoir qu'il n'y aurait jamais plus de paix possible pour lui-même, pas plus qu'il n'y a d'armistice pour la mère amputée de son fils ou pour l'homme qui ensevelit son ami.

Au-dehors, c'était la même nuit froide, des étoiles gelées dans un ciel clair et glacé. Dans la chambre à demi obscure, on sentait le froid qui pesait aux vitres, la grande respiration blême d'une nuit polaire. Près du lit, M$^{me}$ Rieux se tenait assise, dans son attitude familière, le côté droit éclairé par la lampe de chevet. Au centre de la pièce, loin de la lumière, Rieux attendait dans son fauteuil. La pensée de sa femme lui venait, mais il la rejetait chaque fois.

Au début de la nuit, les talons des passants avaient sonné clair dans la nuit froide.

— Tu t'es occupé de tout? avait dit M$^{me}$ Rieux.

— Oui, j'ai téléphoné.

Ils avaient alors repris leur veillée silencieuse. M$^{mè}$ Rieux regardait de temps en temps son fils. Quand il surprenait un de ces regards, il lui souriait. Les bruits familiers de la nuit s'étaient succédé dans la rue. Quoique l'autorisation ne fût pas encore accordée, bien des voitures circulaient à nouveau. Elles suçaient rapidement le pavé, disparaissaient et reparaissaient ensuite. Des voix, des appels, le silence revenu, le pas d'un cheval, deux tramways grinçants dans une courbe, des rumeurs imprécises, et à nouveau la respiration de la nuit.

— Bernard?

— Oui.

— Tu n'es pas fatigué?

— Non.

Il savait ce que sa mère pensait et qu'elle l'aimait

en ce moment. Mais il savait aussi que ce n'est pas grand-chose que d'aimer un être ou du moins qu'un amour n'est jamais assez fort pour trouver sa propre expression. Ainsi, sa mère et lui s'aimeraient toujours dans le silence. Et elle mourrait à son tour — ou lui — sans que, pendant toute leur vie, ils pussent aller plus loin dans l'aveu de leur tendresse. De la même façon, il avait vécu à côté de Tarrou et celui-ci était mort, ce soir, sans que leur amitié ait eu le temps d'être vraiment vécue. Tarrou avait perdu la partie, comme il disait. Mais lui, Rieux, qu'avait-il gagné? Il avait seulement gagné d'avoir connu la peste et de s'en souvenir, d'avoir connu l'amitié et de s'en souvenir, de connaître la tendresse et de devoir un jour s'en souvenir. Tout ce que l'homme pouvait gagner au jeu de la peste et de la vie, c'était la connaissance et la mémoire. Peut-être était-ce cela que Tarrou appelait gagner la partie!

De nouveau, une auto passa et M^me Rieux remua un peu sur sa chaise. Rieux lui sourit. Elle lui dit qu'elle n'était pas fatiguée et tout de suite après :

— Il faudra que tu ailles te reposer en montagne, là-bas.

— Bien sûr, maman.

Oui, il se reposerait là-bas. Pourquoi pas? Ce serait aussi un prétexte à mémoire. Mais si c'était cela, gagner la partie, qu'il devait être dur de vivre seulement avec ce qu'on sait et ce dont on se souvient, et privé de ce qu'on espère. C'était ainsi sans doute qu'avait vécu Tarrou et il était conscient de ce qu'il y a de stérile dans une vie sans illusions. Il n'y a pas de paix sans espérance, et Tarrou qui refusait aux hommes le droit de condamner quiconque, qui savait pourtant que personne ne peut s'empêcher de condamner et que même les victimes se trouvaient être parfois des bourreaux, Tarrou avait vécu dans le déchirement et la contradiction, il n'avait jamais connu l'espérance. Était-ce pour cela qu'il avait voulu la sainteté et cherché la paix dans le service des hommes? A la vérité, Rieux n'en savait rien et cela importait peu. Les seules images de Tarrou qu'il garderait seraient celles d'un homme qui prenait le volant de son auto à pleines mains pour le conduire ou celles de ce corps épais, étendu maintenant sans mouvement. Une chaleur de vie et une image de mort, c'était cela la connaissance.

Voilà pourquoi, sans doute, le docteur Rieux, au matin, reçut avec calme la nouvelle de la mort de sa femme. Il était dans son bureau. Sa mère était venue presque en courant lui apporter un télégramme, puis elle était sortie pour donner un pourboire au porteur. Quand elle revint, son fils tenait à la main le télégramme ouvert. Elle le regarda, mais il contemplait obstinément, par la fenêtre, un matin magnifique qui se levait sur le port.

— Bernard, dit M<sup>me</sup> Rieux.

Le docteur l'examina d'un air distrait.

— Le télégramme? demanda-t-elle.

— C'est cela, reconnut le docteur. Il y a huit jours.

M<sup>me</sup> Rieux détourna la tête vers la fenêtre. Le docteur se taisait. Puis il dit à sa mère de ne pas pleurer, qu'il s'y attendait, mais que c'était quand même difficile. Simplement, il savait, disant cela, que sa souffrance était sans surprise. Depuis des mois et depuis deux jours, c'était la même douleur qui continuait.

# IV

Les portes de la ville s'ouvrirent enfin, à l'aube d'une belle matinée de février, saluées par le peuple, les journaux, la radio et les communiqués de la préfecture. Il reste donc au narrateur à se faire le chroniqueur des heures de joie qui suivirent cette ouverture des portes, bien que lui-même fût de ceux qui n'avaient pas la liberté de s'y mêler tout entiers.

De grandes réjouissances étaient organisées pour la journée et pour la nuit. En même temps, les trains commencèrent à fumer en gare pendant que, venus de mers lointaines, des navires mettaient déjà le cap sur notre port, marquant à leur manière que ce jour était, pour tous ceux qui gémissaient d'être séparés, celui de la grande réunion.

On imaginera facilement ici ce que put devenir le sentiment de la séparation qui avait habité tant de nos concitoyens. Les trains qui, pendant la journée, entrèrent dans notre ville n'étaient pas moins chargés que ceux qui en sortirent. Chacun avait retenu sa place pour ce jour-là, au cours des deux semaines de sursis, tremblant qu'au dernier moment la décision préfectorale fût annulée. Certains des voyageurs qui approchaient de la ville n'étaient d'ailleurs pas tout à fait débarrassés de

leur appréhension, car s'ils connaissaient en général le
sort de ceux qui les touchaient de près, ils ignoraient
tout des autres et de la ville elle-même, à laquelle ils
prêtaient un visage redoutable. Mais ceci n'était vrai
que pour ceux que la passion n'avait pas brûlés pendant
tout cet espace de temps.

Les passionnés, en effet, étaient livrés à leur idée fixe.
Une seule chose avait changé pour eux : ce temps que,
pendant les mois de leur exil, ils auraient voulu pousser
pour qu'il se pressât, qu'ils s'acharnaient à précipiter
encore, alors qu'ils se trouvaient déjà en vue de notre
ville, ils souhaitèrent le ralentir au contraire et le tenir
suspendu, dès que le train commença de freiner avant
l'arrêt. Le sentiment, à la fois vague et aigu en eux,
de tous ces mois de vie perdus pour leur amour, leur
faisait confusément exiger une sorte de compensation
par laquelle le temps de la joie aurait coulé deux fois
moins vite que celui de l'attente. Et ceux qui les attendaient dans une chambre ou sur le quai, comme Rambert, dont la femme, prévenue depuis deux semaines,
avait fait ce qu'il fallait pour arriver, étaient dans la
même impatience et le même désarroi. Car cet amour
ou cette tendresse que les mois de peste avaient réduits
à l'abstraction, Rambert attendait, dans un tremblement, de les confronter avec l'être de chair qui en
avait été le support.

Il aurait souhaité redevenir celui qui, au début de
l'épidémie, voulait courir d'un seul élan hors de la ville
et s'élancer à la rencontre de celle qu'il aimait. Mais il
savait que cela n'était plus possible. Il avait changé,
la peste avait mis en lui une distraction que, de toutes
ses forces, il essayait de nier, et qui, cependant, continuait en lui comme une sourde angoisse. Dans un
sens, il avait le sentiment que la peste avait fini trop

brutalement, il n'avait pas sa présence d'esprit. Le
bonheur arrivait à toute allure, l'événement allait plus
vite que l'attente. Rambert comprenait que tout lui
serait rendu d'un coup et que la joie est une brûlure
qui ne se savoure pas.

Tous, du reste, plus ou moins consciemment, étaient
comme lui et c'est de tous qu'il faut parler. Sur ce
quai de gare où ils recommençaient leur vie personnelle, ils sentaient encore leur communauté en échan-
geant entre eux des coups d'œil et des sourires. Mais
leur sentiment d'exil, dès qu'ils virent la fumée du
train, s'éteignit brusquement sous l'averse d'une joie
confuse et étourdissante. Quand le train s'arrêta, des
séparations interminables qui avaient souvent commencé sur ce même quai de gare, y prirent fin, en
une seconde, au moment où des bras se refermèrent
avec une avarice exultante sur des corps dont ils
avaient oublié la forme vivante. Rambert, lui, n'eut pas
le temps de regarder cette forme courant vers lui, que
déjà, elle s'abattait contre sa poitrine. Et la tenant à pleins
bras, serrant contre lui une tête dont il ne voyait que
les cheveux familiers, il laissa couler ses larmes sans
savoir si elles venaient de son bonheur présent ou d'une
douleur trop longtemps réprimée, assuré du moins
qu'elles l'empêcheraient de vérifier si ce visage enfoui
au creux de son épaule était celui dont il avait tant rêvé
ou au contraire celui d'une étrangère. Il saurait plus tard
si son soupçon était vrai. Pour le moment, il voulait faire
comme tous ceux qui avaient l'air de croire, autour
de lui, que la peste peut venir et repartir sans que
le cœur des hommes en soit changé.

Serrés les uns contre les autres, tous rentrèrent alors
chez eux, aveugles au reste du monde, triomphant en
apparence de la peste, oublieux de toute misère et de

ceux qui, venus aussi par le même train, n'avaient
trouvé personne et se disposaient à recevoir chez eux
la confirmation des craintes qu'un long silence avait
déjà fait naître dans leur cœur. Pour ces derniers, qui
n'avaient maintenant pour compagnie que leur douleur
toute fraîche, pour d'autres qui se vouaient, à ce moment, au souvenir d'un être disparu, il en allait tout
autrement et le sentiment de la séparation avait atteint
son sommet. Pour ceux-là, mères, époux, amants qui
avaient perdu toute joie avec l'être maintenant égaré
dans une fosse anonyme ou fondu dans un tas de cendre,
c'était toujours la peste.

Mais qui pensait à ces solitudes? A midi, le soleil,
triomphant des souffles froids qui luttaient dans l'air
depuis le matin, déversait sur la ville les flots ininterrompus d'une lumière immobile. Le jour était en arrêt.
Les canons des forts, au sommet des collines, tonnè-
rent sans interruption dans le ciel fixe. Toute la ville
se jeta dehors pour fêter cette minute oppressée où le
temps des souffrances prenait fin et où le temps de
l'oubli n'avait pas encore commencé.

On dansait sur toutes les places. Du jour au lendemain,
la circulation avait considérablement augmenté et les
automobiles, devenues plus nombreuses, circulaient
difficilement dans les rues envahies. Les cloches de la
ville sonnèrent, à la volée, pendant tout l'après-midi.
Elles remplissaient de leurs vibrations un ciel bleu
et doré. Dans les églises, en effet, des actions de
grâces étaient récitées. Mais, en même temps, les lieux
de réjouissance étaient pleins à craquer et les cafés,
sans se soucier de l'avenir, distribuaient leurs derniers
alcools. Devant leurs comptoirs, se pressait une foule
de gens pareillement excités et, parmi eux, de nombreux
couples enlacés qui ne craignaient pas de se donner en

spectacle. Tous criaient ou riaient. La provision de vie qu'ils avaient faite pendant ces mois où chacun avait mis son âme en veilleuse, ils la dépensaient ce jour-là qui était comme le jour de leur survie. Le lendemain, commencerait la vie elle-même, avec ses précautions. Pour le moment, des gens d'origines très différentes se coudoyaient et fraternisaient. L'égalité que la présence de la mort n'avait pas réalisée en fait, la joie de la délivrance l'établissait, au moins pour quelques heures.

Mais cette banale exubérance ne disait pas tout et ceux qui remplissaient les rues à la fin de l'apres-midi, aux côtés de Rambert, déguisaient souvent, sous une attitude placide, des bonheurs plus délicats. Bien des couples et bien des familles, en effet, n'avaient pas d'autre apparence que celle de promeneurs pacifiques. En réalité, la plupart effectuaient des pèlerinages délicats aux lieux où ils avaient souffert. Il s'agissait de montrer aux nouveaux venus les signes éclatants ou cachés de la peste, les vestiges de son histoire. Dans quelques cas, on se contentait de jouer au guide, à celui qui a vu beaucoup de choses, au contemporain de la peste, et on parlait du danger sans évoquer la peur. Ces plaisirs étaient inoffensifs. Mais dans d'autres cas, il s'agissait d'itinéraires plus frémissants où un amant, abandonné à la douce angoisse du souvenir, pouvait dire à sa compagne : « En ce lieu, à cette époque, je t'ai désirée et tu n'étais pas là. » Ces touristes de la passion pouvaient alors se reconnaître : ils formaient des îlots de chuchotements et de confidences au milieu du tumulte où ils cheminaient. Mieux que les orchestres aux carrefours, c'étaient eux qui annonçaient la vraie délivrance. Car ces couples ravis, étroitement ajustés et avares de paroles, affirmaient au milieu du tumulte, avec tout le triomphe et l'injustice du bonheur, que la peste était finie et que la terreur avait fait son temps. Ils niaient tranquillement, contre toute évidence, que nous ayons jamais connu ce monde insensé où le meurtre d'un homme était aussi quotidien que celui des mouches, cette sauvagerie bien définie, ce délire calculé, cet emprisonnement qui apportait avec lui une affreuse liberté à l'égard de tout ce qui n'était pas le présent, cette odeur de mort qui stupéfiait tous ceux qu'elle ne tuait pas, ils niaient enfin que nous ayons été ce peuple abasourdi dont tous les jours une partie, entassée dans la gueule d'un four s'évaporait en fumées grasses, pendant que l'autre, chargée des chaînes de l'impuissance et de la peur, attendait son tour.

C'était là, en tout cas, ce qui éclatait aux yeux du docteur Rieux qui, cherchant à gagner les faubourgs, cheminait seul, à la fin de l'après-midi, au milieu des cloches, du canon, des musiques et des cris assourdissants. Son métier continuait, il n'y a pas de congé pour les malades. Dans la belle lumière fine qui descendait sur la ville, s'élevaient les anciennes odeurs de viande grillée et d'alcool anisé. Autour de lui des faces hilares se renversaient contre le ciel. Des hommes et des femmes s'agrippaient les uns aux autres, le visage enflammé, avec tout l'énervement et le cri du désir. Oui, la peste était finie avec la terreur, et ces bras qui se nouaient disaient en effet qu'elle avait été exil et séparation, au sens profond du terme.

Pour la première fois, Rieux pouvait donner un nom à cet air de famille qu'il avait lu, pendant des mois, sur tous les visages des passants. Il lui suffisait maintenant de regarder autour de lui. Arrivés à la fin de la peste, avec la misère et les privations, tous ces hommes avaient fini par prendre le costume du rôle qu'ils jouaient déjà depuis longtemps, celui d'émigrants dont le visage d'abord, les habits maintenant, disaient l'absence et la patrie lointaine. A partir du moment où la peste avait fermé les portes de la ville, ils n'avaient plus vécu que dans la séparation, ils avaient été retranchés de cette chaleur humaine qui fait tout oublier. A des degrés divers, dans tous les coins de la ville, ces hommes et ces femmes avaient aspiré à une réunion qui n'était pas, pour tous, de la même nature, mais qui, pour tous, était également impossible. La plupart avaient crié de toutes leurs forces vers un absent, la chaleur d'un corps, la tendresse ou l'habitude. Quelques-uns, souvent sans le savoir, souffraient d'être placés hors de l'amitié des hommes, de n'être plus à même de les rejoindre par les moyens ordinaires de l'amitié qui sont les lettres, les trains et les bateaux. D'autres, plus rares, comme Tarrou peut-être, avaient désiré la réunion avec quelque chose qu'ils ne pouvaient pas définir, mais qui leur paraissait le seul bien désirable. Et faute d'un autre nom, ils l'appelaient quelquefois la paix.

Rieux marchait toujours. A mesure qu'il avançait, la foule grossissait autour de lui, le vacarme s'enflait et il lui semblait que les faubourgs, qu'il voulait atteindre, reculaient d'autant. Peu à peu, il se fondait dans ce grand corps hurlant dont il comprenait de mieux en mieux le cri qui, pour une part au moins, était son cri. Oui, tous avaient souffert ensemble, autant dans leur chair que dans leur âme, d'une vacance difficile, d'un exil sans remède et d'une soif jamais contentée. Parmi ces amoncellements de morts, les timbres des ambulances, les avertissements de ce qu'il est convenu d'appeler le destin, le piétinement obstiné de la peur et la terrible révolte de leur cœur, une grande rumeur n'avait cessé de courir et d'alerter ces êtres épouvantés, leur disant qu'il fallait retrouver leur vraie patrie.

Pour eux tous, la vraie patrie se trouvait au delà des murs de cette ville étouffée. Elle était dans ces broussailles odorantes sur les collines, dans la mer, les pays libres et le poids de l'amour. Et c'était vers elle, c'était vers le bonheur, qu'ils voulaient revenir, se détournant du reste avec dégoût.

Quant au sens que pouvaient avoir cet exil et ce désir de réunion, Rieux n'en savait rien. Marchant toujours, pressé de toutes parts, interpellé, il arrivait peu à peu dans des rues moins encombrées et pensait qu'il n'est pas important que ces choses aient un sens ou non, mais qu'il faut voir seulement ce qui est répondu à l'espoir des hommes.

Lui savait désormais ce qui est répondu et il l'apercevait mieux dans les premières rues des faubourgs, presque désertes. Ceux qui, s'en tenant au peu qu'ils étaient, avaient désiré seulement retourner dans la maison de leur amour, étaient quelquefois récompensés. Certes, quelques-uns d'entre eux continuaient de marcher dans la ville, solitaires, privés de l'être qu'ils attendaient. Heureux encore ceux qui n'avaient pas été deux fois séparés comme certains qui, avant l'épidémie, n'avaient pu construire, du premier coup, leur amour, et qui avaient aveuglément poursuivi, pendant des années, le difficile accord qui finit par sceller l'un à l'autre des amants ennemis. Ceux-là avaient eu, comme Rieux lui-même, la légèreté de compter sur le temps : ils étaient séparés pour jamais. Mais d'autres, comme Rambert, que le docteur avait quitté le matin même en lui disant : « Courage, c'est maintenant qu'il faut avoir raison », avaient retrouvé sans hésiter l'absent qu'ils avaient cru perdu. Pour quelque temps au moins, ils seraient heureux. Ils savaient maintenant que s'il est une chose qu'on puisse désirer toujours et obtenir quelquefois, c'est la tendresse humaine.

Pour tous ceux, au contraire, qui s'étaient adressés par-dessus l'homme à quelque chose qu'ils n'imaginaient même pas, il n'y avait pas eu de réponse. Tarrou avait semblé rejoindre cette paix difficile dont il avait parlé, mais il ne l'avait trouvée que dans la mort, à l'heure où elle ne pouvait lui servir de rien. Si d'autres, au contraire, que Rieux apercevait sur les seuils des maisons, dans la lumière déclinante, enlacés de toutes leurs forces et se regardant avec emportement, avaient obtenu ce qu'ils voulaient, c'est qu'ils avaient demandé la seule chose qui dépendît d'eux. Et Rieux, au moment de tourner dans la rue de Grand et de Cottard, pensait qu'il était juste que, de temps en temps au moins, la joie vînt récompenser ceux qui se suffisent de l'homme et de son pauvre et terrible amour.

V

CETTE chronique touche à sa fin. Il est temps que le docteur Bernard Rieux avoue qu'il en est l'auteur. Mais
avant d'en retracer les derniers événements, il voudrait
au moins justifier son intervention et faire comprendre
qu'il ait tenu à prendre le ton du témoin objectif. Pendant
toute la durée de la peste, son métier l'a mis à même
de voir la plupart de ses concitoyens, et de recueillir
leur sentiment. Il était donc bien placé pour rapporter ce qu'il avait vu et entendu. Mais il a voulu
le faire avec la retenue désirable. D'une façon générale, il s'est appliqué à ne pas rapporter plus de
choses qu'il n'en a pu voir, à ne pas prêter à ses
compagnons de peste des pensées qu'en somme ils
n'étaient pas forcés de former, et à utiliser seulement
les textes que le hasard ou le malheur lui avaient mis
entre les mains.

Étant appelé à témoigner, à l'occasion d'une sorte
de crime, il a gardé une certaine réserve, comme il
convient à un témoin de bonne volonté. Mais en même
temps, selon la loi d'un cœur honnête, il a pris délibérément le parti de la victime et a voulu rejoindre
les hommes, ses concitoyens, dans les seules certitudes
qu'ils aient en commun, et qui sont l'amour, la souf-

france et l'exil. C'est ainsi qu'il n'est pas une des angoisses de ses concitoyens qu'il n'ait partagée, aucune situation qui n'ait été aussi la sienne.

Pour être un témoin fidèle, il devait rapporter surtout les actes, les documents et les rumeurs. Mais ce que, personnellement, il avait à dire, son attente, ses épreuves, il devait les taire. S'il s'en est servi, c'est seulement pour comprendre ou faire comprendre ses concitoyens et pour donner une forme, aussi précise que possible, à ce que, la plupart du temps, ils ressentaient confusément. A vrai dire, cet effort de raison ne lui a guère coûté. Quand il se trouvait tenté de mêler directement sa confidence aux mille voix des pestiférés, il était arrêté par la pensée qu'il n'y avait pas une de ses souffrances qui ne fût en même temps celle des autres et que dans un monde où la douleur est si souvent solitaire, cela était un avantage. Décidément, il devait parler pour tous.

Mais il est un de nos concitoyens au moins pour lequel le docteur Rieux ne pouvait parler. Il s'agit, en effet, de celui dont Tarrou avait dit un jour à Rieux : « Son seul vrai crime, c'est d'avoir approuvé dans son cœur ce qui faisait mourir des enfants et des hommes. Le reste, je le comprends, mais ceci, je suis obligé de le lui pardonner. » Il est juste que cette chronique se termine sur lui qui avait un cœur ignorant, c'est-à-dire solitaire.

Quand il fut sorti des grandes rues bruyantes de la fête et au moment de tourner dans la rue de Grand et de Cottard, le docteur Rieux, en effet, fut arrêté par un barrage d'agents. Il ne s'y attendait pas. Les rumeurs lointaines de la fête faisaient paraître le quartier silencieux et il l'imaginait aussi désert que muet. Il sortit sa carte.

— Impossible, Docteur, dit l'agent. Il y a un fou qui tire sur la foule. Mais restez là, vous pourrez être utile.

A ce moment, Rieux vit Grand qui venait vers lui. Grand ne savait rien non plus. On l'empêchait de passer et il avait appris que des coups de feu partaient de sa maison. De loin, on voyait en effet la façade, dorée par la dernière lumière d'un soleil sans chaleur. Autour d'elle, se découpait un grand espace vide qui allait jusqu'au trottoir d'en face. Au milieu de la chaussée, on apercevait distinctement un drapeau et un bout d'étoffe sale. Rieux et Grand pouvaient voir très loin, de l'autre côté de la rue, un cordon d'agents, parallèle à celui qui les empêchait d'avancer, et derrière lequel quelques habitants du quartier passaient et repassaient rapidement. En regardant bien, ils aperçurent aussi des agents, le revolver au poing, tapis dans les portes des immeubles qui faisaient face à la maison. Tous les volets de celle-ci étaient fermés. Au second cependant, un des volets semblait à demi décroché. Le silence était complet dans la rue. On entendait seulement des bribes de musique qui arrivaient du centre de la ville.

A un moment, d'un des immeubles en face de la maison, deux coups de revolver claquèrent et des éclats sautèrent du volet démantibulé. Puis, ce fut de nouveau le silence. De loin, et après le tumulte de la journée, cela paraissait un peu irréel à Rieux.

— C'est la fenêtre de Cottard, dit tout d'un coup Grand très agité. Mais Cottard a pourtant disparu.

— Pourquoi tire-t-on? demanda Rieux à l'agent.

— On est en train de l'amuser. On attend un car avec le matériel nécessaire, parce qu'il tire sur ceux qui essaient d'entrer par la porte de l'immeuble. Il y a eu un agent d'atteint.

— Pourquoi a-t-il tiré?

— On ne sait pas. Les gens s'amusaient dans la rue. Au premier coup de revolver, ils n'ont pas compris. Au deuxième, il y a eu des cris, un blessé, et tout le monde s'est enfui. Un fou, quoi!

Dans le silence revenu, les minutes paraissaient se traîner. Soudain, de l'autre côté de la rue, ils virent déboucher un chien, le premier que Rieux voyait depuis longtemps, un épagneul sale que ses maîtres avaient dû cacher jusque-là, et qui trottait le long des murs. Arrivé près de la porte, il hésita, s'assit sur son arrière-train et se renversa pour dévorer ses puces. Plusieurs coups de sifflet venus des agents l'appelèrent. Il dressa la tête, puis se décida à traverser lentement la chaussée pour aller flairer le chapeau. Au même moment, un coup de revolver partit du second et le chien se retourna comme une crêpe, agitant violemment ses pattes pour se renverser enfin sur le flanc, secoué par de longs soubresauts. En réponse, cinq ou six détonations, venues des portes en face, émiettèrent encore le volet. Le silence retomba. Le soleil avait tourné un peu et l'ombre commençait à approcher de la fenêtre de Cottard. Des freins gémirent doucement dans la rue derrière le docteur.

— Les voilà, dit l'agent.

Des policiers débouchèrent dans leur dos, portant des cordes, une échelle et deux paquets oblongs enveloppés de toile huilée. Ils s'engagèrent dans une rue qui contournait le pâté de maisons, à l'opposé de l'immeuble de Grand. Un moment après, on devina plutôt qu'on ne vit une certaine agitation dans les portes de ces maisons. Puis on attendit. Le chien ne bougeait plus, mais il baignait à présent dans une flaque sombre.

Tout d'un coup, parti des fenêtres des maisons occupées par les agents, un tir de mitraillette se déclencha.

Tout au long du tir, le volet qu'on visait encore s'effeuilla littéralement et laissa découverte une surface noire où Rieux et Grand, de leur place, ne pouvaient rien distinguer. Quand le tir s'arrêta, une deuxième mitraillette crépita d'un autre angle, une maison plus loin. Les balles entraient sans doute dans le carré de la fenêtre, puisque l'une d'elles fit sauter un éclat de brique. A la même seconde, trois agents traversèrent en courant la chaussée et s'engouffrèrent dans la porte d'entrée. Presque aussitôt, trois autres s'y précipitèrent et le tir de la mitraillette cessa. On attendit encore. Deux détonations lointaines retentirent dans l'immeuble. Puis une rumeur s'enfla et on vit sortir de la maison, porté plutôt que traîné, un petit homme en bras de chemise qui criait sans discontinuer. Comme par miracle, tous les volets clos de la rue s'ouvrirent et les fenêtres se garnirent de curieux, tandis qu'une foule de gens sortait des maisons et se pressait derrière les barrages. Un moment, on vit le petit homme au milieu de la chaussée, les pieds enfin au sol, les bras tenus en arrière par les agents. Il criait. Un agent s'approcha de lui et le frappa deux fois, de toute la force de ses poings, posément, avec une sorte d'application.

— C'est Cottard, balbutiait Grand. Il est devenu fou.

Cottard était tombé. On vit encore l'agent lancer son pied à toute volée dans le tas qui gisait à terre. Puis un groupe confus s'agita et se dirigea vers le docteur et son vieil ami.

— Circulez! dit l'agent.

Rieux détourna les yeux quand le groupe passa devant lui.

Grand et le docteur partirent dans le crépuscule finissant. Comme si l'événement avait secoué la torpeur où s'endormait le quartier, ces rues écartées s'emplis-

saient à nouveau du bourdonnement d'une foule en
liesse. Au pied de la maison, Grand dit au revoir au docteur. Il allait travailler. Mais au moment de monter,
il lui dit qu'il avait écrit à Jeanne et que, maintenant,
il était content. Et puis, il avait recommencé sa phrase :
« J'ai supprimé, dit-il, tous les adjectifs. »

Et avec un sourire malin, il enleva son chapeau dans
un salut cérémonieux. Mais Rieux pensait à Cottard
et le bruit sourd des poings qui écrasaient le visage
de ce dernier le poursuivait pendant qu'il se dirigeait
vers la maison du vieil asthmatique. Peut-être était-il
plus dur de penser à un homme coupable qu'à un
homme mort.

Quand Rieux arriva chez son vieux malade, la nuit
avait déjà dévoré tout le ciel. De la chambre, on pouvait entendre la rumeur lointaine de la liberté, et le
vieux continuait, d'une humeur égale, à transvaser ses
pois.

— Ils ont raison de s'amuser, disait-il, il faut de
tout pour faire un monde. Et votre collègue, docteur,
qu'est-ce qu'il devient ?

Des détonations arrivaient jusqu'à eux, mais elles
étaient pacifiques : des enfants faisaient partir leurs
pétards.

— Il est mort, dit le docteur, en auscultant la poitrine ronflante.

— Ah ! fit le vieux, un peu interdit.

— De la peste, ajouta Rieux.

— Oui, reconnut le vieux après un moment, les meilleurs s'en vont. C'est la vie. Mais c'était un homme qui
savait ce qu'il voulait.

— Pourquoi dites-vous cela ? dit le docteur qui rangeait son stéthoscope.

— Pour rien. Il ne parlait pas pour ne rien dire. Enfin,

moi, il me plaisait. Mais c'est comme ça. Les autres
disent : « C'est la peste, on a eu la peste. » Pour un peu,
ils demanderaient à être décorés. Mais qu'est-ce que ça
veut dire, la peste? C'est la vie, et voilà tout.

— Faites vos fumigations régulièrement.

— Oh! ne craignez rien. J'en ai encore pour longtemps et je les verrai tous mourir. Je sais vivre,
moi.

Des hurlements de joie lui répondirent au loin. Le
docteur s'arrêta au milieu de la chambre.

— Cela vous ennuierait-il que j'aille sur la terrasse?

— Oh non! Vous voulez les voir de là-haut, hein?
A votre aise. Mais ils sont bien toujours les mêmes.

Rieux se dirigea vers l'escalier.

— Dites, docteur, c'est vrai qu'ils vont construire
un monument aux morts de la peste?

— Le journal le dit. Une stèle ou une plaque.

— J'en étais sûr. Et il y aura des discours.

Le vieux riait d'un rire étranglé.

— Je les entends d'ici : « Nos morts... », et ils iront
casser la croûte.

Rieux montait déjà l'escalier. Le grand ciel froid
scintillait au-dessus des maisons et, près des collines,
les étoiles durcissaient comme des silex. Cette nuit
n'était pas si différente de celle où Tarrou et lui étaient
venus sur cette terrasse pour oublier la peste. La
mer était seulement plus bruyante qu'alors, au pied
des falaises. L'air était immobile et léger, délesté des
souffles salés qu'apportait le vent tiède de l'automne. La
rumeur de la ville, cependant, battait toujours le pied
des terrasses avec un bruit de vagues. Mais cette nuit
était celle de la délivrance, et non de la révolte. Au
loin, un noir rougeoiment indiquait l'emplacement des
boulevards et des places illuminées. Dans la nuit main-

tenant libérée, le désir devenait sans entraves et c'était
son grondement qui parvenait jusqu'à Rieux.

Du port obscur montèrent les premières fusées des
réjouissances officielles. La ville les salua par une
longue et sourde exclamation. Cottard, Tarrou, ceux et
celle que Rieux avait aimés et perdus, tous, morts ou
coupables, étaient oubliés. Le vieux avait raison, les
hommes étaient toujours les mêmes. Mais c'était leur
force et leur innocence et c'est ici que, par-dessus toute
douleur, Rieux sentait qu'il les rejoignait. Au milieu des
cris qui redoublaient de force et de durée, qui se réper-
cutaient longuement jusqu'au pied de la terrasse, à
mesure que les gerbes multicolores s'élevaient plus
nombreuses dans le ciel, le docteur Rieux décida alors
de rédiger le récit qui s'achève ici, pour ne pas être
de ceux qui se taisent, pour témoigner en faveur de
ces pestiférés, pour laisser du moins un souvenir de
l'injustice et de la violence qui leur avaient été faites,
et pour dire simplement ce qu'on apprend au milieu
des fléaux, qu'il y a dans les hommes plus de choses
à admirer que de choses à mépriser.

Mais il savait cependant que cette chronique ne pouvait pas être celle de la victoire définitive. Elle ne pouvait
être que le témoignage de ce qu'il avait fallu accomplir
et que, sans doute, devraient accomplir encore, contre la
terreur et son arme inlassable, malgré leurs déchirements
ments personnels, tous les hommes qui, ne pouvant être
des saints et refusant d'admettre les fléaux, s'efforcent
cependant d'être des médecins.

Écoutant, en effet, les cris d'allégresse qui montaient
de la ville, Rieux se souvenait que cette allégresse était
toujours menacée. Car il savait ce que cette foule en joie
ignorait, et qu'on peut lire dans les livres, que le bacille
de la peste ne meurt ni ne disparaît jamais, qu'il peut

rester pendant des dizaines d'années endormi dans les meubles et le linge, qu'il attend patiemment dans les chambres, les caves, les malles, les mouchoirs et les paperasses, et que, peut-être, le jour viendrait où, pour le malheur et l'enseignement des hommes, la peste réveillerait ses rats et les enverrait mourir dans une cité heureuse.

FIN

# SELECT BIBLIOGRAPHY

*Books*

BOISDEFFRE, PIERRE DE. *Métamorphoses de la Littérature*, vol. 2, *De Proust à Sartre*, Editions Alsatia, Paris.

CRUICKSHANK, JOHN. *Albert Camus and the Literature of Revolt*, O.U.P., New York, 1960.

GRENIER, JEAN. *Albert Camus, souvenirs*, Gallimard, 1968.

HAGGIS, D. R. *La Peste*. Series 'Signposts to French Studies', Edward Arnold.

*Hommage à Albert Camus: 1913–1960*, Gallimard, 1967 (various authors).

MARQUET, ALBERT. *The Invincible Summer*, John Galder, 1958.

O'BRIEN, CONOR CRUISE. *Camus* ('Modern Masters'), Fontana, 1970.

PEYRE, HENRI. *French Novelists of Today*, O.U.P., New York, 1967.

QUILLIOT, ROGER. *La Mer et les Prisons . . . essai sur Albert Camus*, Gallimard, 1956.

SCOTT, NATHAN A. *Camus*, Bowes & Bowes, 1962.

THODY, PHILIP. *Albert Camus, 1913–1960.* Hamish Hamilton, 1961.

*Articles etc.*

BATAILLE, GEORGES. La Morale du Malheur: 'La Peste', *Critique*, juin–juillet, 1947, pp. 3–15.

BRÉE, GERMAINE (editor). *Camus.* 'A Collection of critical essays' ('Twentieth Century Views'), Prentice-Hall, N.J., 1962.

ETIEMBLE, RENÉ. 'Peste' ou péché?, *Les Temps Modernes*, nov. 1947.

CUNARD, NANCY. 'Letter from Paris', *Horizon*, June 1945.

WURMSTER A. 'Préface à La Peste', *La Nouvelle Critique*, nov. 1964.

*Special Numbers of Reviews Devoted to Camus*
*La Table Ronde*, févr. 1960.
*Nouvelle Revue Française*, mars 1960.

# Notes

PAGE 14, LINE 19: les associations de boulomanes, les banquets des amicales, *clubs of bowls enthusiasts, Friendly Society dinners.*

PAGE 15, LINE 23: de connaissements et d'escompte, *invoices and discounts.*

PAGE 19, LINE 34: boîtes de détritus, *refuse-bins.*

PAGE 20, LINE 11: souffle caillouteux, *wheezy* (lit. 'flinty') *breathing.*

PAGE 21, LINE 17: le chuintement, *the hissing.*

PAGE 23, LINE 1: 'C'est le langage de Saint-Just'. Saint-Just was one of the leaders and great orators of the French Revolution.

PAGE 26, LINE 6: files titubantes, *tottering queues.*

PAGE 26, LINE 28: des furoncles et des sanies, *boils and pus.*

PAGE 28, LINE 18: rétrécissement de l'aorte, *stricture of the aorta* (med.).

PAGE 28, LINE 34: j'ai cru qu'il y passait, *I thought he was done for.*

PAGE 31, LINE 9: trente-neuf cinq (degrés): i.e. 103 F.

PAGE 31, LINE 13: ce cochon-là me brûle, *this bitch of a pain is burning me.*

PAGE 32, LINE 1: un abcès de fixation, *a fixation abscess* (produced by a subcutaneous injection).

PAGE 32, LINE 5: s'il y a lieu, *if necessary.*

PAGE 32, LINE 33: fongosité, *fungosity* (med.).

PAGE 33, LINE 1: écartelé par les ganglions, *spread-eagled by his ganglions.*

PAGE 35, LINE 32: disgracieuses, *unsightly.*

PAGE 36, LINE 6: à l'aiguillage, *at the points* (rly.).

PAGE 36, LINE 24: les défilés dominicaux, *the Sunday processions.*

PAGE 37, LINE 34: leur forme de nacelle, *their gondola-like shape.*

PAGE 39, LINE 24: qui n'en disait pas long, *which was not very eloquent.*

PAGE 39, LINE 30: édiles, *town-councillors.*

PAGE 40, LINE 19: rectifiait patiemment ses tirs: *was patiently correcting his aim.*

PAGE 41, LINE 3: flèches de direction, *trafficators.*

PAGE 42, LINE 4: fièvres inguinales, *inguinal fever* (med.).

PAGE 42, LINE 20: 'il n'avait pas qualité': *was not qualified* (sc. *to judge*).

PAGE 43, LINE 15: ça cuit (slang), *that warms you up.*

PAGE 45, LINE 1: Grand se montra tâtillon, *Grand showed himself finicky.*

PAGE 46, LINE 19: d'autres chats à fouetter: *other fish to fry*; compare also p. 70, line 4 where the French text puns on the word 'chat' in connection with the 'dératisation'—rat-control—just mentioned.

PAGE 51, LINE 26: filiforme: *very weak* (of pulse).

PAGE 52, LINES 10–11: les bagnards de Marseille, *the Marseilles convicts.*

PAGE 52, LINE 13: Jaffa. The French painter, Baron Gros, executed a famous picture entitled 'Les Pestiférés de Jaffa' which shows Napoleon Bonaparte visiting the victims during his Egyptian campaign.

PAGE 52, LINE 25: au bout du damier terne des maisons, *where the dismal draught-board of the houses comes to an end.*

PAGE 54, LINE 18: piétiné: *marking time.*

PAGE 55, LINE 33: l'essor d'une personnalité, *development of a character.*

PAGE 56: LINE 1: les ficus: *fig-trees.*

PAGE 56, LINE 4: tripotait, *fingered.*

PAGE 57, LINE 9: 'titularisation' rapide, *swift confirmation.*

PAGE 57, LINE 18: partant, *therefore* (cp. p. 300, line 33).

PAGE 57, LINE 33: au demeurant, *furthermore.*

PAGE 63, LINE 9: syndrome: *syndrome,* recurrent symptoms (Oxford Dic.).

PAGE 68, LINE 25: les bras ballants, lit. their arms dangling; here: *idle, doing nothing.*

PAGE 68, LINE 31: bien pensant, *orthodox* (here: *conservative*).

PAGE 73, LINE 23: pois-chiches, *chick-peas.*

PAGE 73, LINE 30: ils y vont fort, *they're piling it on.*

PAGE 73, LINE 31: les grosses têtes (fam.), *the bigwigs.*

PAGE 76, LINE 28: transvasait, *transferred from one jar to another.*

PAGE 76, LINE 34: remonta en flèche, *shot up.*

PAGE 97, LINE 26: en gros, *roughly speaking.*

PAGE 103, LINE 29: eau crésylée, a disinfectant fluid with cresyl in it.

PAGE 107, LINE 9: reconstitutions épigraphiques, *reconstitution of inscriptions.*

PAGE 115, LINE 2: juge d'instruction, *examining magistrate.*

PAGE 119, LINE 17: alezane (jument), *chestnut mare.*

PAGE 121, LINE 7: débrouillard, *smart, 'on the spot'.*

PAGE 121, LINE 14: agrumes, *citrus fruits.*

PAGE 122, LINE 14: formaliste, *stickler for form.*

PAGE 122, LINE 15: bien parlants, *comforters.*

PAGE 123, LINE 3: classeur à tirettes, *filing-cabinet.*

PAGE 125, LINE 14: au milieu des décalques en huit

de vieux arrosages, *in the middle of patterns in the shape of the figure eight, that had been made by sprinkling the dust.*

PAGE 130, LINE 17: crachats de plomb, *sputters of lead shot.*

PAGE 137, LINE 2: ébouillanté, *boiled* (sterilized).

PAGE 146, LINE 6: minuterie, automatic apparatus for switching electric current off and on. Used on staircases of big flats.

PAGE 159, LINE 15: nabot, *dwarf.*

PAGE 160, LINE 1: jabotait, *squawked.*

PAGE 165, LINE 7: poivrons, *pimentos.*

PAGE 171, LINE 26: *Saint James Infirmary*, a wellknown 'blues' classic.

PAGE 175, LINE 7: eut un haut-le-corps, *gave a sudden start.*

PAGE 177, LINE 3: consignés, *confined* (to their homes).

PAGE 186, LINE 34: une brimade etc., *a joke* (translate: 'an ordeal with them as its victims').

PAGE 187, LINE 5: il y a toujours plus prisonnier: *there are always people more prisoner than oneself.*

PAGE 196, LINE 28: brinque-ballant, *swaying.*

PAGE 196, LINE 33: balladeuses, *trailers.*

PAGE 201, LINE 17: l'atonie: *atony* (med.), *lethargy.*

PAGE 203, LINE 10: attente butée: *period of obstinate waiting.*

PAGE 215, LINE 8: céphalées: *head-pains.*

PAGE 219, LINE 16: histrion désarticulé, *disarticulated play-actor* (express use of unusual terms on Camus's part).

PAGE 223, LINE 20: crépis: *rough-cast, pebble-dashed.*

PAGE 225, LINE 11: fiches; *index-cards, 'chits'.*

PAGE 232, LINES 3–4: service de voirie, *highways department.*

PAGE 232, LINE 32: payé de sa personne; *worn himself out.*

PAGE 255, LINE 21: théories de femmes, *lines of women.*

PAGE 260, LINES 5 et seq.: Il évoquait . . . rafraîchissantes, *he recalled as best he could the smell of embrocation in the changing-rooms, the crowded stands, the bright-coloured jerseys on the brown sports-ground, the lemons at half-time or the lemonade which stings your throat with a thousand refreshing needles.*

PAGE 260, LINE 23: ballots, *bundles.*

PAGE 260, LINE 34: affalés, *lying full-length.*

PAGE 265, LINE 6: il y aurait du grabuge (fam.), *there would be ructions.*

PAGE 265, LINE 30: le ciel balayé et lustré par le vent, *the sky swept and polished by the wind.*

PAGE 267, LINE 26: Chaix, the French equivalent of the once familiar English railway guide, named after its original compiler 'Bradshaw'.

PAGE 272, LINE 23: déglutir, *to stomach.*

PAGE 278, LINE 1: emmagasiné, *stored up.*

PAGE 299, LINE 16: rompre en visière, *quarrel* (here: '*cut*').

PAGE 300, LINE 33: partant, see note to p. 57, line 18.

PAGE 315, LINE 11: mettaient le cap sur, *headed for* (naut.).

PAGE 316, LINE 26: l'être de chair qui en avait été le support: *the being of flesh and blood who had nurtured them.*

PAGE 319, LINE 32: étroitement ajustés, *tightly clasped,* avares de paroles, *with no words to waste.*